D1199357

Le Big Livre de l'Incroyable

Ce livre a été publié aux États-Unis sous le titre
Ripley's Believe it or Not !®
Dare to Look
par Ripley Entertainment Inc.

Design Dynamo Design
Composition Atlant'Communication
Traduction Emmanuel Dazin
Anne Bleuzen
Vincent Le Leurch
Lafcadio della Rotonda
Daniel Lemoine

ISBN 978-2-8098-1487-3

Imprimé en Chine
Dépôt légal : octobre 2014.

www.big-livre-de-lincroyable.com
www.editionsarchipel.com

Le Big Livre de l'Incroyable

2015

l'Archipel

PROGRAMME

ENCORE PLUS DE TRUCS À DÉCOUVRIR !!
Télécharge notre APP et essaye
ODD SCAN
Plein de vidéos ébouriffantes !

ROBERT RIPLEY
Une icône américaine !

Marco Polo, Christophe Colomb, Neil Armstrong… Seuls quelques aventuriers véritables peuvent être comparés à de tels hommes, mais Robert Ripley pourrait bien être l'un d'eux! En 1918, étant donné les moyens limités dont on disposait pour voyager, sa détermination à se rendre dans des pays à peine connus révéla un esprit de pionnier tout aussi extraordinaire que celui de ces explorateurs intrépides.

Avec élégance, en nœud papillon et chaussures à guêtres, Ripley a voyagé en Papouasie-Nouvelle-Guinée, en Arménie, au Tibet et au-delà – son objectif était de découvrir les merveilles et les bizarreries du monde, ses miracles et ses monstruosités, et de les montrer sous forme de dessins qu'il publiait quotidiennement dans *The New York Globe*.

Les Américains en redemandaient, ce qui a propulsé Ripley à la radio et à la télévision, pour lesquelles il a réalisé des émissions depuis des endroits comme un aquarium de requins! On n'a pas tardé à dire de lui qu'il était plus populaire que le président des États-Unis!

En 1933, Ripley avait ouvert un Bizarrorium à Chicago pour exposer les objets qu'il avait collectionnés.

Aujourd'hui, Ripley est un empire international comprenant 32 musées, 3 aquariums, 1 entrepôt rempli d'objets et des archives riches de 25000 photos et 100000 dessins.

Ripley a eu recours à des yaks pour tirer sa voiture lorsque celle-ci s'est embourbée dans un col de montagne enneigé de Géorgie, en 1934.

ENCORE PLUS DE TRUCS À DÉCOUVRIR!!

Télécharge notre APP et essaye ODDSCAN™

Regarde des images d'archives exclusives de Robert Ripley sur ses voyages.

En 1933, Ripley a ouvert un Bizarrorium à Chicago pour abriter ses collections d'objets. Elles étaient si saisissantes, disait-il, que « cent personnes tournaient de l'œil chaque jour et on a dû y installer six lits! ».

Ripley

Believe It or Not

ODDITORIUM

Tout est vrai !

Wayne Harbour (1899-1981), un postier de Bedford, Iowa, a consacré 29 ans de sa vie à essayer de prouver que Robert Ripley se trompait. Il a écrit 24241 lettres aux personnes représentées sur ses dessins afin de trouver des erreurs factuelles, mais n'a jamais reçu une seule réponse contredisant un fait avancé par Ripley! À sa mort, sa veuve a fait don à Ripley de sa vaste correspondance – 80 cartons pleins –, que l'on peut voir aujourd'hui dans les musées Ripley du monde entier.

« On m'a traité de menteur plus que n'importe qui… Ce vilain petit mot est comme de la musique à mes oreilles. J'en suis flatté, parce que cela signifie que mon paragraphe ce jour-là contenait un fait si étrange qu'il semblait incroyable – et par conséquent intéressant. »

Robert Ripley

Les archives Ripley contiennent plus de 25000 photos, dont beaucoup montrent Robert Ripley lors de ses voyages, rencontrant des gens comme cet homme en Corée, en 1932, qui porte plusieurs chapeaux.

Ripley a rencontré des chasseurs de têtes à Port Moresby, en Papouasie-Nouvelle-Guinée. Il y a séjourné chez le chef de la police et a témoigné de ses expériences dans ses dessins.

En costume immaculé, Ripley présente une émission de radio dans les grottes de Carlsbad, au Nouveau-Mexique, en 1939.

Des faits et des chiffres

Employé à plein temps par Robert Ripley pour chercher et vérifier des informations, Norbert Pearlroth (1893-1983) a passé dix heures par jour, six jours par semaine, pendant 52 ans assis sur la même chaise dans la salle de lecture de la bibliothèque publique de New York. Durant toutes ces années, il a consulté environ

> « 52 ans assis sur la même chaise »

364000 ouvrages à la recherche de faits à peine croyables que 80 millions de personnes de par le monde attendaient avec impatience de retrouver dans les dessins de Ripley. Homme d'habitudes, Norbert quittait chaque matin son domicile de Brooklyn, prenait le métro pour Manhattan et travaillait jusqu'à midi à son bureau, où il répondait à quelques-unes des 3000 lettres par semaine que des lecteurs du monde entier adressaient à Ripley. Sautant le déjeuner, il se rendait ensuite à la bibliothèque de la 5e Avenue, où il travaillait toute la journée, ne prenant qu'une demi-heure pour dîner avant de rentrer chez lui à 22 heures, lorsque la bibliothèque fermait ses portes.

Norbert a pris sa retraite en 1975, sans jamais avoir manqué de proposer, en temps et en heure, 24 idées de dessins chaque semaine. Il est mort à 89 ans, ayant fourni et vérifié plus de 60000 faits !

La chaise de Norbert Pearlroth à la bibliothèque était si dure qu'il avait des furoncles aux fesses. Ci-dessus à droite, il est confortablement assis lors d'une réunion dans l'appartement de Ripley.

NOUS AVONS CHERCHÉ et trouvé !

Chez Ripley, nous sommes très curieux. À chaque seconde de chaque journée, nous avons les oreilles collées au sol, les yeux grands ouverts, les doigts qui épluchent des dossiers, et nous écumons toutes sortes de médias sociaux – nous arrêtant seulement lorsque nous manquons de chiens renifleurs – à la recherche d'une vérité à peine croyable ou d'une personne dont la vie est extraordinaire.

Nous avons des chercheurs, des conservateurs, des archivistes et des maquettistes, ainsi que des rédacteurs et des correspondants qui compilent des articles et écrivent pour nos livres. Passionnés et entièrement dévoués à ce que nous faisons, nous ne nous fatiguons jamais de révéler et de préserver le côté incroyable de la vie.

Nous avons rassemblé des milliers d'histoires et des centaines de photographies pour ce nouveau livre. Nous avons aussi voyagé pour trouver des gens étonnants – et certains de nos préférés sont présentés ici.

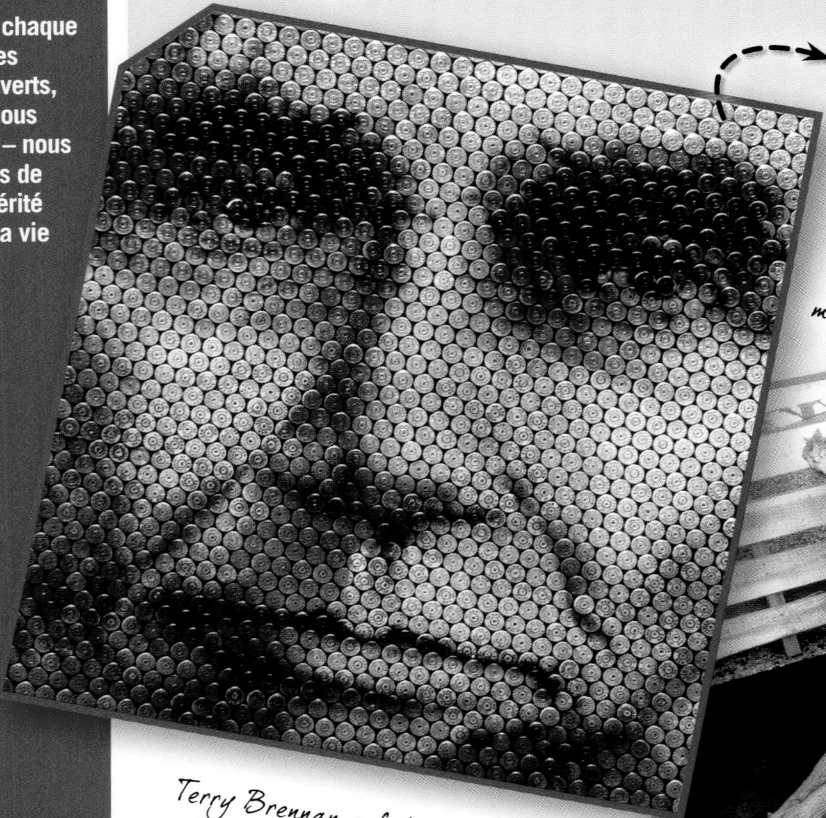

Chacune des douilles qui constituent le portrait du président Lincoln réalisé par David Palmer représente 150 hommes morts lors de la guerre de Sécession.

Terry Brennan a fabriqué son tigre à partir de branches trouvées sur Cat Island, en Caroline du Sud.

Regardez sur qui nous sommes tombés cette année !

Voir page 146

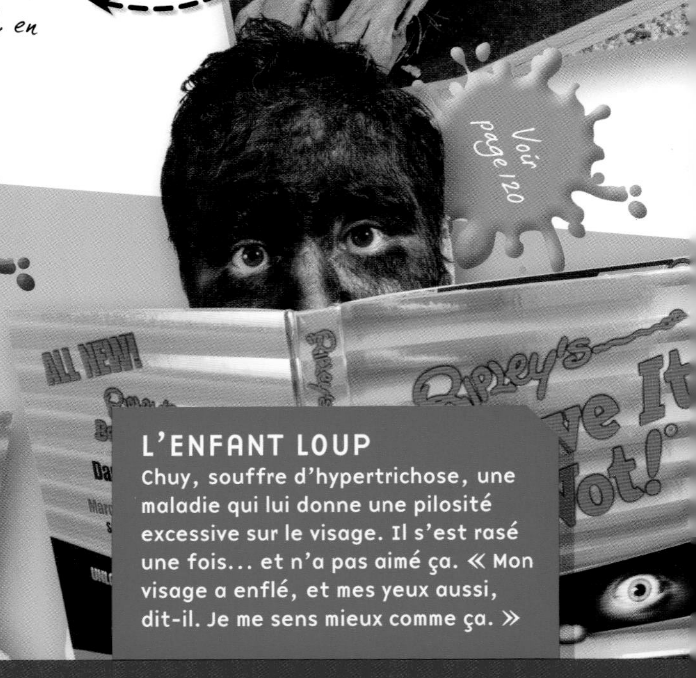

Voir page 120

DU *CAR ART* DINGUE

Dans l'atelier de Ian Cook, les voitures télécommandées s'entassent. Un coup de télécommande et les roues se mettent à tourner et à déraper !

L'ENFANT LOUP

Chuy, souffre d'hypertrichose, une maladie qui lui donne une pilosité excessive sur le visage. Il s'est rasé une fois... et n'a pas aimé ça. « Mon visage a enflé, et mes yeux aussi, dit-il. Je me sens mieux comme ça. »

C'est la fête !

L'aigle de Tom Sheerin est fait de 3 000 couverts de table !

Rendez-vous page 210 pour plus de nourriture dingue, y compris des gâteaux contenant du cerveau, des yeux et des doigts sectionnés – et si ça vous tente... jetez un œil sur ces adorables petits gâteaux au vomi !

Ripley s'est rendu à une fête sympa, à Londres, pour rencontrer les cuisiniers qui se cachent derrière des recettes dures à croire ! La nourriture servie avait la forme d'un téléviseur comestible, d'un seau de cailloux, d'un couteau – et de petits gâteaux couverts de vomi (ci-contre, si vous avez l'estomac bien accroché !). La télé était faite en bonbons cuits, les cailloux de crispies au chocolat, et le vomi... euh, on n'est pas très sûrs !

NOUS AVONS AUSSI ACHETÉ !

Edward Meyer, un archiviste de chez Ripley, a fait des recherches pour de nouvelles expositions dans les musées et est revenu avec des choses étonnantes.

Voir page 172

Voir page 112

Téléchargez notre appli Ripley's Believe It or Not ! : vous verrez les voitures peintes de Ian Cook, écouterez l'histoire du garçon-loup, ressentirez les souffrances de Kelvin et verrez des photos exclusives du tatouage oculaire du roi du body art **!**

L'HOMME-PINCES À LINGE

Nous avons fait venir Kelvin Mercado, de Puerto Rico, à notre QG de Floride après avoir vu ses photos le montrant avec 160 pinces à linge sur le visage ! Nous avons pris une photo pour prouver qu'il avait raison !

LE ROI DU BODY ART

Le roi du *body art* est couvert de tatouages sur 90 % du corps ! Nos chercheurs l'ont contacté, mais la séance photos a dû être reportée jusqu'à ce que son tatouage oculaire ait désenflé !

REJOIGNEZ NOTRE MONDE !

FACEBOOK

TWITTER

PINTEREST

DANS NOTRE APPLI !

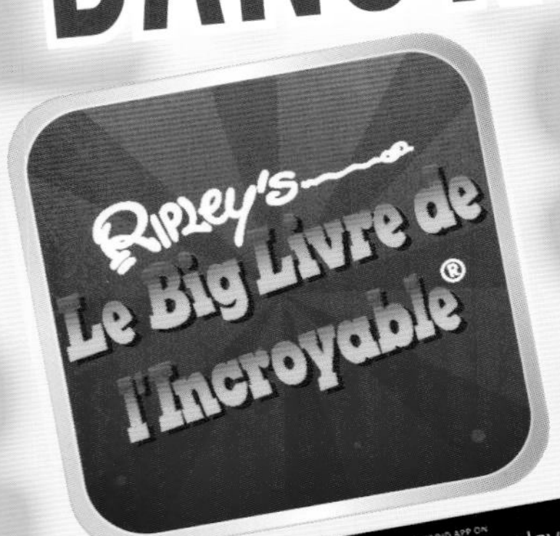

Le portail officiel pour entrer dans le monde incroyable de Ripley's. Téléchargez les phénomènes les plus bizarres sur votre téléphone. Cette appli contient la fonction oddSCAN, qui vous donne la possibilité de scanner des cibles du monde réel dans les musées et les livres Ripley pour ouvrir des contenus cachés exclusifs. Plus toutes les options ci-dessous.

Visitez nos musées...

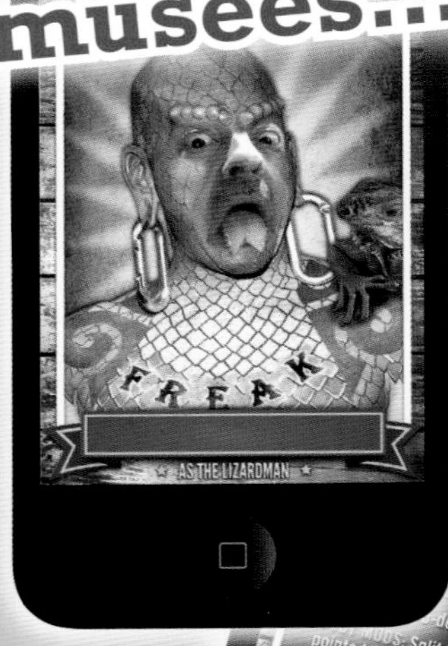

BD

RIPLEYZINES™

SOCIAL

MUSÉES

Lisez nos étonnants magazines sur votre téléphone !

...“Ripleyfiez” -vous

Vous vous êtes déjà demandé à quoi vous ressembleriez en homme-lézard ? Téléchargez notre appli et voyez-vous tout de suite ! Vous pouvez vous « Ripleyfier » et vous envoyer à tous vos amis ! Dans un musée Ripley ? Cherchez les signes oddSCANTM pour davantage d'expériences – et les cartes collector avec encore plus de faits incroyables !

CONTACTEZ-NOUS

Via notre site web...
ripleybooks.com

Écrivez-nous...

BION Research
Ripley Entertainment Inc,
7576 Kingspointe Parkway, 188,
Orlando, Florida 32819, U.S.A.

Par email...

bionresearch@ripleys.com

ENVOYEZ-NOUS DES TRUCS

www.ripleys.com/submit

Ripley's Le Big Livre de l'Incroyable
www.big-livre-de-lincroyable.com

Envoyez-nous vos gâteaux d'anniversaire... maintenant !

▸Havannah, du Queensland (Australie), nous a envoyé cet étonnant gâteau d'anniversaire fait pour elle par un de ses amis – une copie parfaite de notre livre Incredibly Strange !

À VOUS DE JOUER

ENCORE PLUS DE TRUCS ÉTONNANTS À DÉCOUVRIR !!

Télécharge notre appli et essaye ODDSCAN

Fais l'essai – scanne la page et l'art de Ian Cook apparaîtra !

Cherchez-les dans tout le livre !

Téléchargez notre appli Ripley's Believe It or Not ! et activez la fonction ODDSCAN pour découvrir d'étonnants bonus sortant des pages de ce livre. Dès que vous voyez le logo ODDSCAN, scannez la page avec votre téléphone et ouah ! de nouvelles photos et des vidéos incroyables vont apparaître !

SCANNEZ la page

En voir plus page 146

VIDÉOS DINGUES
PLUS DE PHOTOS
INTERVIEWS
HISTOIRES DRÔLES
BIZARRERIES

L'AQUARIUM RIPLEY

au Canada

Plus de 15 000 poissons d'eau de mer et d'eau douce, y compris les créatures sous-marines les plus étonnantes de la planète, ont trouvé résidence dans le nouvel aquarium Ripley's au cœur de la ville de Toronto (Canada), au pied de la tour CN.

450 espèces s'ébattent dans 5 700 000 litres d'eau dans 45 habitats différents, depuis les majestueuses forêts d'algues brunes géantes du Pacifique nord-ouest jusqu'aux spectaculaires couleurs d'un récif tropical de la région indo-Pacifique. On y voit le plus petit et le plus puissant. De délicats hippocampes s'accrochent aux algues mouvantes, tandis que des requins – dont des requins-taureaux de 2,70 mètres – parcourent le plus long tunnel sous-marin d'Amérique du Nord… juste au-dessus de la tête des visiteurs.

On peut côtoyer de belles tortues, un poisson-scie géant, un poisson-hérisson venimeux, des raies sublimes et des piranhas mortels, dont un ban peut dépecer une vache entière ou un homme jusqu'aux os en quelques minutes. Heureusement, les parois d'acrylique de l'aquarium ont 30 cm d'épaisseur.

Le lagon des requins à lui seul couvre une superficie de 745 m² – l'équivalent d'un court de tennis – et l'eau dans l'aquarium tout entier est propulsée par 100 pompes distinctes. L'aquarium contient environ 32 km de canalisations d'eau et 458 km de circuits électriques – soit plus que la distance entre New York et Washington !

Aux États-Unis, Ripley's possède déjà des aquariums à Myrtle Beach, Caroline du Sud, et Gatlinburg, Tennessee. Son aquarium canadien mènera des programmes d'élevage et de conservation d'espèces en danger, y compris des programmes de marquage et de repérage des requins-taureaux. En termes de population, ces requins ne s'aident pas eux-mêmes car leurs bébés développent des dents embryonnaires dans le ventre de leur mère et dévorent leurs frères et sœurs ! Une raison de plus pour que Ripley's veille sur eux.

MÉDUSE

Une méduse est composée de 90 % d'eau et n'a pas de cerveau !

POISSON-CLOWN

En nageant parmi les anémones de mer, le poisson-clown s'immunise contre ses tentacules mortels !

POISSON-HÉRISSON

Il y a assez de poison dans un poisson-hérisson pour tuer 30 humains adultes... et il n'existe aucun antidote connu.

PIRANHA

Un piranha a des dents comme des lames de rasoir et mord avec une force 30 fois supérieure à son poids !

L'AQUARIUM

- Il contient une quantité impressionnante de 5 700 000 litres d'eau.
- Il conserve 450 espèces différentes de poissons et d'invertébrés.
- Il y a plus de 15 000 poissons.
- On peut y voir 45 bassins différents exposant des animaux vivants.
- Le plus grand bassin est le lagon des requins, qui mesure 745 m^2 et contient 2 895 840 litres d'eau.
- Le tunnel du lagon des requins mesure 86 mètres de long – le plus long tunnel sous-marin d'Amérique du Nord.
- L'aquarium possède plus de 80 requins de 12 espèces différentes.

RAIE

Le dard de la queue d'une raie mesure 35 cm et est si pointu qu'il peut tuer un humain !

PIEUVRE GÉANTE DU PACIFIQUE

Une pieuvre géante du Pacifique peut tuer un requin en utilisant ses tentacules pour lui briser le dos !

REQUIN-TAUREAU

Ce requin a une gueule pleine de dents qui saillent dans toutes les directions, même quand sa gueule est fermée !

01

INCROYABLE !

BIEN VELUES EN INDE

Les sœurs Sangli, trois Indiennes au visage couvert d'une épaisse pilosité, souffrent de l'une des maladies les plus rares qui soient : l'hypertrichose, ou « syndrome du loup-garou ».

Monish, Savita et Savirti (de gauche à droite) en ont hérité de leur père – leurs trois autres sœurs sont cependant indemnes. Leur mère a été forcée de se marier alors qu'elle était encore enfant ; elle n'a rencontré cet homme très poilu que le jour de leur mariage et n'a pas pu dire non.

Mutation génétique qui ne touche qu'une personne sur un milliard, l'hypertrichose entraîne une croissance des cheveux et des poils dans des zones inhabituelles, telles que le front, le nez… Savita, Monish et Savitri ont même une vraie barbe.

Il n'existe pour l'instant aucun remède à cette maladie. Savita utilise une crème afin de limiter l'invasion des poils sur son visage, mais ça ne fonctionne que temporairement. Ils repoussent.

On peut tenter de traiter les personnes atteintes d'hypertrichose par des médicaments ou leur faire subir de coûteuses épilations au laser, mais leurs poils finiront toujours par réapparaître. Néanmoins, la famille Sangli espère recueillir assez d'argent et faire opérer Savita, Monish et Savitri au laser, afin de leur permettre de trouver, peut-être, un mari. C'est la raison pour laquelle elles acceptent de se faire photographier.

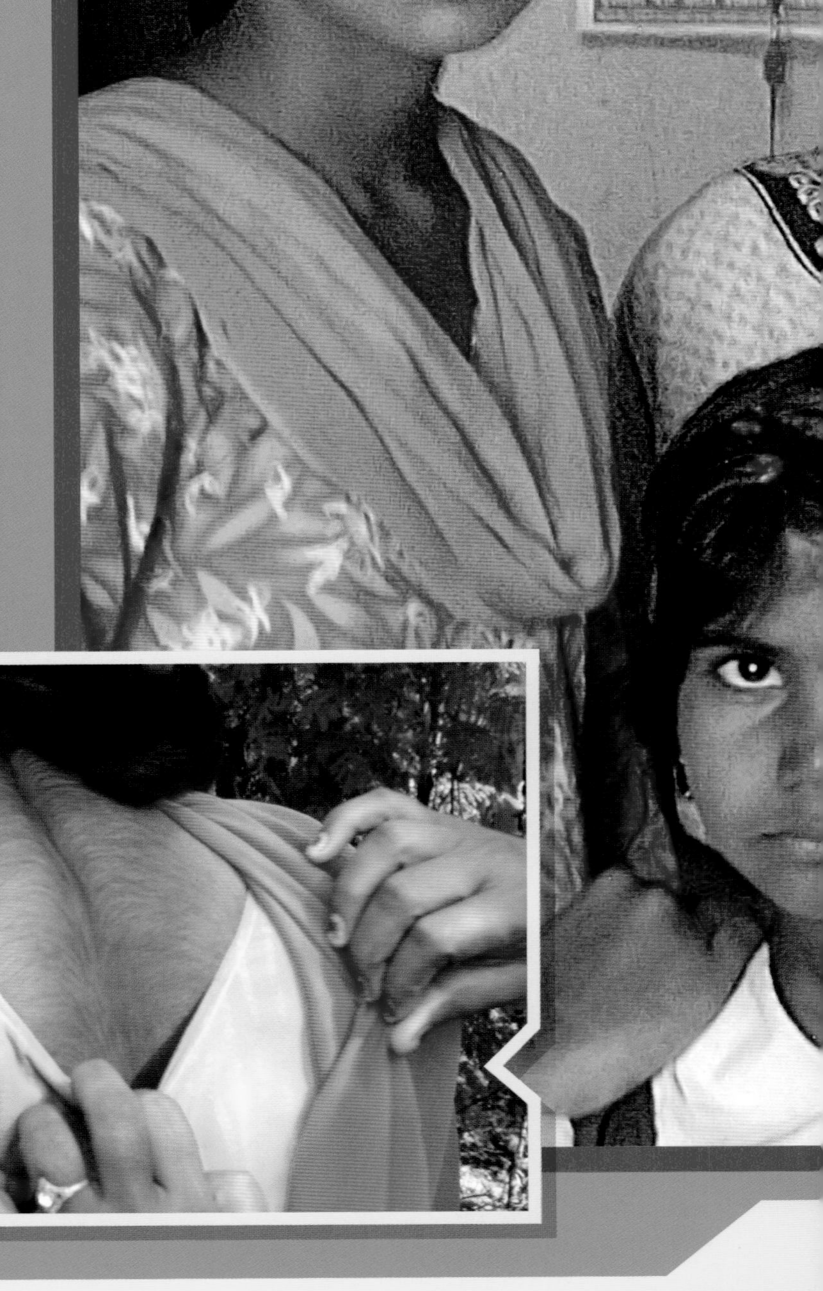

LE + DE Ripley's

L'hypertrichose, du grec *hyper*, « avec excès » et *thrix*, « poils », est également connue sous le nom de « syndrome du loup-garou », car elle évoque ces créatures de légende, mi-hommes mi-loups. Dans les cas les plus graves, visage, torse, bras et jambes sont couverts de poils, seules les paumes et les plantes des pieds restant glabres. Très peu de gens souffrent de cette maladie, heureusement. Depuis le Moyen Âge, on a répertorié moins de 100 cas.

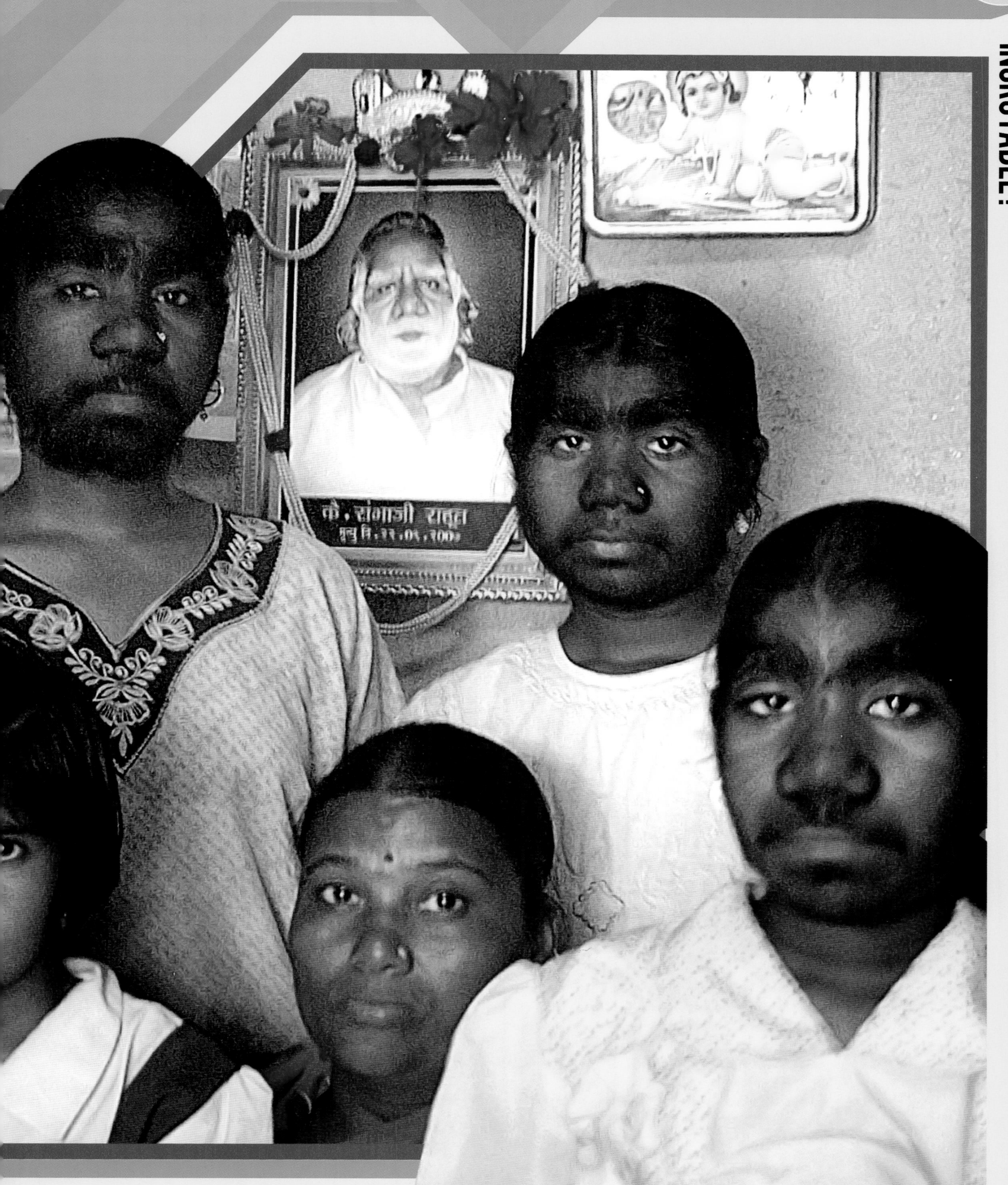

ANA NAGE
Ana Laminadze, une lycéenne géorgienne de 17 ans, a parcouru 5,5 km à la nage dans le détroit des Dardanelles (Turquie) en 50 minutes, le 30 août 2012... les mains et les jambes attachées! Ce style de nage, connu sous le nom de «colchique», est traditionnel en Géorgie, où il fait partie de l'entraînement militaire. Non seulement Ana a battu le record du monde de natation dans les Dardanelles en style colchique, mais elle est aussi devenue la première femme à traverser le détroit de cette manière.

SALE CHANCE▸ En 1938, Jesse Matos, de Mount Shasta (Californie), a laissé tomber une bague aux armoiries de son lycée dans la cuvette des toilettes – mais Tony Congi, employé au service des égouts, l'a retrouvée 73 ans plus tard. Sorti du même lycée en 1976, Tony en a tout de suite identifié l'origine.

CULOTTÉ▸ Un homme a été inculpé du vol d'un traité d'éthique à l'université de Louisville (Kentucky), qu'il a ensuite essayé de revendre à une librairie universitaire toute proche. En vain.

TIR GROUPÉ▸ Stefanie Thomas et son mari Paul, de Plymouth (Angleterre), fêtent tous deux leur anniversaire le 6 septembre. Leur premier enfant, Oliver, est né en 2011... le 6 septembre, bien sûr!

CRIC HUMAIN▸ Un homme qu'on a pris pour un voleur a été arrêté à Brockton (Massachusetts). Il avait la tête coincée sous une porte de garage! Ayant voulu maintenir le volet roulant à l'aide d'un objet métallique, il avait glissé et la porte l'avait cloué au sol, jusqu'à ce qu'on le découvre dans cette position, le lendemain matin.

CHEVEU PAS QU'ON Y TOUCHE▸ Une rare forme de syncope survient chez certains enfants qui s'évanouissent lorsqu'on les peigne ou qu'on leur coupe les cheveux.

ALERTE ARAIGNÉE▸Un immeuble de bureaux de Chur (Suisse) a été entièrement évacué en juillet 2012 à cause d'une araignée en plastique. La créature, aperçue sur le bureau du patron, a provoqué une panique générale. Mais la police, à son arrivée, a tout de suite compris qu'elle était fausse.

EMBRYONS CONGELÉS▸ Reuben et Floren Blake, deux petits Anglais, sont jumeaux quoique nés à cinq ans d'écart. Ils ont été conçus à partir du même lot d'embryons, dans le cadre d'une procréation médicalement assistée. Après la naissance de Reuben, les trois embryons restants ont été mis au « frigo » jusqu'à ce que Simon et Jody Blake, les parents, décident d'avoir un autre enfant.

ALLÔ À L'EAU▸ Au bord de la Baltique, près de Kaliningrad (Russie), Daniil Korotkikh, un garçon de 13 ans, a trouvé un message dans une bouteille lancée à la mer vingt-quatre ans plus tôt par un petit Allemand de 5 ans, Frank Uesbeck.

COQUETTE SOMME▸ Harcelé pendant des semaines par sa mère pour qu'il range sa chambre, Ryan Kitching, un Écossais de 19 ans, a finalement cédé. Et dans un tiroir, sous une pile de papiers, il a trouvé un billet de loterie gagnant valant 60 000 euros.

SÉRIE QUI RAPPORTE▸En 2011, un micropays insulaire du Pacifique, Niue, a émis des pièces ayant cours légal à l'effigie des héros de *Star Wars*: Luke Skywalker, la princesse Leia, Yoda... La reine Élisabeth II apparaît au revers! Ces pièces ont été frappées par la Monnaie de Nouvelle-Zélande.

ROBOMATON▸ En Corée du Sud, on a mis au point des robots gardiens de prison. Ces automates de 1,5 mètre, montés sur roues, sont équipés de capteurs qui leur permettent de détecter tout comportement anormal chez les détenus et de le signaler aux « matons » de chair et d'os.

REPTILE CASH▸ À Alava (Espagne), un homme qui retirait de l'argent à un distributeur automatique a eu droit à un bonus : un serpent a surgi de la machine pour l'attaquer. Le reptile s'était trouvé pris au piège à l'intérieur et il voulait sortir.

SOMNAMBAIN▸ Alyson Bair, de Burley (Idaho), est allée deux fois se baigner dans la Snake, une rivière qui coule près de chez elle – tout en dormant. La première fois, elle a rêvé qu'elle se noyait et s'est réveillée dans l'eau ; la seconde fois, on l'a retrouvée trempée à 500 mètres de chez elle.

BATMAN BRÉSILIEN▸ En 2012, la ville de Taubaté (Brésil) a engagé un ancien soldat, Andre Luiz Pinheiro, pour qu'il patrouille dans les quartiers les plus chauds, déguisé en Batman.

LIT ANIMÉ▸ Un fabricant de meubles espagnol a inventé un lit électronique qui se fait lui-même. Dès qu'on le quitte, des bras mécaniques se saisissent automatiquement des bords de la couette, des rouleaux lissent les draps et grâce à un système de leviers, les oreillers se redressent.

TRÈS RICHE BIBELOT▸ Un vase chinois bleu et blanc d'époque Ming longtemps utilisé comme butoir de porte par une famille de Long Island s'est vendu en 2012 pour 1,3 million de dollars. Ce n'est qu'en découvrant la photo d'un vase similaire dans un catalogue de vente aux enchères que ses propriétaires ont compris sa valeur.

AUX ENFANTS D'ABORD▸ La découverte en 1945 d'un nouvel élément, l'Américium, à l'occasion du projet top secret de bombe nucléaire américaine, a d'abord été annoncée dans une émission de radio pour enfants, « Quiz Kids », avant d'être présentée à la communauté scientifique.

DÉCLARATION FLASH▸ Jack Cushman, de Boston, a demandé en mariage sa petite amie Teresa Elsey en organisant un flash mob auquel a participé une petite foule de parfaits inconnus. Il s'est arrangé pour que 300 personnes, alors qu'ils se promenaient côte à côte dans la rue, convergent vers elle un œillet à la main. Puis il en a profité pour s'éclipser quelques instants et il est revenu faire sa demande, en smoking.

CÉRÉMONIE AU TOP▸ Bob Ewing et son épouse Antonie Hodge Ewing, fans d'escalade, se sont mariés au sommet d'un promontoire de 274 mètres de haut, en Virginie-Occidentale. Le marié y a grimpé en smoking, tandis que la mariée montait tout en haut en robe de cérémonie, casque sur la tête. Evangeline, la mère de la mariée, grimpeuse débutante, s'est hissée elle aussi au sommet pour assister à l'heureux événement.

SALÉ !

Dans la province du Sichuan (Chine), on a créé une piscine géante de 30 000 m² qui peut accueillir 10 000 baigneurs. Cette piscine d'eau salée, surnommée la « mer Morte de Chine », a permis de mettre à profit les riches ressources minérales de la région : son eau contient 43 minéraux et oligo-éléments différents. Sa salinité dépassant 22 %, les nageurs flottent sans effort à la surface.

CHEVEU PAREIL

110 centimètres de haut !

▸ Kazuhiro Watanabe, designer japonais qui vit à Tokyo, possède une superbe crête de cheveux en spirale façon Mohican mesurant plus de 110 cm. Cela fait quinze ans qu'il la laisse pousser et il lui faut deux heures, un pot entier de gel et trois bombes de laque pour la dresser à sa hauteur maximale.

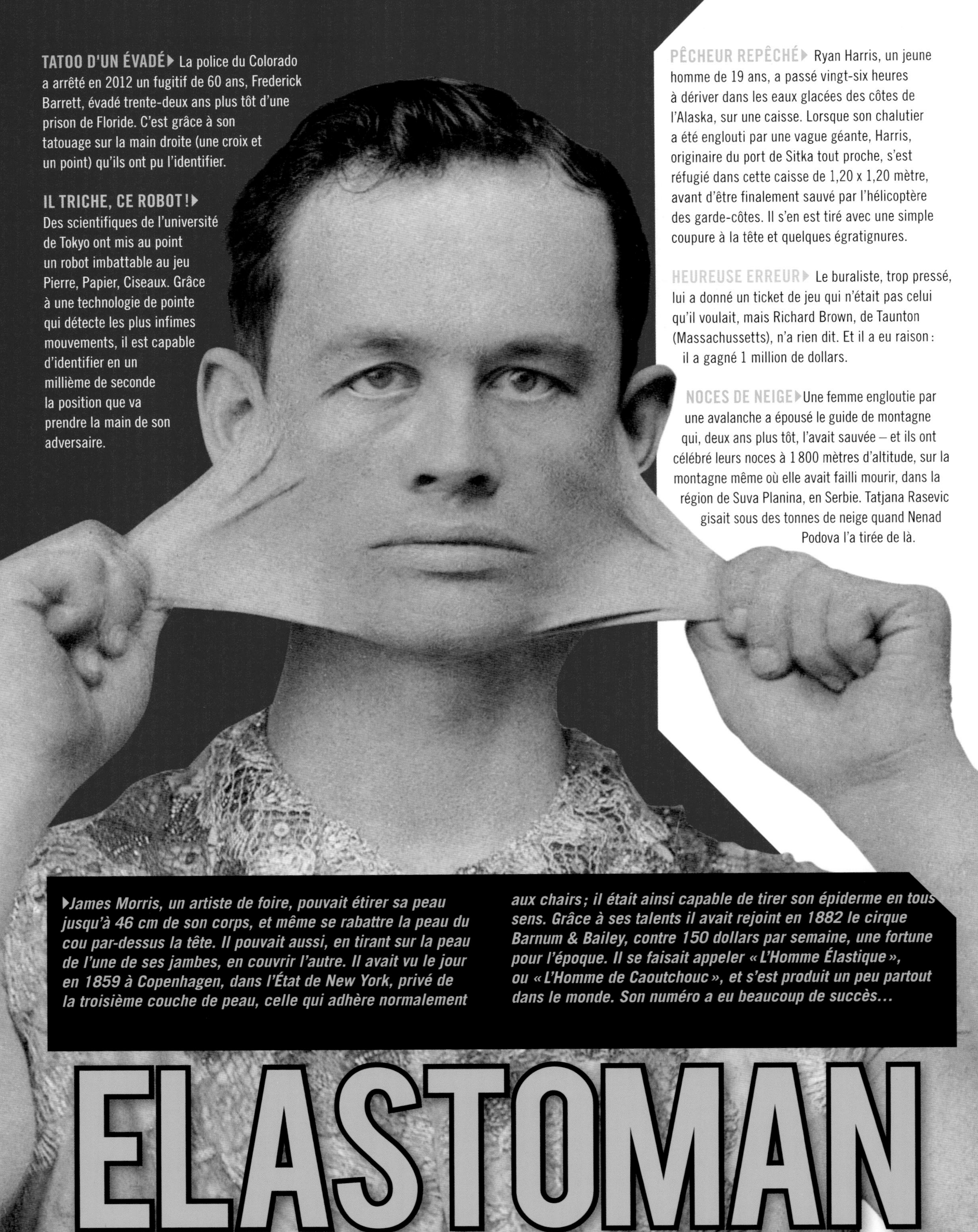

TATOO D'UN ÉVADÉ▸ La police du Colorado a arrêté en 2012 un fugitif de 60 ans, Frederick Barrett, évadé trente-deux ans plus tôt d'une prison de Floride. C'est grâce à son tatouage sur la main droite (une croix et un point) qu'ils ont pu l'identifier.

IL TRICHE, CE ROBOT !▸ Des scientifiques de l'université de Tokyo ont mis au point un robot imbattable au jeu Pierre, Papier, Ciseaux. Grâce à une technologie de pointe qui détecte les plus infimes mouvements, il est capable d'identifier en un millième de seconde la position que va prendre la main de son adversaire.

PÊCHEUR REPÊCHÉ▸ Ryan Harris, un jeune homme de 19 ans, a passé vingt-six heures à dériver dans les eaux glacées des côtes de l'Alaska, sur une caisse. Lorsque son chalutier a été englouti par une vague géante, Harris, originaire du port de Sitka tout proche, s'est réfugié dans cette caisse de 1,20 x 1,20 mètre, avant d'être finalement sauvé par l'hélicoptère des garde-côtes. Il s'en est tiré avec une simple coupure à la tête et quelques égratignures.

HEUREUSE ERREUR▸ Le buraliste, trop pressé, lui a donné un ticket de jeu qui n'était pas celui qu'il voulait, mais Richard Brown, de Taunton (Massachussetts), n'a rien dit. Et il a eu raison : il a gagné 1 million de dollars.

NOCES DE NEIGE▸ Une femme engloutie par une avalanche a épousé le guide de montagne qui, deux ans plus tôt, l'avait sauvée – et ils ont célébré leurs noces à 1 800 mètres d'altitude, sur la montagne même où elle avait failli mourir, dans la région de Suva Planina, en Serbie. Tatjana Rasevic gisait sous des tonnes de neige quand Nenad Podova l'a tirée de là.

▸James Morris, un artiste de foire, pouvait étirer sa peau jusqu'à 46 cm de son corps, et même se rabattre la peau du cou par-dessus la tête. Il pouvait aussi, en tirant sur la peau de l'une de ses jambes, en couvrir l'autre. Il avait vu le jour en 1859 à Copenhagen, dans l'État de New York, privé de la troisième couche de peau, celle qui adhère normalement aux chairs ; il était ainsi capable de tirer son épiderme en tous sens. Grâce à ses talents il avait rejoint en 1882 le cirque Barnum & Bailey, contre 150 dollars par semaine, une fortune pour l'époque. Il se faisait appeler « L'Homme Élastique », ou « L'Homme de Caoutchouc », et s'est produit un peu partout dans le monde. Son numéro a eu beaucoup de succès…

ELASTOMAN

VERTIGE

▸ *Attention au vertige quand vous utilisez cette salle de bains, celle d'un luxueux appartement sur les toits à Guadalajara (Mexique). Sous le plancher de verre s'ouvre un gouffre de 15 étages – l'ancienne cage d'escalier, désaffectée. Assis sur la cuvette des WC, ou en se brossant les dents, on peut contempler le vide...*

PHOTO CHOC▸ Addison Logan, 13 ans, a acheté un Polaroïd dans un vide-grenier de Wichita (Kansas), pour 1 dollar. À l'intérieur, il y avait une photo de son oncle, mort avant sa naissance.

PEINE ALLÉGÉE▸ George McCovery, de West Palm Beach (Floride), s'est vu accorder une remise de peine en 2011 par un juge qui lui avait imposé de perdre 11 kg en vingt jours, ce qu'il a réussi.

L'AMOUR N'ATTEND PAS▸ En juillet 2011, Muhammed Siddeeq, d'Indianapolis, a reçu une lettre d'amour qui lui avait été adressée 53 ans plus tôt. Entre-temps, il s'était marié deux fois – dont une fois avec l'auteure de la lettre –, avait fait 21 enfants et avait changé de nom.

PASSAGE DE SAUMONS▸ À la suite d'inondations survenues à Mason County (État de Washington), des dizaines de saumons ont tenté de traverser une route à la nage. Pas facile, avec les voitures – et même un chien qui, passant par là, en a intercepté un.

SAPINOMANIAQUES▸ Brandon Smith et Dennis Guyette, de Grenwood (Indiana), ont décoré leur intérieur avec pas moins de 68 sapins de Noël, enguirlandés et répartis dans toutes les pièces, y compris la salle de bains et la cuisine. Ils ont ouvert leur maison aux visiteurs, et plus de 300 personnes sont venues admirer cet intérieur de fête.

TOY STORY▸ Alertés par des miaulements qui s'échappaient d'un container scellé, les pompiers d'Anglesey, au pays de Galles, ont tenté en vain de le forcer. Le container a été chargé sur un camion et expédié à plus de 20 km, vers une entreprise spécialisée. Sur place, les sauveteurs ont découpé une paroi à la scie à métaux, pour découvrir que le petit « chat » n'était qu'un jouet Disney en plastique à l'effigie de Marie, la chatte des *Aristochats*.

ANTICIPATION▸ Au cours de la Première Guerre mondiale, lors de la bataille de Messines (1917), 10 000 soldats allemands ont été tués en un instant par l'explosion de charges enterrées par les Alliés, qui avaient anticipé la bataille... un an plus tôt !

ULTRA LÉGER▸ Des chercheurs de Californie ont créé le matériau le plus léger au monde : il contient 99,9 % d'air. Composé de minuscules tubes métalliques formant un micro-treillis, il est 100 fois plus léger que du polystyrène. En fait, il l'est tellement qu'on peut le poser sur des étamines de fleurs sans qu'il ne les écrase.

NÉS SUR LA ROUTE▸ Le 28 juillet 2012, Siobhan Anderson, d'Amityville (État de New York), a donné naissance à des jumeaux sur deux des routes qui la conduisaient à la maternité. Gavin est né sur la Southern State Parkway et, 11 minutes plus tard, Declan naissait sur la Wantagh State Parkway.

CROQUE-BORD▸ Un crocodile de mer de 3,50 mètres de long a bondi hors de la South Alligator River (Australie) pour croquer quelques morceaux du moteur d'un bateau, au cours d'une attaque nocturne qui a duré près de 90 minutes. Les occupants du bateau, qui s'était amarré, n'ont pu le décourager qu'à coups de gaffe métallique sur la tête.

FLOP EN CANOT▸ En lançant son canoë sur les eaux de la Wild Fowl Bay (Michigan), Nathan Bluestein s'apprêtait à faire une demande de mariage originale, soigneusement préparée, à sa passagère May Gorial. Pas de chance, ils se sont échoués sur une île à cause du mauvais temps, et il a fallu que les hommes du shérif viennent les tirer de là.

VIEUX MARIÉ ▸ Hazi Abdul Noor, qui d'après son acte de naissance a 116 ans mais prétend en avoir 120, a épousé Samoi Bibi, une femme de 60 ans, à Satghari (Inde) en 2011. Sa famille – enfants, petits-enfants, arrière-petits-enfants – compte 122 personnes.

AKI DÉMINE ▸ Aki Ra, un ex-enfant-soldat du Cambodge, déterre les mines et les désactive. Il a commencé avec un simple couteau et un bâton. Aujourd'hui, assisté d'une équipe de techniciens, il a à son actif plus de 50 000 mines désamorcées.

IL EN EST CAP ▸ Scott Towson, un caporal de l'armée britannique, a sauvé deux fois la vie d'un autre caporal, Craig Turley, à exactement un an d'intervalle, un 23 septembre ! La première fois, en Afghanistan, Turley a eu la main gauche presque arrachée par une grenade ; la seconde, au Kenya, un cobra l'a mordu. Chaque fois, Towson, médecin militaire, a soigné son ami.

BÉBÉ PARFAIT ▸ Laila Fitzgerald, de Des Moines (Iowa), pesait 8 livres et 9 onces à sa naissance, le 11 octobre 2012 à 1 h 14, ce qui donne une séquence numérique parfaite : 8-9-10-11-12-13-14.

ZOMBIFICATEUR ▸ Vous trouvez votre photo de mariage un peu fade ? Il existe une solution : la « zombification ». Rob Sacchetto, de Sudbury (Ontario), propose, sur son site zombieportraits.com, de customiser votre photo de mariage en la repeignant, à la main, aux couleurs des morts-vivants et autres zombies.

DANDY MACAQUE

▸ Cet élégant petit macaque du Japon de 7 mois prénommé Darwin a été vu se baladant près d'un magasin Ikea à Toronto, vêtu d'une couche-culotte et d'un minuscule manteau en mouton retourné. Il s'était échappé de la voiture de ses maîtres.

T'OUBLIES LE GRISBI ! ▸ En décembre 2012, la super cagnotte de l'Euromillions, qui représentait plus de 100 millions d'euros, est définitivement passée sous le nez du gagnant, un Anglais : il ne l'a pas réclamée avant la date limite, 180 jours après le tirage.

CHIEN D'APPEL ▸ Ayant reçu un mystérieux appel silencieux provenant de chez lui alors qu'il était absent, Bruce Gardner, d'Orem (Utah), a aussitôt appelé la police. Mais c'est à tort qu'il a cru à un cambriolage : son labrador, Maya, avait simplement décroché le téléphone sans fil et l'avait mâchouillé !

SOU PAR SOU ▸ Thomas Daigle, de Milford (Massachusetts), a payé la dernière traite de son emprunt immobilier en petite monnaie – 62 000 pièces. Pendant trente-cinq ans, il a mis de côté chaque petite pièce (l'équivalent d'1 ou 2 centimes d'euros). Il a fini par en avoir 182 kg, en rouleaux, qu'il est allé porter à la banque, où il a fallu 2 jours pour tout recompter.

C'EST MARANG ! ▸ Emilie Falk et Lin Backman, deux fausses jumelles nées à Semarang (Indonésie) en 1983, ont chacune été adoptées par un couple de Suédois et élevées séparément, mais elles se sont retrouvées 29 ans plus tard. Elles se sont alors rendu compte qu'elles vivaient à 40 km l'une de l'autre, étaient toutes les deux enseignantes et s'étaient mariées le même jour, à un an d'intervalle. Et pour la cérémonie, elles avaient choisi la même chanson !

ALUCINANT ▸ À Abou Dhabi, une équipe de bénévoles a créé en seulement six jours une grande réplique de la forteresse d'Al Maqta'a. Haute de 5,70 mètres et large de 4 mètres à la base, cette sculpture en canettes d'aluminium recyclées a exigé 919 tubes de Superglue et 521 flacons de colle à ongles.

ABEILLES MORTES ▸ Matthew Brandt, de Los Angeles, a recréé l'image d'une abeille à partir de centaines de morceaux d'abeilles mortes, qu'il a ramassés sur la côte californienne.

ÉPOUSES À VENDRE ▸ Jusqu'en 1857, les Britanniques étaient autorisés à revendre leur femme. Les prix tournaient autour de 3 000 livres, l'équivalent d'à peu près 250 000 de nos euros actuels.

ART ▸ POINTU

▸ *Ce moine Shaolin se tient en équilibre sur la pointe de quatre lances, lors d'une démonstration de qigong, un art martial chinois, à Putian. Grâce au qigong, il parvient à un relâchement si complet de tout son corps qu'il ne sent absolument aucune douleur.*

MORTEL MANUEL

▸ *Maskell Lasserre, de Montréal (Québec), est l'auteur de cette réplique de crâne humain sculptée dans les pages d'un lot d'épais manuels d'informatique, pressés pour former un bloc compact. Il s'est servi d'une disqueuse et d'une défonceuse, et cela lui a demandé près de 200 heures de travail. Il est également le créateur d'un impressionnant squelette en papier, sculpté dans une pile de vieux journaux pressés.*

BISSEXTILE BIS▸ Michelle Birnbaum, de Saddle River (New Jersey), est née le 29 février 1980, et sa fille Rose en 2008 – devinez quel jour ? Le 29 février, qui ne revient que tous les quatre ans.

MARIAGE À LA COULE▸ Plus de 200 plongeurs sous-marins se sont donné rendez-vous au mariage d'Alberto dal Lago et Karla Munguia, célébré au large de Playa Del Carmen (Mexique), à 5 mètres sous l'eau. L'édile qui les a mariés, ainsi que son adjoint, ont dû apprendre à plonger pour l'occasion.

RASÉ DE PRÈS▸ Un homme de 57 ans qui s'était endormi en plein champ de maïs à Billings (Montana) n'a échappé à la mort que par miracle. Happé par une moissonneuse, il a eu ses vêtements déchiquetés, mais il est resté coincé entre les pales. Indemne, à part quelques coupures.

PIGEON DE GUERRE▸ Un pigeon utilisé pendant la Seconde Guerre mondiale pour porter des messages secrets – peut-être l'un de ceux qui devaient annoncer le débarquement – a été retrouvé soixante-dix ans plus tard dans une cheminée du Surrey (Angleterre). À son squelette était encore attachée l'une de ces capsules rouges où l'on plaçait les messages. Plus de 250 000 pigeons ont été utilisés par l'armée anglaise pendant la guerre ; 32 ont même été décorés. Celui-là n'a jamais atteint sa destination, et le code du message qu'il transportait est depuis longtemps perdu…

TROP CURIEUX!

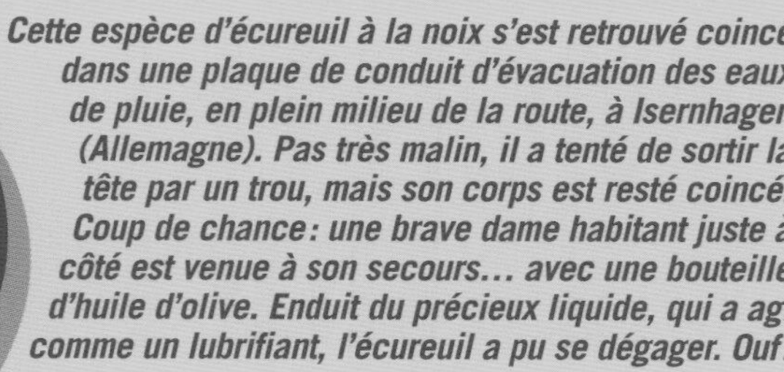

▶ *Cette espèce d'écureuil à la noix s'est retrouvé coincé dans une plaque de conduit d'évacuation des eaux de pluie, en plein milieu de la route, à Isernhagen (Allemagne). Pas très malin, il a tenté de sortir la tête par un trou, mais son corps est resté coincé. Coup de chance: une brave dame habitant juste à côté est venue à son secours... avec une bouteille d'huile d'olive. Enduit du précieux liquide, qui a agi comme un lubrifiant, l'écureuil a pu se dégager. Ouf!*

STAR RATÉ▶ À Recife, la police brésilienne a arrêté un homme pour faux et usage de faux. Il avait tenté d'ouvrir un compte en banque à l'aide d'une carte d'identité bidon portant la photo de Jack Nicholson, acteur pourtant archi-connu...

NULLISSIMES▶ Deux braqueurs amateurs ont annoncé leur venue en appelant une banque de Fairfield (Connecticut), promettant un « bain de sang » s'ils ne trouvaient pas un sac de grosses coupures tout prêt à leur arrivée. Ils ont débarqué dix minutes plus tard et ont été accueillis par la police. Et ça les a surpris !

FIN ÉCOLO▶ Le crématorium de St. Petersburg (Floride) a mis au point une alternative « verte » à l'incinération classique, qui consiste à dissoudre les corps dans de l'eau alcaline chauffée. Ce procédé produirait un tiers de gaz à effet de serre en moins et ne consommerait qu'un septième de l'énergie habituellement nécessaire.

PAQUET HUMAIN▶ Hu Seng, de Chongqing (Chine), a payé un transporteur pour qu'il le livre emballé dans un grand carton ! – à sa petite amie Li Wang. Mais le colis a été mal aiguillé et, au lieu de passer une demi-heure à l'intérieur, Hu Seng y est resté coincé près de trois heures. Lorsque Li Wang l'a enfin reçu, elle y a découvert Hu Seng évanoui, qu'il a fallu ranimer. Hu Seng a ensuite expliqué ne pas avoir réussi à faire un trou pour aspirer de l'air frais... et n'avoir pas voulu crier, afin de ne pas gâcher la surprise !

CRISE D'IDENTITÉ▶ Colin Miller, qui joue depuis vingt ans les sosies de Luciano Pavarotti, s'est vu refuser une carte bleue par sa banque lorsqu'il a fourni sa photo. On l'a prise pour celle du défunt chanteur d'opéra.

PIÈGE À TRONC▶ Les pompiers d'Orange County (Californie) ont mis près de deux heures à délivrer un individu coincé au niveau de la taille dans un tronc d'arbre creux. Les hommes du shérif, entendant ses appels à l'aide, étaient remontés jusqu'à lui en suivant le cours d'un ruisseau.

LAISSE PAS BÉTON▶ Une équipe de 5 sauveteurs a travaillé sans relâche pendant deux jours pour délivrer un chaton coincé dans un conduit en béton de 15 cm de diamètre sous un supermarché, à Göteborg (Suède).

VOLEUR DE TONDEUSE▶ Au moment où les jardiniers de la ferme des reptiles de Gosford (Nouvelle-Galles du Sud) ont pénétré dans l'enclos d'Elvis, un crocodile de mer de 5 mètres de long, celui-ci s'est précipité pour leur arracher l'une de leurs tondeuses à gazon. Il l'a entraînée au fond de sa mare, veillant ensuite jalousement sur son butin.

MARIAGE EN L'AIR▶ Grant Engler et Amanda Volf, deux passionnés d'aventure, ont fait une arrivée remarquée lors de leur mariage, à Newport Beach (Californie): dans les airs, propulsés par des réacteurs dorsaux fonctionnant à l'eau, et reliés chacun à un bateau par un tuyau de 9 mètres. La mariée portait une combinaison de surf, un short et un voile, tandis que le marié avait noué une cravate blanche sur sa combinaison de plongée noire. Après s'être dit oui, ils ont valsé dans les airs, au-dessus de l'eau.

MARIAGE À L'ŒIL▶ Une centaine de futures mariées ont revêtu leur robe et des chaussures de sport pour participer à un 150 mètres à Belgrade (Serbie). Prix pour la gagnante: son mariage tous frais payés.

MARIAGE À L'EAU▶ Phillip Russell, d'Hastings (Nouvelle-Zélande), a fait six mois de prison pour avoir lancé un œuf d'autruche sur son épouse, la blessant au niveau de la poitrine. Il reprochait au cochon apprivoisé de sa femme d'avoir abîmé sa scie électrique.

DOUBLE MAX

▶ Max Galuppo, un étudiant de Bloomsbury (New Jersey), a eu la stupéfaction de découvrir son double au Philadelphia Museum of Arts, dans une œuvre anonyme du XVIe siècle, *Portrait d'un homme au gant de duel*. Une ressemblance qui n'est pas tout à fait fortuite: les grands-parents de Max sont originaires de la région d'Italie du Nord d'où l'on estime que provient ce portrait.

FLOWER POWER

▸ *C'est peut-être incroyable, mais ces géants sont entièrement constitués de fleurs! Chaque premier dimanche de septembre, le Bloemencorso ou « Parade des Fleurs », traverse les rues de Zundert, ville natale de Vincent Van Gogh. Piqués sur des armatures de métal, des centaines de dahlias (cultivés à cet effet) forment ces étonnantes sculptures.*

ÇA ROULE, BÉBÉ▸ Emma French, de Livingstone (Écosse), a passé le permis alors qu'elle était sur le point d'accoucher. Elle l'a obtenu malgré quatre contractions pendant l'examen. Elle a ensuite repris le volant pour se conduire elle-même à la maternité, où elle a accouché.

PONT VOLÉ▸ Des voleurs ont dérobé un pont métallique de 15 mètres de long, à North Beaver Township (Pennsylvanie), en le découpant au chalumeau.

PARE-BALLES▸ Un commerçant de Savannah (Georgie) a reçu une balle lors d'un hold-up. Il s'en est toutefois bien tiré, le médaillon qu'il portait autour du cou ayant dévié le projectile.

ONZE SE RESSEMBLE▸ Les jumeaux Race et Brook Belmont, de Tampa (Floride), ont eu 11 ans le 11-11-11 (11 novembre 2011).

FAMILLE NOMBREUSE

▶ *Alice Winstone, de Cardigan (pays de Galles), a dépensé l'équivalent de 15 000 euros pour créer à domicile une nursery de 50 bébés. Elle était pourtant déjà mère de 5 enfants mais, ne pouvant plus en avoir, elle a rempli sa maison de « poupées reborn » plus vraies que nature, auxquelles elle a acheté de coûteux accessoires – vêtements, lits d'enfants, poussettes… Elle les nourrit, les change, les baigne et les berce comme s'ils étaient vivants. C'en était trop pour son mari, qui l'a quittée voici cinq ans. « Je prends soin d'eux comme j'ai pris soin de mes propres enfants, dit-elle. Je sens un lien si fort entre eux et moi… J'ai tous les avantages sans les inconvénients : fini les couches sales et les nuits sans sommeil ! »*

LE + DE Ripley's

Vendues entre 50 et 3 000 euros, les « poupées *reborn* » servent de substituts de bébé pour certains parents, qui achètent parfois de faux certificats de naissance ou d'adoption. Le phénomène est apparu aux États-Unis au début des années 1990. Ces poupées sont créées à partir de modèles en plastique, soigneusement maquillés pour leur donner l'apparence de la réalité. On leur peint des veines sur la peau, on leur leste la tête ou les bras avec du sable… En option, l'acheteur peut même demander un faux cordon ombilical, ou l'implantation de véritables cheveux humains. Il peut bien sûr choisir la couleur des yeux. Certaines « poupées *reborn* » peuvent être « nourries » avec du faux lait et comporter un mécanisme qui simule la respiration. En 2008, au Queensland, des policiers ont brisé la vitre d'une voiture, persuadés qu'un bébé avait été oublié à l'intérieur : il s'agissait en fait d'une « poupée *reborn* ».

CELTE JACKPOT ▶ Après avoir fouillé pendant trente ans un secteur bien particulier de l'île de Jersey, un couple de Britanniques équipés de détecteurs de métaux, Reg Mead et Richard Miles, a enfin touché le jackpot. Ils ont déterré près de 750 kg de pièces datant de l'âge du fer. Chacune de ces 50 000 pièces d'argent, vieilles de 2 000 ans au moins – le plus grand trésor de monnaie celte jamais découvert –, vaut environ 250 euros.

PERTURBÉE ▶ À Zlin (République tchèque), il a fallu secourir une femme qui avait pris un pylône électrique de 12 mètres de haut pour un pont. Elle avait entrepris de l'escalader, pensant qu'il lui permettrait de franchir la rivière.

BRAS D'HORREUR ▶ Un tronçon de l'autoroute M62, qui traverse le Merseyside (Angleterre), a dû être fermé d'urgence à la circulation. Un bras humain avait été aperçu sur la chaussée par plusieurs conducteurs affolés. Le membre était en réalité en plastique.

FILLE UNIQUE ▶ En 2011, dans le Kent (Angleterre), les époux Beckett ont fêté la naissance de leur fille Anaia, premier enfant de sexe féminin à naître dans la famille depuis 113 ans.

IMMOBILISEUR ▶ Un homme s'est retrouvé piégé dans un ascenseur… mais deux fois le même jour ! Après être resté coincé 3 heures au 21e étage du Mid-Continental Plaza, à Chicago, le 6 décembre 2012, il n'en est sorti que pour prendre un autre ascenseur dans lequel il s'est de nouveau trouvé prisonnier !

EXCRÉMENT MALIN ▶ New Taipei City (Taiwan) a résolu le problème des crottes de chien sur les trottoirs en offrant un billet de loterie à tous ceux qui en rapporteraient. Pendant quatre mois, 4 000 volontaires ont ainsi collecté 14 500 sacs d'excréments donnant chacun droit à un billet.

TRICOMESTIBLE▸ *Ce plat de poisson garni de frites et de petits pois, avec ses deux rondelles de citron, a l'air appétissant… sauf qu'il est en laine ! Kate Jenkins, de Brighton (Angleterre), artiste tricoteuse, a passé des heures aiguilles en main pour confectionner des repas tout en tricot, y compris bouteilles de vin, flacon de ketchup, boîtes de soupe… Elle y brode parfois des perles, pour encore plus de réalisme.*

FAMILLE TÊTUE▸ Le 13 mars 2012, Annie Price et son fils Anthony ont tous les deux survécu à une chute sur la tête, à 4 minutes d'intervalle, en deux endroits différents de la Kapiti Coast (Nouvelle-Zélande).

REMARIÉE À UNE CAROTTE▸ Seize ans après avoir perdu sa bague de mariage, Lena Paahlsson, une agricultrice de Mora, en Suède, l'a retrouvée autour d'une carotte de son potager. Elle avait enlevé le bijou en 1995, en faisant la cuisine. Lena pense que la bague est alors tombée dans le bac à épluchures, dont elle utilise le contenu comme compost ou le donne à ses moutons – leurs déjections lui servent également de compost.

TERMITES EN OR▸ Lorsque les termites africains rencontrent un filon d'or, ils le percent et rejettent les pépites à l'air libre, près de leur termitière. Au Mali, les chercheurs d'or suivent donc la piste des termites…

UN K RARE▸ Sammy Kellett, du Lancashire (Angleterre), a eu trois fils, Keiran, Kaiden et Kyle, le 20 septembre 2005, 2008 et 2011. Il y avait 1 chance sur 133 590 pour que la coïncidence se produise.

BOUCHES BÉNIES▸ Les prêtres de Lodz (Pologne) ont béni les 4 000 bouches à égout de la ville – pour tenter de les protéger des voleurs de métaux.

CANARDAGE▸ Un homme parti à la chasse au canard près du Grand Lac salé (Utah) a dû être hospitalisé, son chien ayant marché sur son fusil posé par terre, lui envoyant une décharge de plombs dans les fesses.

MÉGA BOUQUIN▸ L'Earth Platinum Atlas pèse 150 kg – chacune de ses pages fait 180 x 140 cm.

CLOWN GORE

▸Dominic Deville, un acteur suisse, enfile un inquiétant déguisement de clown pour terroriser les enfants durant la semaine précédant leur anniversaire. Il leur adresse des textos qui font peur, leur envoie des appels masqués et, pour finir, au moment où ils s'y attendent le moins, leur balance une tarte à la crème à la figure. Selon l'acteur, qui a eu cette idée de jeu en visionnant un film d'horreur, les enfants adorent ! Mais il a promis d'y renoncer si les parents se plaignaient.

MINI NONNE

Ces fidèles d'un temple hindouiste de Haridwar (Inde) s'inclinent devant Anjali Barma, une nonne qui ne mesure que 78,8 cm. D'après cette femme de 65 ans, que l'on surnomme « Ganga Maa », c'est sa petite taille qui lui vaut d'être considérée comme une sainte femme. Cependant, alors qu'elle n'avait que 10 ans, cette même particularité lui a valu d'être kidnappée par le propriétaire d'un cirque, qui l'a retenue captive plusieurs mois sans parvenir à la convaincre de s'exhiber sur scène.

VACHES MANIAQUES Michael Hanson, un éleveur bovin du pays de Galles, et sa fiancée Hayley Morgan ont convolé en justes noces… en tracteur. Pour la photo, ils ont posé dans la boue, près d'un troupeau de bœufs. Ils ont passé leur lune de miel au Texas, à faire le tour des ranchs.

ANGE GARDIEN Sur une route de Cleveland (Ohio), lorsque Gerald Gronowski a crevé, Christopher Manacci s'est arrêté pour lui donner un coup de main. En discutant, Gronowski s'est rendu compte que c'était le même inconnu qui, huit ans plus tôt, avait surgi de nulle part pour l'aider à retirer un hameçon de pêche enfoncé dans sa main.

L'AIR ÉTERNEL M. Natarajan, un Hindou de 82 ans qui vit dans le Tamil Nadu (Inde), a passé chaque jour de ces 52 dernières années à éventer les visiteurs des temples locaux, à l'aide d'un éventail en plumes de paon pesant 3 kg – il en a usé 5 exemplaires.

ÉCRIT VAIN À Newcastle (Delaware), une attaque de banque a échoué : le voleur a tendu au guichetier une feuille de papier avec des instructions gribouillées… totalement illisibles !

INCREVABLE Le graphène (un matériau formé de couches de carbone de taille moléculaire) est plusieurs centaines de fois plus résistant que l'acier. Il faudrait faire peser sur un stylo le poids d'un éléphant pour que sa pointe crève un film de graphène pas plus épais qu'un sac plastique.

EN 1811, PRÈS D'UN QUART DES FEMMES DE GRANDE-BRETAGNE SE PRÉNOMMAIENT MARY.

BALLE GUIDÉE Des chercheurs d'Albuquerque (Nouveau-Mexique) ont mis au point une balle capable de changer de direction en pleine course. De minuscules ailerons lui permettent de corriger sa trajectoire ; elle peut ainsi frapper des cibles pointées par un rayon laser, à plus de 2 km.

MICROMOTEUR À partir d'une seule molécule, à Medford (Massachusetts), des scientifiques de l'université Tufts ont créé un moteur électrique 300 fois plus fin qu'un cheveu humain.

SLIPS VIVANTS À l'aéroport international Indira Gandhi de Delhi, deux hommes ont cherché à monter à bord d'un avion avec de petits mammifères cachés dans leurs sous-vêtements, mais un douanier soupçonneux a découvert le pot aux roses. Ces individus, qui venaient de Dubaï et voulaient se rendre à Bangkok, dissimulaient de minces loris dans la poche kangourou de leur slip.

DEUX RETARDÉS Un couple de centenaires de Nanchong (Chine) a finalement posé pour sa photo de mariage avec 88 ans de retard. En 1924, quand ils s'étaient mariés, Wu Conghan (101 ans) et sa femme Wu Songshi (103 ans) n'en avaient pas eu la possibilité.

HAUTE PEINTURE

▶ Josh Taylor, du Surrey (Angleterre), a créé un œuvre d'art « spatiale » à l'altitude de 100 000 pieds (soit plus de 30 000 mètres) grâce à un ballon météo gonflé à l'hélium. Lancé dans le ciel du Worcestershire, il contenait des tubes de peinture – vert, bleu brun et jaune – destinés à représenter la terre, la mer, le désert ou encore le soleil. Comme prévu, les tubes se sont peu à peu répandus sur une toile pendant l'ascension. À 30 725 mètres, le ballon a commencé à se dégonfler ; il a plongé vers le sol, où l'œuvre de Josh a été récupérée grâce à sa balise électronique.

VOLEUR À POIL▶ Le cambrioleur qui dévalisait les bureaux d'un refuge pour animaux de Swinoujscie (Pologne) a été identifié grâce à une caméra cachée : il s'agissait d'un chat ! Ce félin birman de 2 ans, du nom de Clément, a été filmé alors qu'il se glissait dans les bureaux en pleine nuit, dérobait l'argent liquide et allait le planquer sous un canapé. Il avait ainsi « volé » 250 euros dans le mois.

FEUX TROMPEURS▶ En octobre 2011, un bateau de sauvetage et un hélicoptère ont quitté d'urgence le port de Tyneside (Angleterre), au bord de la mer du Nord, pour une mission de secours. Quelqu'un avait cru distinguer le flamboiement de fusées de détresse à l'horizon. Il s'agissait en fait de l'éclat de la planète Jupiter, très basse dans le ciel en cette saison.

CALAMARRANT▶ Des chercheurs de l'université d'Harvard (États-Unis) ont mis au point un robot en forme de pieuvre tout en polymères, souple et transparent, capable de nager et de se camoufler. S'inspirant de créatures marines capables de modifier leur apparence, il possède une enveloppe de silicone percée de minuscules canaux amenant à la surface une variété de liquides colorés, selon les teintes de l'environnement.

DOUBLE POT▶ Parti en mer du côté des îles Shetland en août 2012, l'Écossais Andrew Leaper a trouvé une bouteille contenant un message daté de juin 1914, soit la plus ancienne découverte de ce type. Plus étonnant encore : le précédent détenteur du record, un message vieux de 93 ans, avait été trouvé en 2006 dans la même zone, et par le même bateau de pêche, le *Copious*.

BÉBÉS TOC

▶ *On peut désormais tenir en main son bébé avant même la naissance, grâce à une nouvelle technologie qui permet de créer, à partir d'une échographie et d'une imprimante 3D, une réplique exacte du fœtus. Ces bébés en plastique – fabriqués par la société japonaise Fasotec, pour un prix de 1 000 euros environ – sont proposés dans une taille standard de 9 cm. On peut aussi les acheter en miniature, pour les suspendre à son cou, attachés à un collier...*

ALERTE ARAIGNÉES

▶ En mars 2012, des araignées qui fuyaient la montée des eaux ont recouvert de leurs toiles Wagga Wagga, une ville de Nouvelle-Galles du Sud (Australie). Chassées par la crue de la rivière, elles se sont mises à grimper partout, envahissant champs, buissons, arbres, les emprisonnant dans leurs filets… Les champs ont fini par ressembler à un paysage d'hiver, les buissons et les arbres à d'énormes bâtons de barbe à papa… Il y en avait partout. C'était à ne plus y retrouver son chien!

ENNEIGÉ VIVANT

Au cours d'un rude hiver, Peter Skyllberg, un Suédois de 44 ans, a passé plusieurs semaines « enneigé vivant ». Quoique très amaigri, il a survécu à un séjour de deux mois à l'intérieur de sa voiture, sous la neige. Surpris par le blizzard près d'Umeå, le 19 décembre 2011, il n'a été secouru que le 17 février 2012. Entre-temps, c'est à peine s'il a pu se nourrir. Faute d'eau, il a dû manger de la neige. Son corps serait entré dans une sorte d'hibernation – sinon il n'aurait pu supporter le froid, qui avoisinait parfois -30 °C.

C'EST DU LOURD Des voleurs de Slavkov, en République tchèque, ont dérobé un butin de poids : ils ont découpé et emporté un pont métallique de 11 tonnes, et près de 200 mètres de rails.

LAPONNE IDÉE Une société finlandaise propose d'envoyer votre ours en peluche adoré en vacances au-delà du cercle polaire arctique. Pour un peu plus de 100 euros, Teddy Tours Lapland se charge de l'emmener en balade, à dos de cheval ou en raquettes. Le pique-nique est compris.

TAM-TAM MARIN Harold Hackett, de l'île du Prince-Édouard (Canada), a jeté au moins 5 000 messages à la mer depuis 1996. Plus de 3 300 personnes ont trouvé une de ses bouteilles et lui ont répondu. Les messages venaient d'aussi loin que la Russie, les Pays-Bas, l'Afrique, l'Amérique du Sud…

PAPIERS, BATMAN ! Lenny B. Robinson était au volant de sa Lamborghini noire, déguisé en Batman, pour aller faire la surprise aux enfants malades de l'hôpital de Silver Spring (Maryland), quand la police lui a ordonné de se ranger sur le côté – il avait changé la plaque d'immatriculation de sa « Batmobile ».

FAIM DE MORTE À la veille de ses funérailles, six jours après avoir été déclarée morte, Li Xiufeng, une Chinoise de 95 ans, a stupéfié les habitants de son village : elle a poussé le couvercle de son cercueil, s'est relevée et s'est mise à préparer son dîner.

ROUGES DE HONTE Des parents ont plutôt été surpris en découvrant le visage de leur fille de 3 ans à la télévision. C'est seulement là qu'ils se sont souvenus l'avoir oubliée au restaurant, près de Bel Air (Maryland)…

SIFFLET COUPÉ Une équipe de 120 mimes a été engagée pour régler la circulation à Caracas (Venezuela), à l'initiative du très imaginatif maire Carlos Ocariz. Installés à tous les carrefours, vêtus de costumes de clowns, ils se sont mis à pointer les erreurs des mauvais conducteurs, par gestes, en silence.

MON BEL HANGAR John Plumridge, du Shropshire (Grande-Bretagne), a passé près de quatre ans à convertir son ancien hangar de jardin en un pub à bières. Il y propose aujourd'hui plus de 600 marques différentes de bière et de cidre. En 2012, ses efforts lui ont valu de recevoir le Prix du Hangar de l'année.

PETIT HOUDINI Surnommé le « Petit Houdini » – en référence au roi de l'évasion –, Christopher Gay, de Pleasant View (Tennessee), a échappé 13 fois à la garde de la police, sans jamais user de violence.

MINI-CHANTIER Depuis 2005, Joe Murray creuse dans la cave de sa maison du Saskatchewan (Canada), en utilisant uniquement des modèles réduits d'engins de chantier, radiocommandés. À l'aide de mini-chargeurs sur pneus, de mini-pelles mécaniques et de mini-concasseurs, il déplace près d'un quart de m^3 de terre chaque année.

MAGOT MURÉ En mars 2012, à Saint-Pétersbourg, des ouvriers ont découvert 1 000 pièces de joaillerie et de monnaie dissimulées derrière un mur depuis la révolution bolchévique de 1917.

LÉGER RETARD Une carte postale datée de 1943, adressée depuis Rockford (Illinois) à Pauline et Theresa Leisenring, d'Elmira (New York), est arrivée à leur (ex-)domicile en 2012, 69 ans après son envoi… et près d'un demi-siècle après leur mort.

BRAQUEUR FAUCHÉ ▸ Un apprenti braqueur a été arrêté à Chamblee (Georgie), après être revenu retirer de l'argent sur le lieu de son forfait. Ressorti les mains vides de la banque, l'homme avait sauté dans un taxi avant de se rendre compte qu'il n'avait pas de quoi payer la course. Il est donc retourné à cette même banque pour retirer de l'argent légalement, mais a été reconnu par les employés.

SOLENN SONNÉE ▸ Solenn San Jose, de Pessac, a été horrifiée en recevant sa facture de téléphone d'un montant de 10 792 686 995 463 878 euros – soit environ 5 300 fois le PIB français. En réalité, elle devait moins de 80 euros.

LE CRIME PAIE ▸ Un tribunal autrichien a ordonné à Otto Neuman la restitution de 60 000 euros qu'il avait volés à une banque dix-neuf ans plus tôt, ni la banque ni ses assureurs ne voulant de cet argent. En difficultés financières, Neuman, alors directeur de la banque, avait recruté deux complices pour l'aider à dérober 175 000 euros en espèces et en lingots d'or. Le temps qu'on l'arrête et qu'il soit emprisonné, 115 000 euros avaient été dépensés. Mais la banque était assurée contre le vol, et la compagnie d'assurances s'est largement remboursée sur le reste, la valeur des lingots ayant fortement augmenté.

NOCES DE DIAMANT ▸ Isidore et Joan Schwartz ont passé leur nuit de noces à l'hôtel Waldorf-Astoria de New York en 1952. En 2012, pour leur 60e anniversaire de mariage, ils ont payé le même prix : 16,80 dollars, soit un peu plus de 12 euros, même si les chambres sont maintenant louées à partir de 319 dollars (233 euros) la nuit.

NOMBRE MAGIQUE ▸ Kiam Moriya, de Birmingham (Alabama), est né le 12 décembre 2000, douze minutes après midi, ce qui signifie qu'il a eu 12 ans le 12-12-12 à 12 h 12.

VIENS CHÉRIE

▸ Pour attirer les insectes pollinisateurs et autres oiseaux-mouches, les petites fleurs blanches du *Psychotria elata* se parent de larges feuilles rouges évoquant une bouche lascive. On comprend pourquoi cette plante d'Amérique centrale porte le surnom de « lèvres de Mick Jagger »...

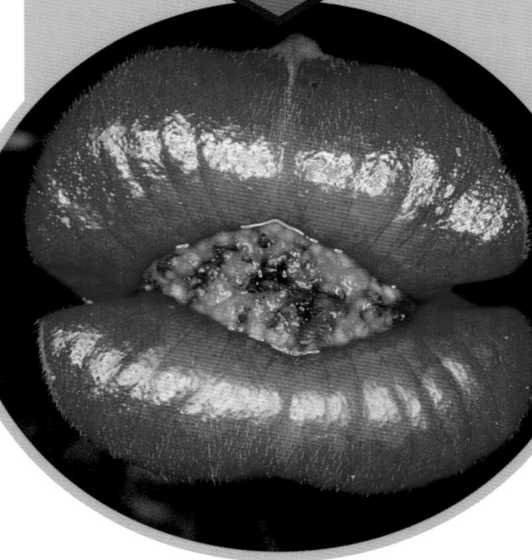

MÉTÉORE RECORD ▸ Un météore de 17 mètres de long, pesant 10 000 tonnes, est entré dans l'atmosphère de la Terre à une vitesse de 64 000 km/h le 15 février 2013, avant d'exploser à 24 km au-dessus du sol, libérant une énergie 33 fois plus puissante que la bombe atomique qui a détruit Hiroshima en 1945. C'est la plus forte pluie de roches qu'ait connue la Terre depuis plus d'un siècle. Ce déluge a soufflé près de 93 000 m^2 de vitres dans la ville russe de Tcheliabinsk, endommageant 3 000 bâtiments et creusant un trou de 15 mètres dans un lac gelé. Ce météore a laissé dans le ciel une traînée de 480 km. L'onde de choc a été détectée par de nombreux capteurs, aussi loin qu'en Afrique ou au Groenland.

ÉPOUX CASSÉ ▸ Derek et Cassy McBride, d'Erie (Pennsylvanie), se sont mariés dans une chapelle de l'hôpital : le marié avait un poumon perforé et trois côtes cassées, vu qu'il était tombé dans l'escalier un peu plus tôt le jour même.

PROFOND SOMMEIL ▸ Un conducteur suisse dont la voiture a quitté la route et descendu un talus et plongé dans un cours d'eau (alors qu'il s'était assoupi au volant)... était toujours endormi quand les sauveteurs sont arrivés. Les médecins ont cru que Manfred Hofer, 49 ans, avait perdu conscience ; mais il était juste plongé dans un profond sommeil.

ADOS EN TRANSE ▸ Des adolescentes qui participaient à une séance d'hypnose au lycée privé pour filles de Sherbrooke (Canada) sont restées bloquées dans un état de transe. Leur jeune hypnotiseur a dû appeler d'urgence son instructeur pour les faire « atterrir ». Les jeunes filles ont passé plusieurs heures dans l'état d'endormissement où les avait plongées Maxime Nadeau, 20 ans, jusqu'à ce qu'arrive son mentor, Richard Whitbread.

CORDE À SAUTER

▸ Déjà plus de 3 000 jeunes Russes avides de sensations nouvelles se sont convertis à un sport de l'extrême. Cette variété de saut consiste à se jeter d'une montagne ou d'un pont pour plonger des centaines de mètres plus bas, retenu par une simple corde bricolée. Au contraire du saut à l'élastique, il s'agit d'un type de corde qui ne peut se détendre : il faut donc s'efforcer de décrire un arc pour amortir sa chute. Pour que ça « tourne » encore mieux, certains casse-cou se lancent snowboard aux pieds.

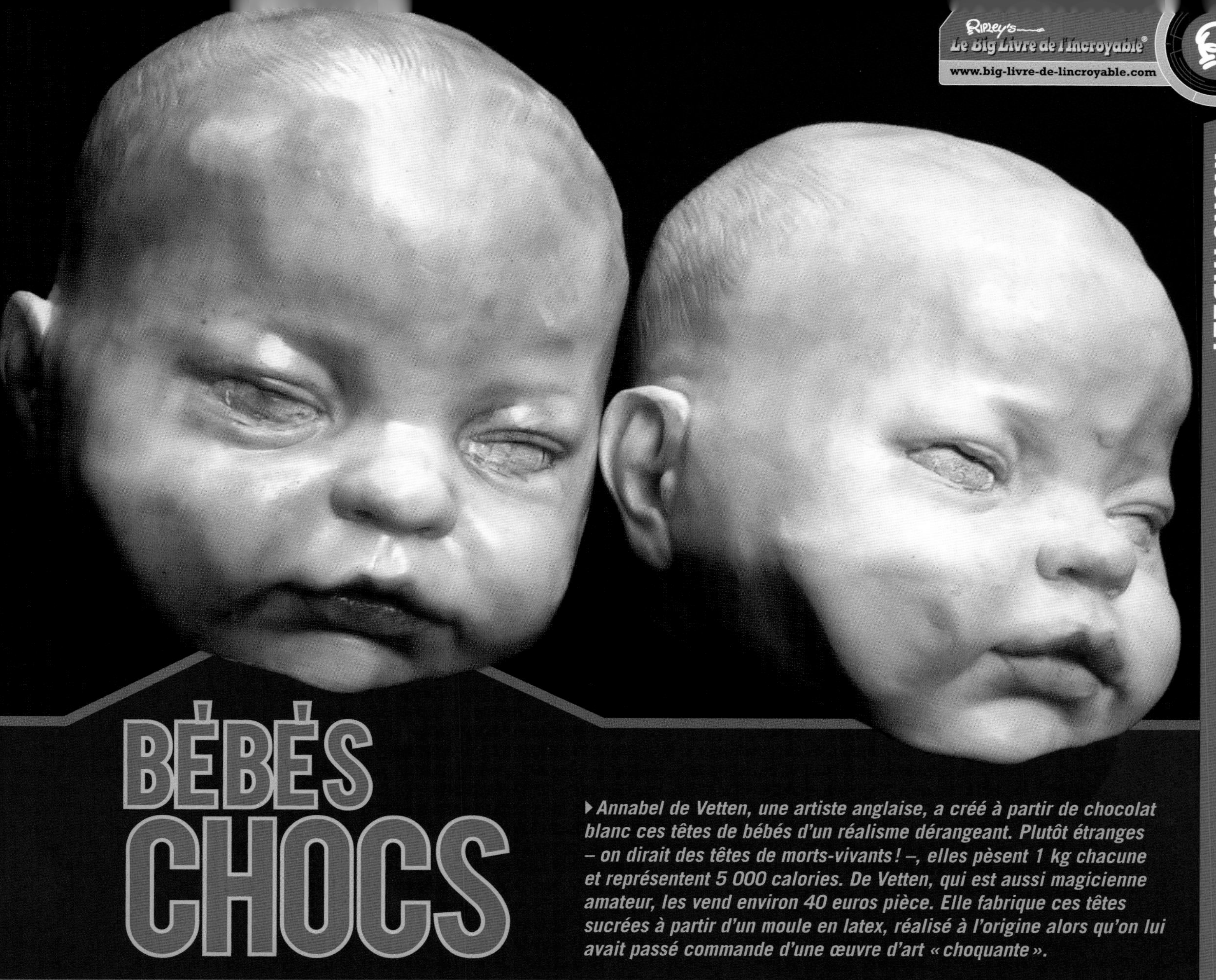

BÉBÉS CHOCS

Annabel de Vetten, une artiste anglaise, a créé à partir de chocolat blanc ces têtes de bébés d'un réalisme dérangeant. Plutôt étranges – on dirait des têtes de morts-vivants ! –, elles pèsent 1 kg chacune et représentent 5 000 calories. De Vetten, qui est aussi magicienne amateur, les vend environ 40 euros pièce. Elle fabrique ces têtes sucrées à partir d'un moule en latex, réalisé à l'origine alors qu'on lui avait passé commande d'une œuvre d'art « choquante ».

GÉNIALE HEIDI À seulement 4 ans, Heidi Hankins, du Hampshire (Angleterre), a le QI d'un génie. Le QI moyen d'un adulte est de 100 ; à 130, on est considéré comme « doué », mais Heidi bénéficie d'un QI de 159, soit pratiquement autant que l'éminent scientifique Stephen Hawking. À 2 ans, déjà capable de lire des livres pour enfants de 7 ans, Heidi a été admise au sein de la Mensa, club pour personnes ayant un QI élevé – c'est-à-dire avant même d'avoir commencé l'école.

INCREVABLE EDNA À 90 ans, Edna Berger, de Melbourne, va à la gym plusieurs fois par semaine ; elle y fait de l'aérobic, du tai-chi, et même des pompes. Son programme comprend aussi des cours d'aquagym et de danse de salon.

EMA L'ENTRAÎNEUSE Pour promouvoir le Salon du Mariage à Bucarest, dix couturières ont cousu pendant 100 jours une traîne de 3 km de long !

UN VOL DE RETARD En mai 2011, la police de Walchum (Allemagne) a arrêté un homme de 57 ans décidé à dévaliser une banque fermée depuis des années. Le petit malin a fait irruption à l'intérieur, armé, mais s'est retrouvé dans le cabinet d'un physiothérapeute.

« ON PASSE EN MOYENNE 9 ANS DE SA VIE DEVANT LA TÉLÉ. »

VISIONNAIRE Bien que reconnue comme aveugle, Tara Miller, de Winnipeg, a remporté un concours national de photographie en 2011. En extérieur, elle se fonde sur la luminosité et l'ombre pour choisir le cadre de ses clichés. Quand elle fait de la photo animalière, son exceptionnelle oreille lui permet de deviner où se trouvent les animaux, afin de les saisir au moment le plus opportun.

DANSEURS AÉRIENS Les membres de Project Bandaloop, une troupe de danse aérienne installée en Californie, effectuent la plupart de leurs numéros de danse suspendus le long de bâtiments ou de falaises. Retenus par des harnais et des cordes, les danseurs ont ainsi réalisé des chorégraphies à couper le souffle à Yosemite Falls, ainsi que dans d'autres sites célèbres des États-Unis et du reste du monde : la Bourse de New York, la tour Eiffel, les Dolomites en Italie…

CHEVAUX QUI PÈTENT Le ministère américain de l'Agriculture a publié des instructions officielles relatives à la destruction par explosifs des carcasses de chevaux morts. Pour faire exploser un cheval de 450 kg, il est ainsi recommandé de placer 1,36 kg d'explosif sous la carcasse, en 4 points distincts, ainsi que 0,45 kg en 2 points des jambes. Il convient de retirer les fers du cheval, pour éviter de les recevoir en pleine figure lors du grand « boum ».

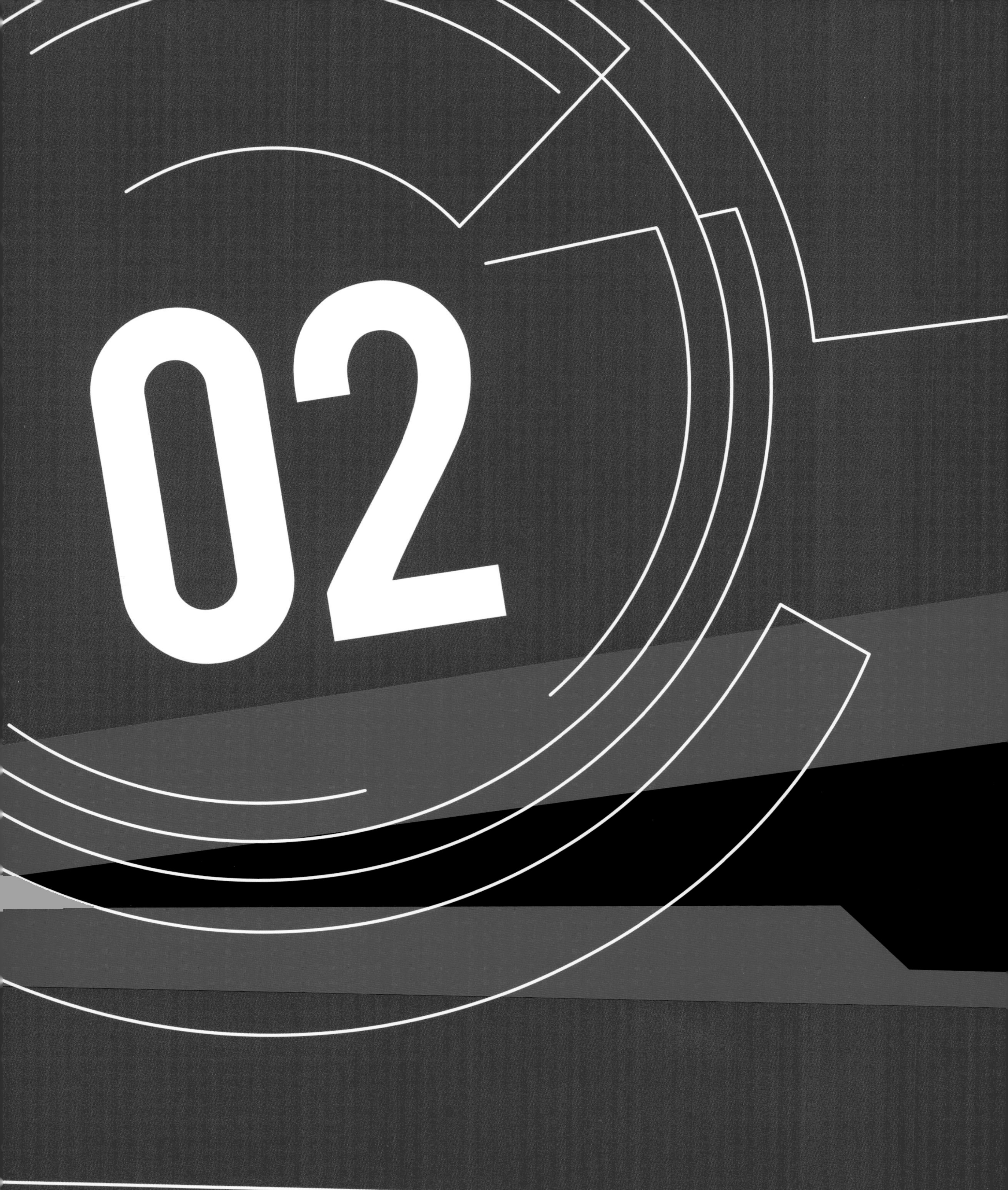
02

MONDE

HABILLER LES MORTS

Afin de témoigner leur amour à leurs défunts, les familles de Toraja, en Indonésie, exhument les corps momifiés de leurs ancêtres tous les trois ans, et les habillent avec des vêtements neufs. Ce rituel étrange, baptisé le Ma'nene, se poursuit avec une promenade du mort à travers le village.

Les villageois accordent une grande importance à la mort. Pour eux, les défunts ne sont jamais vraiment partis, même s'ils sont morts depuis plusieurs centaines d'années. Il n'est pas rare que des funérailles somptueuses se déroulent des mois après un décès. Des conservateurs chimiques permettent de conserver les corps en bon état pendant des siècles.

Les villageois nouent des rouleaux de vêtements autour de leurs défunts.

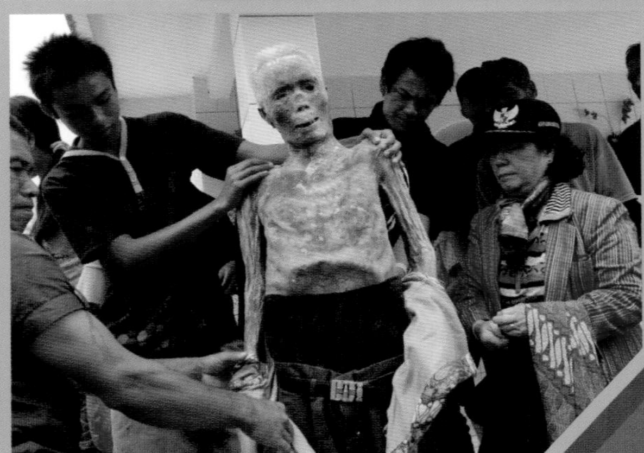

Tous les trois ans, le défunt se voit paré de nouveaux vêtements.

Une famille en train de soulever le cercueil d'un proche, vêtu de nouveaux habits.

Les plus riches sont enterrés dans des tombes en pierre, taillées à même la roche. Les autres reposent dans des grottes. Les cercueils contiennent des objets qui pourraient leur être utiles dans l'au-delà. Les cercueils de bébés ou d'enfants sont, la plupart du temps, suspendus à des falaises ou à des arbres. Après plusieurs années, la corde qui les retient cède et ils tombent. Le rituel de Ma'nene dure trois jours, le plus souvent au mois d'août. Les cercueils sont retirés des tombes et entreposés dans une chambre funéraire.

Les familles exhibent leurs défunts aux villageois.

COULÉE DE FEU AU YOSEMITE

▸ Chaque soir en été, pendant 96 ans, à 21 heures pétantes, des braises ardentes étaient déversées du sommet de Glacier Point dans le parc du Yosemite, en Californie, jusque 900 mètres plus bas dans la vallée. De loin, le spectacle s'apparentait à une immense coulée de lave. Appelée coulée de Yosemite, cette attraction touristique était organisée par plusieurs générations de propriétaires de l'hôtel Glacier Point. Des outils en métal permettaient de pousser la braise du sommet de façon continue, afin de donner l'illusion d'un flot de feu constant. Le spectacle a été interdit en 1968. Ironie du sort, l'hôtel fut détruit un an plus tard par un incendie.

WAGON RESTAURÉ▸ Jim Higgin, du Cornwall, en Angleterre, a érigé son bungalow autour d'un wagon de train vieux de 130 ans. Les chambres occupent ce wagon construit en 1882.

POISSONS À FOISON▸ On dénombre plus de 1 000 espèces de poissons dans le lac Malawi, le troisième plus grand d'Afrique. C'est plus que dans la totalité des lacs d'Amérique du Nord.

ORAGES EN RAGE▸ Le 28 juin 2012, le ciel du Royaume-Uni s'est retrouvé zébré de 110 000 éclairs, dont 200 par minute au plus fort des orages. Ce total, 40 fois plus important qu'un orage classique, représente l'équivalent de quatre mois d'intempéries, en une seule journée.

GARE À LA GLACE▸ Un énorme bloc de glace a transpercé le toit de la cathédrale de Brentwood, dans l'Essex, au Royaume-Uni, provoquant la panique parmi les fidèles réunis un jour de messe. La glace serait tombée d'un avion.

PÊCHE FÉMININE▸ Depuis des centaines d'années, l'île de Jeju, au sud de la Corée, ne compte que des pêcheuses de poisson. L'âge moyen de ces 5 000 femmes est de 50 ans, certaines dépassant les 80 ans. Une faille dans la loi autorise les femmes à vendre leur pêche sans être taxées, contrairement aux hommes.

PLUIE CHAUDE▸ La température de pluie la plus élevée jamais enregistrée a été relevée au cours d'une tempête de désert à Needles, en Californie. Les 46 °C ont été atteints en raison d'une très faible humidité. La plupart des gouttes se sont évaporées avant même de toucher le sol.

VILLE ROUGE▸ En juillet 2012, un typhon a déplacé l'argile des montagnes environnantes de la ville chinoise de Foshan, donnant aux trottoirs et aux rues de la cité une couleur rouge. Même après la décrue, des résidus d'argile recouvraient le sol et le pied des immeubles.

TOUT PROCHE▸ Le 29 février 2012 à Branson, dans le Missouri, une tornade a frappé à seulement 12 mètres du musée Ripley's, un immeuble biscornu construit comme s'il avait été touché par un tremblement de terre. Longue de 366 mètres, la tornade a dévasté le toit d'un motel tout proche, épargnant toutefois le musée qui, avec sa façade étonnante, est l'une des constructions les plus photographiées au monde. Le musée a été construit en 1999, en souvenir du tremblement de terre de 1812 qui avait vu le fleuve Mississippi se retirer pendant trois jours, et fait sonner les cloches des églises de Philadelphie, à 1 600 km de là.

FORÊT DE PIERRE

FOOT DE RUE▸ Sur les toits des immeubles de la ville de Guiyang, en Chine, les citernes à eau ont l'apparence d'énormes ballons de football. Les autorités locales les trouvaient très moches, mais ont finalement autorisé cette excentricité plutôt agréable à l'œil.

UNE ÉRUPTION, UNE FOIS !▸ Au large de la Nouvelle-Zélande, une éruption sous-marine a donné naissance à une immense surface de 26 000 m^2 – soit l'équivalent de la Belgique –, composée de pierre ponce blanche à la surface de l'océan. De la taille de balles de golf, les petites pierres se sont formées lorsque la lave est entrée en contact avec l'eau.

▸Cette forêt de pierre est composée de centaines de rochers verticaux tranchants dont la plupart dépassent les 100 mètres de hauteur. Couvrant 595 m^2 de la surface de Madagascar, cette forêt est nommée Tsingy, mot que l'on peut traduire par « là où personne ne peut marcher pieds nus ». Fruit de l'érosion du calcaire en raison de nombreuses pluies tropicales, cette structure semble très inhospitalière. Pourtant, de nombreuses espèces animales y vivent, dont onze variétés de lémuriens.

MABOULES DE FEU▸ En souvenir de la puissante éruption volcanique de 1658 qui avait obligé la ville de Nejapa, au Salvador, à être entièrement évacuée, les habitants de la cité se livrent à un drôle de jeu. Chaque 31 août, depuis 1922, ils s'affrontent à coups de chiffons imbibés d'essence. Sans règles particulières, ce combat de boules de feu ne fait pratiquement aucun blessé sérieux.

GAGNER DU TEMPS▸ Une seconde supplémentaire a été ajoutée au Temps, le 30 juin 2012. Cette seconde intercalaire est due au ralentissement de la rotation de la Terre.

CONCOURS DE LAIDEUR

Les participants au Concurso de Feos à Bilbao (Espagne) tordent et déforment leurs yeux et leurs bouches afin de devenir le plus laid possible et d'impressionner, voire de terroriser, le jury du concours. Cette discipline fait partie des festivités qui durent neuf jours et proposent aussi de la musique, du cirque, des combats de taureaux et des feux d'artifice.

BATAILLE DE FARINE Depuis plus de 200 ans, les participants du festival Els Enfarinats à Ibi en Espagne se jettent de la farine et des œufs, déguisés en habits militaires.

PRISES AU PIÈGE

Deux jeunes chèvres sont restées coincées pendant deux jours sur l'étroit rebord de 15 cm d'un pont de chemin de fer, à 18 mètres au-dessus d'une autoroute près de Roundup, dans le Montana. Elles ont été sauvées par une grue.

POMMES VOLANTES Une pluie d'une centaine de pommes s'est abattue sur une rue très fréquentée de Coventry (Angleterre), forçant les automobilistes à freiner brusquement pour les éviter. Une mini tornade semble être à l'origine du phénomène, qui a soulevé les fruits d'un jardin et les a envoyés sur la ville.

HÔTEL INSOLITE La mine d'argent de Sala en Suède propose une chambre d'hôtel située à 155 mètres sous terre. L'accès se fait par l'ascenseur de la mine et il a fallu 10 ans pour la bâtir. Grâce à une poche d'air chaud, la température ambiante y est de 18 °C, nettement plus agréable que les 2 °C relevés au fond de la mine !

LE MARDI TOUT EST PERMIS Une loi datant de 1845 a institué le mardi comme jour des élections présidentielles aux États-Unis, afin de permettre à chacun, à l'époque, de se rendre dans les bureaux de vote à cheval. Le dimanche étant réservé à la prière et le mercredi étant jour de marché, le mardi semblait convenir à tout le monde.

INOUÏ ENNUI En 2012, la ville de Boring dans l'Oregon a décidé de se jumeler avec le village de Dull en Écosse. William Boring, un pionnier, a donné son nom à la première tandis que le second est nommé ainsi car Dull veut dire champ dans le langage picte. Toutefois, Boring et Dull veulent dire la même chose en anglais : ennuyeux !

CHEMIN INVISIBLE Pour se rendre au Fort de Roovere (Pays-Bas), les visiteurs doivent emprunter un pont cassé, légèrement sous le niveau de l'eau des douves. Vu de loin, le pont est presque invisible à l'œil nu, car dissimulé.

COMPLÈTEMENT GIVRÉ▶ En janvier 2012, la police chilienne a arrêté un homme soupçonné d'avoir volé 5 tonnes de glace près de la frontière patagonienne afin de vendre des glaçons très stylés aux bars et restaurants. Les policiers ont intercepté un camion réfrigéré contenant ces glaçons d'une valeur de revente estimée à plus de 5 000 $.

C'EST D'LA BOMBE▶ En 2011, un ancien silo à missile nucléaire transformé en lieu d'habitation s'est vendu 1,76 m$ à Saranac dans l'État de New York. La propriété comprend une piste d'atterrissage et un espace souterrain de 1 400 m² conçu pour résister aux tornades, ouragans et attaques nucléaires.

PLAGE INTÉRIEURE

▶ La plage de Gulpiyuri près de Llanes, en Espagne, est située à 100 mètres de la mer au beau milieu d'une prairie verdoyante. Cet entonnoir long de 40 mètres a sa propre plage et ses vagues. Il y a même une marée car l'eau salée du golfe de Gascogne y est transportée en permanence via un réseau de tunnels souterrains naturels. Les vaguelettes et l'eau cristalline en font une plage très prisée des touristes, même si la température de l'eau est plutôt fraîche.

ATTERRISSAGE FORCÉ▶ Des milliers d'oiseaux migrateurs ont été tués ou blessés dans l'Utah en décembre 2011 après avoir confondu des parkings avec des étangs au cours d'un impressionnant orage de pluie.

INVASION DE RATS▶ En 2012, la ville allemande d'Hamelin, infestée de rats, aurait bien eu besoin d'un nouveau joueur de flûte ! Attirés par la nourriture donnée aux oiseaux, les rongeurs ont même dévoré les câbles électriques, mettant hors service une fontaine.

COUP DE FOUDRE▶ Plus de 80 % des victimes de la foudre sont des hommes. La raison est qu'ils passent plus de temps dehors que les femmes, et non qu'ils sont en général plus grands qu'elles.

MESSE TOUT CONFORT▶ Le révérend David Ray, un pasteur de l'Église presbytérienne du Texas, propose des messes comme on va voir un film au drive-in : les fidèles sont assis dans leurs voitures tout au long de la cérémonie.

POLICE ACADEMY▶ Le décret « Barney Fife » autorise les policiers de Johnson City (Tennessee) à enrôler de force les citoyens pour des missions de police au cours d'attroupements illégaux ou d'émeutes. Refuser est passible de prison.

PAS TOUCHE▶ Pour rester isolée et éviter tout contact avec d'autres humains, la tribu Mashco-Piro, au sud-est du Pérou, en Amazonie, plante des flèches enflammées en guise d'avertissement pour les touristes et les gardes forestiers.

LE CULTE DE LA TERRE▸ L'armée américaine a investi 80 000 dollars dans un lieu de culte recréant le site de Stonehenge, à l'école de l'armée de l'air, dans le Colorado. Ceci concerne les apprentis druides, païens, adeptes de la Wicca. Des sorciers qui pratiquent les religions de la Terre.

CENTRE DU MONDE▸ La ville de Kinsley, dans le Kansas, se trouve à équidistance de San Francisco, sur la côte Ouest, et de New York, sur la côte Est. Un panneau indique 2 512 km entre chaque mégapole.

MER MORTELLE▸ La teneur en sel de la mer Morte a beau permettre aux nageurs de flotter sans efforts, il n'en reste pas moins que de nombreuses noyades sont à déplorer.

BERKELEY FOREVER▸ Le château anglais Berkeley, dans le Gloucestershire, appartient à la même famille depuis 900 ans. L'héritier actuel, Charles Berkeley, représente la 27e génération à en être locataire.

À UNE ÉPOQUE, LES TIMBALES ONT SERVI DE MONNAIE COURANTE SUR L'ÎLE D'ALOR, EN INDONÉSIE.

TEMPS ÉTERNEL▸ Fin 2011, les îles Samoa ont modifié leur fuseau horaire pour passer du côté ouest de la ligne de démarcation. En 30 minutes de vol vers la partie américaine des îles situées à l'est, on peut ainsi se croire en vacances pendant deux jours au lieu d'une seule journée.

À LA DÉRIVE▸ Un quai en métal et en béton, arraché par le tsunami du Japon en 2011, s'est échoué en juin 2012 sur une plage située près de Newport, dans l'Oregon. Il a été identifié grâce à une plaque commémorative et à une étoile de mer typique du Japon. Une étoile de mer toujours présente sur la structure malgré 15 mois de dérive. On estime que 1,5 tonne de débris issus du tsunami ont dérivé sur le Pacifique jusqu'à la côte Ouest nord-américaine.

POISSONS VOLANTS▸ Des dizaines d'anguilles gluantes ont été retrouvées dans les flaques et caniveaux de Masterton, en Nouvelle-Zélande, à la suite des pluies diluviennes de mars 2012. Elles provenaient de bassins d'eaux usées tout proches, qui avaient débordé en raison de la tempête.

TELLE MÈRE, TELLE FILLE▸ L'État indien du Meghalaya applique la culture de la famille matrilinéaire : les biens et richesses se transmettent de mères en filles. En outre, les enfants portent le nom de leur mère.

TUNNEL AMATEUR

▸ Il y a 40 ans encore, le seul moyen d'atteindre le village de Guoliang dans la province du Henan, en Chine, était de gravir 720 marches abruptes. Depuis, 40 villageois ont creusé un tunnel plutôt dangereux, long de 1,25 kg à même la falaise. Perché à 110 mètres d'altitude, le tunnel a été construit sans électricité ni machines, mais à mains nues. Il a fallu utiliser 10 tonnes de mèches de perceuse et 4 000 marteaux. Haut de 5 mètres et large de 4, ce passage a mis 5 ans à voir le jour.

LÀ-HAUT▸ Haut de 40 mètres, le piton de Katski, près de Chiatura en Géorgie, héberge depuis 12 siècles en son sommet un monastère orthodoxe, resté inhabité pendant 700 ans du fait de son inaccessibilité. Les visiteurs peuvent aujourd'hui y accéder grâce à une échelle en fer.

ÉCOLIERS CASSE-COU▸ Afin de rejoindre leur école à Pili, dans la région montagneuse du Xinjiang Uygur, une quarantaine d'enfants chinois doivent quotidiennement franchir un col dangereux situé 457 mètres au-dessus d'un à-pic. Ils sont aidés par des parents et des enseignants.

NON MAIS À L'EAU, QUOI▸ Ces dix dernières années, Venise s'est enfoncée dans la mer au rythme de 2 mm par an, en penchant vers l'est de l'Adriatique. Soit cinq fois plus vite que les prévisions !

PICS ET ROCS▸ L'université suédoise de Lund possède une collection d'une centaine de nez moulés en plâtre ayant appartenu à des notables de Scandinavie, notamment le célèbre faux nez en argent et or de l'astronome danois Tycho Brahe (1546-1601), qui avait perdu son appendice lors d'un duel.

QUEL NEZ !

Tailyang Yaming appartient à la tribu des Apatani. Cette population vit dans la vallée Ziro, dans l'État du Arunachal Pradesh, en Inde. Ses tatouages et les bouchons en bambou de son nez sont le résultat d'une tradition douloureuse issue de l'adolescence. Convoitées pour leur beauté, les jeunes filles Apatani étaient souvent enlevées par les tribus adverses. Aussi, afin d'empêcher ces rapts, étaient-elles volontairement défigurées. Les tatouages étaient réalisés avec des épines couvertes de suie, et les bouchons de nez étaient insérés après une incision de la partie supérieure des narines. Ce rite horrible n'a pas totalement disparu.

HAUT LE VÉLO

▶ Cet arbre de Vashan Island, dans l'État de Washington, a littéralement avalé un vélo! Pendant des années, le mystère a alimenté de nombreuses légendes et même donné naissance à un livre pour enfants, mais une nouvelle explication vient de voir le jour. Il semblerait que le vélo ait été abandonné en 1954 par un gamin nommé Dan Puz. Le tronc se serait enroulé autour. Ceci n'explique pourtant pas pourquoi la bicyclette se trouve à 1,8 mètre du sol. Le mystère reste donc entier.

MOTO FLOTTANTE ▶ En avril 2012, une Harley-Davidson s'est échouée à Graham Island en Colombie-Britannique, à l'ouest du Canada, après avoir dérivé 15 mois durant dans le Pacifique, suite au tsunami du Japon. La moto rouillée portait toujours sa plaque d'immatriculation, ce qui a permis d'identifier son propriétaire, un habitant de la préfecture de Miyagi, région sévèrement touchée par le tsunami.

PÉKIN PREND LA MOUCHE ▶ En 2012, les autorités chinoises en charge de l'environnement, à Pékin, ont décrété que les toilettes publiques de la ville ne devaient pas renfermer plus de deux mouches en même temps.

PLANTE ANTI-VERS ▶ Au Brésil, la *Philcoxia minensis* est une plante carnivore. De la taille d'une tête d'épingle, les feuilles sécrètent une gomme collante qui permet de capturer les ascarides puis de les digérer.

ANNÉES LUMIÈRE ▶ Une ampoule électrique de 55 watts illumine toujours le porche de Roger Dyball à Lowestoft dans le Suffolk, en Angleterre, un siècle après sa fabrication en juillet 1912.

VOL EXPRESS ▶ En 2009, une femme a été arrêtée à Volgograd, en Russie, soupçonnée d'avoir commis une trentaine de braquages pour un butin total s'élevant à des dizaines de milliers de dollars. Elle hypnotisait les employés de banque qui ne se rendaient compte de rien.

LANGUE OUBLIÉE ▶ En creusant dans un palais turc vieux de 2 700 ans, à Tushan, un archéologue britannique a découvert l'existence d'un langage totalement inconnu. Probablement parlé par une peuplade non référencée des montagnes Zagros, en Iran, ce langage a été trouvé par le Dr John MacGinnis de l'Université de Cambridge, alors qu'il déchiffrait une tablette ancienne en argile.

ROUE DE SECOURS ▶ Une grande roue de New Delhi, en Inde, fonctionne uniquement à la force des bras. Suspendus aux barres, les hommes utilisent leur poids pour propulser la roue, à la façon des hamsters.

GYM TONIQUE ▶ Le 5 juillet 2011, une secousse a poussé des centaines de personnes à fuir un building de Séoul, en Corée du Sud. Ce tremblement de terre était en fait dû à 17 quadragénaires qui pratiquaient avec zèle un exercice de gym au 12e étage du bâtiment !

MAIRE À VIE ▶ Virgil Harms a été pendant 50 ans le maire de Paoli, dans le Colorado. Personne ne s'est jamais présenté aux élections.

Y A UN OS ! ▶ Lorsqu'une personne meurt chez les Jarawa, dans les îles Andaman, les proches placent son corps sous un arbre. Ensuite, les membres de la tribu nouent les os sur eux et partent chasser cochons et tortues, persuadés que cela leur portera chance.

SAINS ET SAUFS ▶ Tous les soldats du village normand de Thierville sont rentrés sains et saufs chez eux, suite aux cinq derniers grands conflits, y compris les Première et Seconde guerres mondiales.

FRONTIÈRE BIEN VISIBLE

▶ Dick Larson, de West Palm Beach, en Floride, a envoyé cette photo à Ripley's. On y distingue bien la démarcation entre la Virginie et la Caroline du Nord, tracée à même la route du Blue Ridge Parkway.

CRÂNES FANTÔMES

Ayant appartenu à des quidams, ces crânes sont considérés comme bienfaiteurs, protégeant le corps des défunts et réconfortant leurs esprits durant la période entre la mort et la collecte du corps.

À Bangkok, en Thaïlande, treize crânes humains dorés forment un temple miniature macabre. Ils sont censés protéger les morts récents et empêcher leurs âmes de se transformer en fantômes malveillants.

Le temple a été construit voici plus de 60 ans par une société d'ambulances bénévoles. Les crânes appartenaient aux patients dont la société s'occupait, morts pendant leur transport et dont les corps n'ont jamais été réclamés. Après la crémation, les ambulanciers récupéraient les crânes, les couvraient de peinture dorée et de feuilles d'or, puis inséraient des coussins en lamé dans les orbites. Lorsque la société a déménagé, elle a laissé ce temple derrière elle, l'esprit des crânes étant censé protéger le bâtiment.

La croyance locale suggère que les âmes des pauvres et des anonymes sont sujettes à des interférences spectrales, et que l'esprit de ces opprimés peut rapidement pencher vers le Diable. Sauf s'ils ont des morts récents à veiller.

LA NUIT, TOUT EST PERMIS ▸ Sur l'île de Nouvelle-Bretagne, près de la Papouasie-Nouvelle-Guinée, des botanistes ont découvert la première espèce d'orchidée (sur un total d'environ 25 000) ne fleurissant que la nuit. La *Bulbophyllum nocturnum* est la seule qui s'ouvre à la nuit tombée et se ferme au matin.

BALLON FLOTTANT ▸ Après le tsunami au Japon en mars 2011, un ballon de football a dérivé sur le Pacifique et s'est échoué sur une plage de Middleton Island, en Alaska, à 4 800 km de l'archipel nippon. Le ballon a été renvoyé à son propriétaire, Misaki Murakami, un adolescent.

COUP DE PHIL ▸ Le 27 avril 2011, une tornade a dévasté la ville baptisée Phil Campbell, dans l'Alabama. Peu après, plusieurs personnes répondant aux noms de Phil ou Phylis Campbell à travers le monde ont récolté 35 000 dollars pour aider à la reconstruction.

VERTIGINEUX ▸ Ouverte le 22 mai 2012, la Tokyo Sky Tree est la tour la plus haute au monde, culminant à 634 mètres, soit près de deux fois la tour Eiffel. Sa structure en acier pèse plus de 45 000 tonnes, et son escalier compte 2 523 marches.

I LAVE YOU ▸ La lave carbonatite, deux fois moins chaude que la lave la plus répandue, a une consistance proche de celle de l'huile de moteur. Elle s'écoule d'un seul volcan au monde, l'Ol Doinyo Lengaï, en Tanzanie.

COUP DE FOUDRE ! ▸ Carl Mize, employé de l'Université de l'Oklahoma, a miraculeusement survécu à six impacts de foudre. Le risque d'être foudroyé au cours d'une vie étant de 5 000 contre 1, Carl est donc un chanceux hors norme.

COUP DE SOLEIL ▸ Le soleil se couche précisément dans l'alignement des rues de Manhattan à New York deux fois par an, fin mai et mi-juillet. Ce phénomène extraordinaire est connu sous le nom de Manhattanhenge (inspiré du site de Stonehenge au Royaume-Uni), ou tout simplement de solstice de Manhattan.

LES BOULES ! ▸ Il est impossible de fabriquer une boule de neige au pôle Sud. La neige y est trop sèche et poudreuse pour pouvoir s'agglomérer correctement.

LAC BRÛLANT ▸ Le plus grand lac de lave au monde se trouve dans le mont Nyiragongo en République démocratique du Congo. Profond de 396 mètres, le lac est composé de 8 millions de m^3 de lave dont la température atteint les 982 °C.

LAC SOUTERRAIN ! ▸ Situé sous la glace épaisse de l'Antarctique, le lac Untersee est composé d'une eau aussi alcaline que l'eau de Javel et de sédiments produisant plus de méthane que n'importe quel autre lac au monde.

LE FLEUVE VOIT ROUGE ▸ Le 12 décembre 2011, les eaux du fleuve Jian dans la province du Henan, en Chine, sont devenues rouges sang à la suite d'un accident industriel impliquant des colorants chimiques.

ALGUES ENVAHISSANTES ! ▸ En juillet 2010, des algues d'une couleur bleu-vert ont recouvert 377 000 m^2 de la mer Baltique, une surface plus grande que celle de l'Allemagne. Le manque de vent, les températures caniculaires et le rejet de fertilisants dans la mer par les fermes avoisinantes ont expliqué ce phénomène.

AUTONOME ▸ La cosse de la plante ficoïde *Delosperma nakurense* s'ouvre et se ferme seule, même après être tombée de la fleur.

LASSANT ! ▸ La ville d'Orlando, en Floride, a déversé des dizaines de milliers de litres de mélasse dans le sol pour combattre une décharge toxique qui avait contaminé la terre.

L'ÎLE AUX TRÉSORS ▸ Une île de 4,5 ha composée de mousses de type sphagnum et recouverte d'espèces rares, canneberge et d'arbres flotte sur le lac Buckeye, dans l'Ohio. Elle date de la période glaciaire.

AMOUR MACABRE ▸ En 2011, la tombe parisienne d'Oscar Wilde a dû être rénovée : le rouge à lèvres des touristes qui l'ont visitée avait fini par l'éroder.

FORÊT ENFOUIE ▸ Des scientifiques ont découvert une forêt vieille de 298 millions d'années, enfouie sous une mine de charbon près de Wuda, en Mongolie intérieure. Couverte et préservée par de la cendre volcanique, la forêt présente des arbres et des plantes tels qu'ils étaient au moment de l'éruption.

PLUIE DE GEL ! ▸ Une vingtaine de petites billes bleues gélatineuses sont tombées sur la ville de Bournemouth, en Angleterre, le 26 janvier 2012. Ceci pendant un orage impressionnant qui a duré 20 secondes et donné au ciel une étonnante couleur jaune sombre. Des tests ont montré qu'il s'agissait de boules de gel hydratant, mais personne ne sait pourquoi elles sont tombées du ciel.

DÉMULTIPLICATION ▸ Un tremblement de terre d'une intensité de 8.7 est 23 000 fois plus puissant qu'une secousse de force 5.8. L'énergie d'un tremblement de terre est multipliée par 32 à chaque changement d'indice sur l'échelle de Richter.

LE FEU SOUS LA TERRE ! ▸ Il y a, en permanence, une vingtaine de volcans en éruption dans le monde. Sur les 600 volcans qui ont connu une éruption au cours de l'Histoire, 10 % d'entre eux environ se réveillent chaque année.

JEUX DE LANGUES ▸ Plus de 800 langues sont parlées en Nouvelle-Guinée, soit environ un tiers des langues autochtones du globe, ce qui fait de cette île l'endroit le plus varié linguistiquement sur terre.

CHAUD CHAUD CHAUD ! ▸ Des scientifiques ont réussi à créer la température la plus élevée jamais atteinte : 5,5 trillions degrés Celsius, soit 250 000 fois plus chaud que le soleil. L'expérience a été réalisée en Suisse, près de Genève, dans un accélérateur de particules, à coups d'explosions ultra chaudes ne durant qu'un milliardième de seconde.

RENAISSANCE ▸ Des scientifiques russes ont réussi à faire pousser des plants de *Silene stenophylla* à partir de tissus restés congelés dans le sol de Sibérie durant 30 000 ans.

LA TOUR INFERNALE

Alors qu'il était en repérages en septembre 2012, le cinéaste Chris Tangey a filmé cette tornade en feu à Alice Springs, en Australie. Ce phénomène rare se produit lorsque les flammes au sol se fondent dans le tourbillon qui peut monter à 300 mètres d'altitude et durer plus d'une heure. Selon Chris, le son produit évoquait un avion de chasse.

LE CORPS DE LA MARIÉE

Depuis 80 ans, les touristes du monde entier affluent en nombre devant la vitrine d'une boutique de mariage à Chihuahua, au Mexique. Ils viennent observer le mannequin qui ressemble à s'y méprendre à une véritable mariée. D'après la légende, ce mannequin serait la véritable fille du précédent propriétaire !

Connu sous le nom de la Pascualita, ce mannequin sème le doute parmi les badauds, tant son regard est intrigant. Installé dans la vitrine en 1930, il a immédiatement suscité l'interrogation. La foule a remarqué son incroyable ressemblance avec Pascuala Esparza, la fille du propriétaire de l'époque. Les gens sont arrivés à la conclusion que c'était bien le corps embaumé de la jeune femme, morte quelque temps auparavant le jour de son mariage, des suites de morsures d'une veuve noire. Son père a eu beau prétendre le contraire, la rumeur s'est emparée de l'affaire et la Pascualita est devenue source de nombreuses histoires. Il se dit, par exemple, qu'un magicien français transi d'amour vient lui rendre visite la nuit, la ramène à la vie et se promène avec elle en ville. Certains racontent que ses yeux les suivent dans la boutique et qu'elle change de position à la tombée du jour. Sonia Burciaga, une salariée du magasin qui change sa robe deux fois par semaine, dit : « Chaque fois que je m'approche d'elle, mes mains deviennent moites. Les siennes sont si réelles, et elle a des varices aux jambes. Je pense qu'il s'agit bien d'une vraie femme. »

MARIE, PLEINE DE GLACE▶ En décembre 2011, les habitants de Mitterfirmiansreut, en Allemagne, ont bâti une église à partir de neige et de glace, dont une tour de 19 mètres de haut. Pouvant accueillir 200 personnes, cette église temporaire était la réplique d'une autre, construite un siècle plus tôt.

ŒUFS BROUILLÉS▶ Le championnat du monde de l'œuf façon roulette russe, organisé en Angleterre dans le Lincolnshire, consiste à choisir un œuf dans une boîte de six et à l'écraser sur la tête du concurrent. Sur les six œufs, cinq sont durs, un seul est cru. Les perdants sont ceux qui reçoivent ce dernier, dégoulinant sur leur visage.

MONSIEUR PROPRE▶ Don Aslett, de Pocatello dans l'Idaho, a réouvert le Musée de la Propreté où sont exposés 6 000 aspirateurs, tapettes à tapis et autres objets servant à faire disparaître la poussière. Parmi ces trésors figurent un aspirateur de 1902 tiré par un cheval, un ancien bain de pieds Amish et un cure-dent en bronze vieux de 1 600 ans. Pour décorer son musée, il a installé des sièges fabriqués à partir de poubelles, ainsi que d'une vieille baignoire montée sur pieds de griffon, et d'une machine à laver datant de 1945.

FESTIVAL DE LA FARINE▶ Chaque mois de février à Galaxidi, en Grèce, des dizaines de personnes revêtent masques, vêtements en plastique et cloches de vache pour s'affronter à coups de petits sacs contenant de la farine collante et colorée. Cette guerre de la farine, qui utilise 2 tonnes de produit, oblige les maisons et les bateaux du village à être entièrement bâchés.

HÉCATOMBES DE CRUSTACÉS

▶ En Camargue, en août 2012, les eaux d'un étang sont devenues rouges en raison d'une forte concentration de sel qui a décimé les artémies, ces petits crustacés vivant en eau salée. L'étang a aussitôt pris la couleur des animaux.

LIVRES GÉANTS

▶ Le parking de la bibliothèque municipale de Kansas City, dans le Missouri, est décoré avec des dos de livres mesurant chacun 7,6 x 2,7 mètres. Cette immense étagère publique rassemble 22 titres dont *Le Seigneur des anneaux* et *Roméo et Juliette*, ainsi que *Ne tirez pas sur l'oiseau-moqueur*, tous choisis par les abonnés de la bibliothèque.

LE PLASTIQUE, C'EST FANTASTIQUE▶ À Yelwa, au Nigeria, 25 maisons sont entièrement construites en bouteilles de plastique remplies de sable. Placées les unes sur les autres, ces bouteilles sont reliées entre elles par de la boue. Parfait isolant, elles ne coûtent rien et protègent même des balles. Il en faut environ près de 8 000 pour une seule maison.

PLONGÉE DANS LE NOIR▶ En Inde, fin juillet 2012, suite à la chute de trois lignes à haute tension, une immense coupure de courant a affecté 600 millions de personnes, soit la moitié de la population du pays.

LAINE À TOUS LES ÉTAGES▶ L'hôtel Pelirocco de Brighton, en Angleterre, propose une chambre où tout est fait en laine : vase, rideaux, brosse à dents, tube de dentifrice, et même le petit-déjeuner. La décoratrice Kate Jenkins a également utilisé 5 kg de laine pour tricoter un dessus-de-lit aux cent couleurs, ainsi que des protections pour le téléphone, l'abat-jour, la théière et la tasse.

RUCHE HYPER ACTIVE

Il faut des heures pour retirer les rayons de miel. Les récoltants utilisent de simples bâtons de bambou.

Les rayons sont descendus grâce à un panier fait main.

La tradition, qui date de plusieurs centaines d'années, a coûté la vie à de nombreuses personnes. Au Népal, le peuple Rai construit des échelles en bambou pour gravir les 76 mètres d'une montagne abrupte et accéder au tant convoité miel des abeilles d'Himalaya, les plus grosses au monde.

Les néoapiculteurs allument un feu en bas de la falaise afin d'étourdir les abeilles. Ensuite, à l'aide de bâtons de bambou, ils retirent délicatement les rayons de miel situés à plus d'un mètre. L'opération peut durer quatre heures, ralentie par plus de 100 000 abeilles qui attaquent les hommes sans pitié.

Le butin est ensuite ramené au sol. Le principal souci des grimpeurs est de garder les pieds sur les échelles afin d'éviter de chuter dans le vide. Sinon, ils ne portent aucune protection pour le visage ! Le pire, c'est que le miel rouge récolté, dont la valeur marchande est cinq fois supérieure au miel classique, est empoisonné en raison d'une toxine dans le pollen et le nectar du rhododendron dont il est issu. Consommé à même le rayon, il peut provoquer crampes d'estomac et vomissements. Il sert de substitut au sucre et entre dans la composition des crêpes. Malgré tout, c'est un produit très recherché. On lui prête des pouvoirs relaxants et de guérison.

Un récoltant Rai porte un immense rayon de miel.

NUISANCE SONORE

▸ À Wenling, en Chine, un couple de personnes âgées a refusé de quitter sa maison de quatre étages qui devait être démolie afin d'y faire passer une autoroute. Les entrepreneurs ont donc construit les voies autour de la propriété de Luo Boogen et de son épouse, qui ont continué d'y vivre, entourés de voitures et de camions.

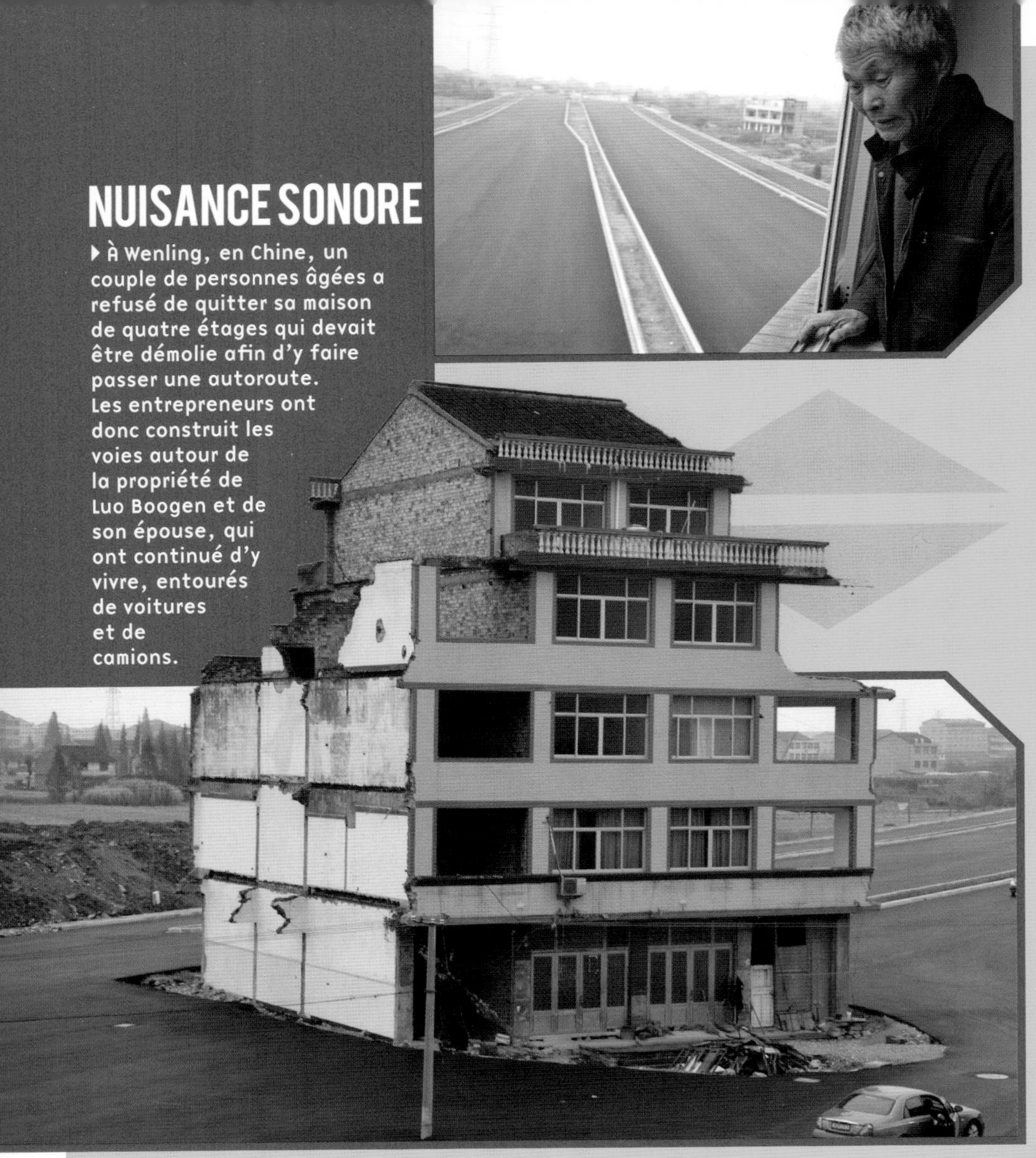

ARGENT OUBLIÉ▸ En 2012, dans l'Atlantique, près des côtes irlandaises, 48 tonnes de lingots d'argent ont été repêchées par 4 570 mètres de fond. D'une valeur de 44 millions de dollars, cette découverte a été faite sur le cargo britannique *S.S. Gairsoppa*, coulé par les Allemands en 1941.

SAUT PAS SOT▸ D'une durée de douze jours, le carnaval de Venise commence toujours par un saut de l'ange où une jeune femme, suspendue à un câble, se jette d'un clocher à 100 mètres d'altitude, au-dessus de la place Saint-Marc.

À L'AIR LIBRE▸ Plus de la moitié des 400 kilomètres du métro londonien sont aériens.

NAGE VERTIGINEUSE▸ La piscine avec fond en verre de l'hôtel Holiday Inn de Shanghai, en Chine, donne partiellement au-dessus du vide, avec une vue imprenable sur la rue, 24 étages plus bas. La piscine (30 x 6 mètres) donne l'impression aux baigneurs de nager dans le ciel.

BIENVENUE À GATTACA▸ Tous les King's Lomatia, un arbuste de Tasmanie, sont génétiquement identiques. Ne donnant ni fruits ni graines, la plante se reproduit uniquement quand une branche tombe au sol et plante elle-même une racine.

MER DISPARUE▸ La mer d'Aral, qui borde le Kazakhstan et l'Ouzbékistan, était jadis la quatrième mer intérieure la plus grande au monde. Parsemée de plus de 1 500 îles, elle couvrait 68 000 km^2. Après 50 ans de détournement de l'eau, c'est désormais un désert parsemé de quatre lacs dont la taille représente un dixième de sa taille originale. Dans les années 1950, la ville de Moynak bordait la mer. Aujourd'hui, c'est une ville déserte, située à 100 km de l'eau. Le changement climatique a été pointé du doigt dans la disparition de la mer d'Aral, avec des étés de plus en plus chauds et secs, et des hivers plus froids et plus longs.

LE POIDS DES NUAGES▸ Les gouttelettes d'eau dans un cumulus de taille moyenne pèsent autant que 80 éléphants. Les plus grands cumulonimbus peuvent atteindre deux fois la taille de l'Everest !

L'ATTAQUE DES BILLES▸ Le 19 août 2012, au cours d'un orage, des centaines de petites billes en plastique sont tombées du ciel dans le jardin de Dylis et Tony Scott, à Leicester, en Angleterre. Probablement transportées par le vent durant la tempête, les billes ont disparu après la pluie.

NUAGE ÉTONNANT▸ Un phénomène météorologique surprenant apparaît chaque automne dans le ciel de la petite ville de Burketown, dans le Queensland, en Australie. Surnommé le nuage du matin triomphant, ce dernier s'étire sur plus de 1 000 km à 100 mètres d'altitude, et se déplace à la vitesse de 60 km/h. Les pilotes de planeur adorent voler à l'intérieur.

LES JEUX DU N'IMPORTE QUOI▸ Parallèlement aux J.O. de Londres en 2012, se sont déroulées les Olympiades qui mettent en avant les excentricités des Anglais. Parmi les épreuves figuraient une joute de vélos, un combat de majordomes, un lancer de chapeau melon dans un filet de pêche, et une autre où les candidats sont portés à bout de bras sur une planche à repasser, avec un cocktail dans les mains qu'ils ne doivent pas renverser.

COQUILLE PAS VIDE▸ Une maison de cinq étages à Sofia, en Bulgarie, a été construite sur le modèle d'un escargot géant. Très colorée, elle possède même des antennes. Sans le moindre angle droit, il a fallu 10 ans pour la bâtir.

L'EMPIRE STATE BUILDING EST CONSTITUÉ DE PLUS DE 10 MILLIONS DE BRIQUES.

TOUCHÉ COULÉ▸ L'Université d'État de Columbus, dans l'Ohio, affiche un panthéon international dédié au drainage de l'eau.

OBJECTIF : ZÉRO POINT !▸ En dix minutes, à Zurich, en Suisse, un conducteur a commis 15 infractions au code de la route dont : excès de vitesse, conduite sur la bande d'arrêt d'urgence, plusieurs feux rouges grillés et refus de s'arrêter.

LA TÊTE DANS LES NUAGES▸ Le Bubble Hotel, situé à la campagne, près de Paris, propose des chambres gonflables avec toit transparent. On peut y admirer les merveilles de la nature depuis son lit.

L'AMOUR DANS LA MORT▸ À Modène, en Italie, des archéologues ont découvert les squelettes d'un couple se tenant toujours la main, 1 500 ans après le décès. L'homme et la femme, morts vers le Vᵉ siècle, ont visiblement été enterrés comme s'ils étaient toujours en train de se regarder.

SUS À LA MOUSSE ! ▸ En septembre 2012, les maisons et les véhicules du village de pêcheurs de Footdee, près d'Aberdeen, en Écosse, ont été recouverts d'une mousse blanche. Ce mélange d'eau et de sable était dû à de fortes pluies et aux vents violents qui frappaient la côte.

SAUVETEURS DE L'ESPACE ▸ Une simple brosse à dents de 3 dollars a suffi aux astronautes Sunita Williams et Aki Hoshide pour réparer une station spatiale d'une valeur estimée à 100 millions de dollars. Attachée à une barre en métal, cette brosse a permis de nettoyer le boulon d'une prise défectueuse qui empêchait un élément essentiel de fonctionner.

ACCÈS À DISTANCE

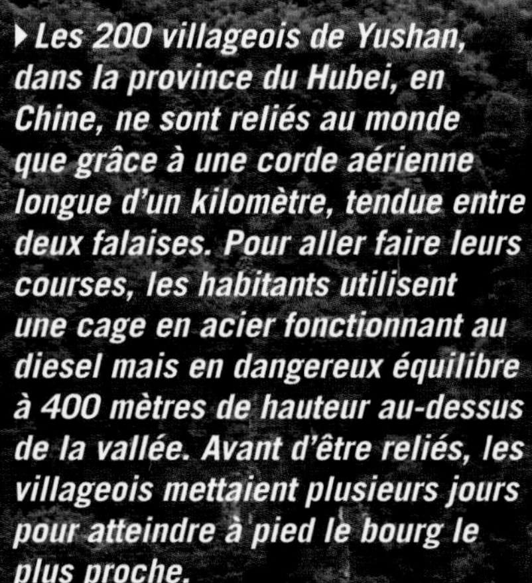

▸ *Les 200 villageois de Yushan, dans la province du Hubei, en Chine, ne sont reliés au monde que grâce à une corde aérienne longue d'un kilomètre, tendue entre deux falaises. Pour aller faire leurs courses, les habitants utilisent une cage en acier fonctionnant au diesel mais en dangereux équilibre à 400 mètres de hauteur au-dessus de la vallée. Avant d'être reliés, les villageois mettaient plusieurs jours pour atteindre à pied le bourg le plus proche.*

LE LAC AUX MÉDUSES

▸ Le lac aux méduses sur Eil Malk, une île des Palaos en Océanie, héberge plus de 20 millions de méduses. On peut toutefois s'y baigner car les bestioles ont nettement perdu de leur dangerosité au fil du temps. Isolées pendant des milliers d'années du Pacifique tout proche, les méduses adorent se prélasser dans ce lac très riche en algues et sans prédateurs. Du coup, elles n'ont plus à se défendre et les plongeurs peuvent s'y baigner sans souci.

VERTIGINEUX

▶ Cette maison semble posée sur le toit de l'Université de Californie à San Diego, comme coincée à sept étages de hauteur. Ce projet artistique, du Sud-Coréen Do Ho Suh, a mis sept ans à voir le jour et a coûté plus d'un million de dollars. Les visiteurs peuvent entrer dans la maison, complètement aménagée. Il y a même un petit jardin. Mais la vue depuis les fenêtres n'est pas pour les âmes sensibles.

TV ÉCOLO▶ Les hôtes du bed and breakfast Cottage Lodge, à Brockenhurst, en Angleterre, peuvent garder la forme et aider l'environnement en regardant dans leur chambre une télévision LCD alimentée par un vélo. L'électricité nécessaire à son fonctionnement est produite par les clients qui pédalent pour recharger la batterie du poste.

LE PÔLE À POIL▶ La station d'Amundsen-Scott au pôle Sud héberge le « club des 300 » : les membres passent d'un sauna chauffé à 93 °C (200 °F) à l'extérieur où il fait -73 °C (-100 °F), voire moins selon les coutumes de l'endroit puisqu'il faut être nu, excepté une paire de bottes.

HOMMES TRONCS

▶ Cette photo hallucinante montre des bûcherons travaillant dans la forêt de séquoias de Humboldt, en Californie, au début du XIXe siècle. Avant la tronçonneuse et la machinerie lourde, les arbres géants étaient abattus avec des haches et des scies. Une équipe pouvait mettre une semaine entière pour faire tomber un séquoia, les plus gros arbres au monde. Le travail était aussi dangereux qu'il en a l'air, et encore aujourd'hui, c'est une des activités les plus dangereuses au monde.

HORLOGE DE 10 000 ANS▶ Jeff Bezos, fondateur d'amazon.com, a financé les 42 millions de dollars de « l'horloge de l'année 10 000 » qui sera construite à 152 mètres de profondeur dans une montagne du Texas, et a été conçue pour être à l'heure pendant 10 000 ans. Haute de 60 mètres, son balancier pèsera 5 tonnes, et elle produira chaque jour une mélodie différente.

VILLE IMPOSANTE▶ Hong Kong est la capitale mondiale des gratte-ciel. La cité peut se vanter de compter plus de 2 300 immeubles de plus de 100 mètres de hauteur, soit trois fois plus qu'à New York.

PRÉSENCE RUSSE▶ Située à mi-chemin entre la Norvège et le pôle Nord, l'île norvégienne de Svalbard ne compte que 2 000 habitants, mais possède son propre consulat russe.

À LA MAUVAISE PLACE▶ Chris et Frances Huntingford ont été obligés de démolir leur maison de rêve de 4 pièces d'un coût de 375 000 dollars dans le Suffolk, en Angleterre. Elle avait été construite à 4,5 mètres à droite de l'endroit où elle aurait dû être à l'origine.

CHUTE DE MUR▶ Une section de 30 mètres de la grande muraille de Chine, à Zhangjiakou, s'est effondrée en 2012 : un éboulement de plusieurs tonnes de briques et de gravats s'est produit après des semaines de pluies torrentielles, couplées à des travaux effectués devant les fondations du mur.

VOLCANS CACHÉS▶ Des experts britanniques ont découvert une chaîne de douze nouveaux volcans sous-marins au large des côtes antarctiques, dont certains à 70 mètres de la surface.

SOUS TERRE

Skarphedinn Thrainsson et Örvar Atli Þorgeirsson ont exploré l'étrange monde bleu caché sous le plus grand glacier d'Europe, Vatnajökull, en Islande, pour y photographier les aussi belles qu'étranges cavernes de glace. La couleur lumineuse, claire et bleue, est due à l'air expulsé de la glace ancienne et qui voyage à l'intérieur du glacier. S'aventurer dans ces grottes est risqué, non seulement en raison des températures pouvant descendre jusqu'à -12 °C, mais également à cause du mouvement constant de la glace, qui a déjà coûté la vie à un photographe.

03

ANIMAUX

CATCOPTER

LE DÉLIRE VA ENCORE PLUS LOIN !!

Télécharge l'appli et utilise ODDSCAN™ pour voir une vidéo de Catcopter en action, piloté par ses créateurs

L'artiste hollandais Bart Jansen a transformé son chat, tué par une voiture, en hélicoptère radiocommandé. L'animal s'appelait Orville, en hommage à Orville Wright, un pionnier de l'aviation. Bart a conservé son corps six mois au congélateur avant de le faire empailler. Il lui a ensuite mis une hélice sur chaque patte et un moteur dans le ventre pour créer l'« Orvillecopter », capable de voler à une sacrée vitesse. Une dérive fixée sur la queue permet de le guider. Il a même un train d'atterrissage en plastique pour se poser en douceur.

ÇA COINCE

▸ Un automobiliste de Rio Verde, Brésil, se demandait bien pourquoi sa voiture manquait de reprise depuis quelques heures. Il a finalement soulevé le capot... et trouvé un chaton coincé dans le moteur! Seules sa tête et une patte dépassaient du tuyau d'arrivée d'air. Les pompiers ont utilisé une scie à métaux pour libérer le chaton qui – incroyable – a survécu. Il s'était installé dans le moteur pour se réchauffer avant de se faire aspirer au démarrage par le tuyau.

CHAT PERDU▸ Monika Moser, de Munich, a retrouvé son chat Poldi plus de 16 ans après sa disparition. Il s'était échappé en 1996 et plus personne ne l'avait revu, jusqu'à ce qu'on l'identifie dans une forêt, à 32 km de chez sa maîtresse, grâce à une marque sur l'oreille.

QUEL TALENT !▸ Chook, un superbe oiseau-lyre du zoo d'Adelaïde, Australie, imite à la perfection les bruits de perceuse, de scie à métaux, de camion et de conversations radio. Il a appris tout ça pendant que des ouvriers travaillaient près de sa cage.

VACHE DE PUB ▶ Un blizzard inhabituel soufflait sur Serfaus, Autriche, ce jour-là. Laura, une vache, est sortie de son champ pour aller trouver refuge dans un centre commercial voisin. Elle est entrée dans un magasin, où elle a mâchouillé deux soutiens-gorge et un T-shirt. Le magasin a été tellement impressionné par les goûts de Laura qu'il en a fait la star de sa nouvelle campagne publicitaire télévisée.

AMI FIDÈLE ▶ À la mort de Lao Pan, un Chinois de 68 ans, en novembre 2011, son chien a élu domicile près de sa tombe de Panjiatun, refusant même de s'en éloigner pour satisfaire sa faim. Émus par une telle fidélité, les villageois ont décidé de le nourrir et de lui construire une niche près de la sépulture.

DANS LA TRONCHE ▶ Quand un ours brun a tenté de s'emparer de Fudge, son teckel, Brooke Collins, une coiffeuse de Juneau, en Alaska, a répliqué par un coup de poing dans la truffe du prédateur. Stupéfait, l'ours a tout de suite lâché le petit chien, qui s'en est sorti avec quelques écorchures.

LEÇONS DE CHASSE ▶ Des pêcheurs du Honduras ont entraîné des requins à chasser les poissons-lions. Cette espèce venimeuse a envahi un récif près de l'île de Roatan et leur appétit vorace réduit les réserves de poissons locaux, menaçant les moyens de subsistance des pêcheurs. Au début, les requins évitaient les poissons-lions à cause de leurs épines. Mais quand les pêcheurs se sont mis à harponner les terribles poissons, ils se sont aperçus que les requins n'ont pas tardé à les attaquer, comme une proie naturelle.

HAMSTER DÉCHAÎNÉ ▶ La petite escapade d'Houdini le hamster a coûté 1 000 € de réparations à ses tout nouveaux propriétaires. Après s'être échappé de son carton, il s'est glissé dans le moteur de leur voiture, grignotant les fils électriques pendant que celle-ci roulait vers sa nouvelle maison du Derbyshire. Il a fallu deux heures pour le sortir de là !

BON VOYAGE ! ▶ En juin 2012, un chat noir est resté accroché sous un train pendant 193 km, entre Southampton et Cardiff. Le chanceux animal a survécu.

MANCHOT EN FUITE ▶ Un manchot de Humboldt s'est échappé du parc marin de Tokyo après avoir sauté par-dessus un mur et s'être glissé à travers une barrière. Il a erré pendant 82 jours dans la capitale japonaise avant d'être finalement capturé. Pendant sa fugue, on l'avait souvent repéré dans les cours d'eau mais il avait toujours réussi à s'échapper.

MÉLODIE EN SOUS-SOL ▶ Une chatte et ses trois chatons se sont retrouvés piégés sous le sol en béton d'un garage de West Jordan, dans l'Utah. Ils s'étaient glissés là peu avant qu'on ne coule la chape. En entendant des miaulements, les ouvriers ont creusé un trou, sauvant ainsi les animaux.

CHIEN ÀLERTE ▶ Quand Victoria Shaw, du pays de Galles, a chuté sous la douche, Louis, son yorkshire, a appelé à l'aide en déclenchant l'alarme de sa maison. Handicapée, Victoria lui avait appris à appuyer sur le bouton en cas d'urgence. Par bonheur, il s'en est souvenu !

LA CLASSE !

▶ *Tom Bennett et son chien Brody, un goldendoodle de 5 ans, font du jet-ski sur le lac Pigeon, près de Bobcaygeon, au Canada. Brody, qui n'est tombé qu'une seule fois à l'eau, porte des lunettes pour se protéger des libellules.*

LE + DE Ripley's

Plusieurs créatures ont le corps transparent, mais pas pour les mêmes raisons. La peau translucide de la grenouille de verre, due à l'absence de pigmentation, constitue un camouflage dans son milieu naturel, la forêt. Pour se fondre dans le décor, elle a même les os verts. La tête transparente du poisson revenant améliore sa vision circulaire, tandis que la carapace diaphane de la casside, un coléoptère, trompe ses prédateurs.

SUPERSOURIS▸ Les oisillons de l'île Gough risquent de se faire manger par les 700 000 souris géantes qui peuplent ce bout de terre de l'Atlantique Sud. Ces super-rongeurs ont évolué pour atteindre trois fois la taille d'une souris normale. Devenus carnivores, ils se nourrissent d'oisillons dans leurs nids.

RAGEANT▸ La ville de Katherine, au nord de l'Australie, a été envahie par plus de 250 000 chauves-souris en février 2012. Face au risque d'attraper la rage en cas de morsure ou d'égratignure, les autorités ont décidé de fermer les principaux terrains de sport jusqu'à ce qu'elles s'en aillent.

MAXITOISON▸ La fourrure de la loutre de mer est la plus dense de tous les mammifères, avec un million de poils sur une surface équivalente à un timbre-poste.

MAUVAIS GENRE▸ Chez les poissons clowns ocellés, originaires de la mer Rouge, les mâles peuvent changer de sexe pour se reproduire.

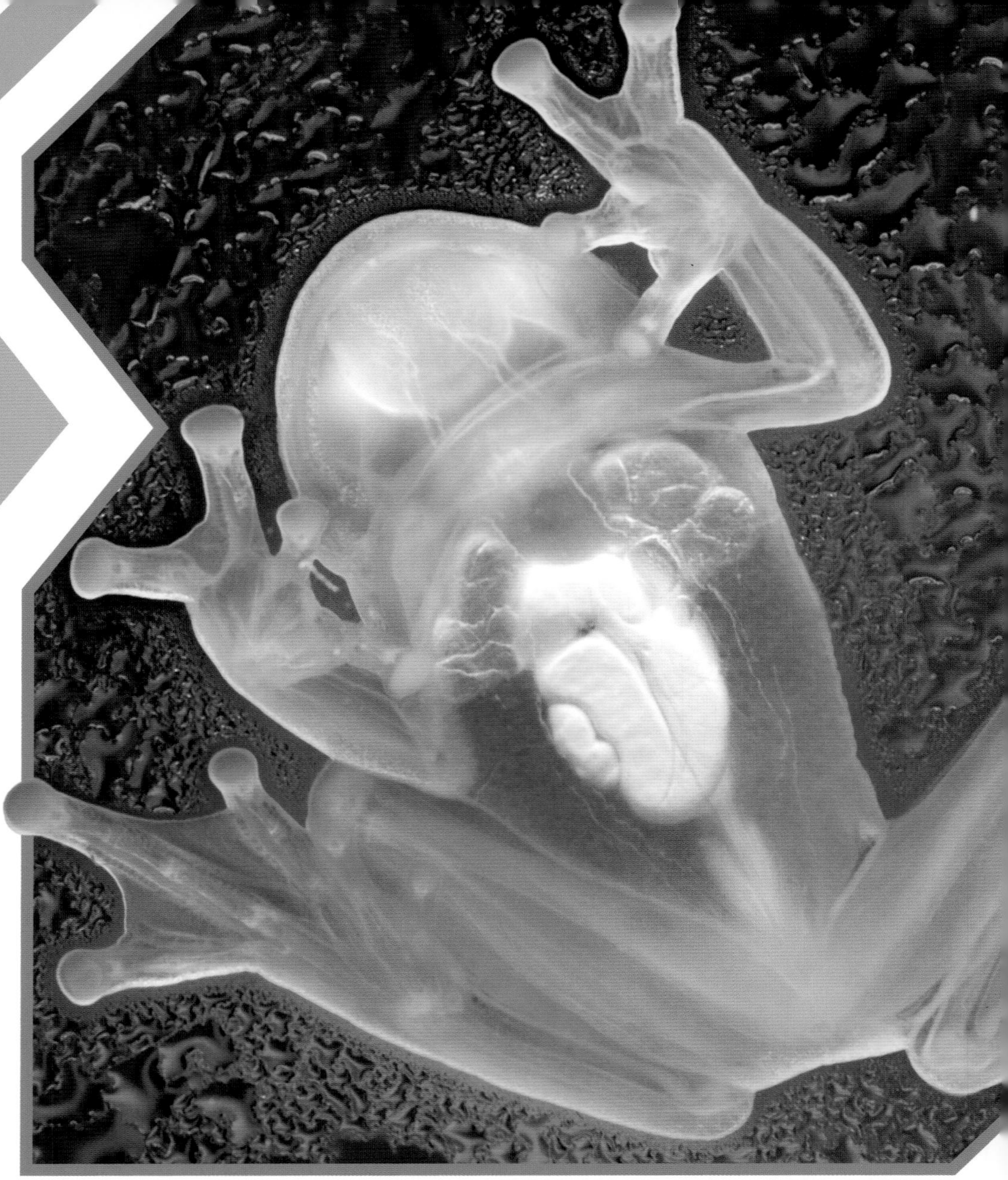

RIEN À CACHER

▸ ***Les grenouilles de verre des forêts d'Amérique centrale et du Sud ont la peau transparente : on voit le cœur qui bat, l'estomac, le foie, les intestins, les poumons et la vésicule biliaire. Grâce à ce corps vert translucide, on les confond avec les feuilles : elles échappent ainsi à leurs prédateurs.***

PARASITE▸ Le *cancellaria cooperi*, un gastéropode, écume les fonds marins du Pacifique oriental : quand il trouve une raie torpille, il lui grimpe dessus et se nourrit de son sang.

TOILE DE MAÎTRE

▸ Une araignée d'un parc de Hong Kong a tissé cette incroyable toile à la géométrie complexe. On pense que ces motifs étonnants attirent les insectes en réfléchissant les ultraviolets. À moins qu'ils ne servent à camoufler l'araignée aux yeux de ses prédateurs.

SAUTÉ DE PHOQUE▸ Pour attraper les phoques au large du Cap (Afrique du Sud), des requins de 900 kg remontent à toute allure du fond de l'océan, entraînant parfois leurs proies jusqu'à 3 mètres au-dessus de l'eau.

JEUNESSE ÉTERNELLE▸ Chez les abeilles, on lutte contre le vieillissement cérébral en s'attaquant à des tâches habituellement assumées par plus jeune que soi. Des chercheurs de l'université de l'Arizona ont découvert que la structure moléculaire de leur cerveau changeait, augmentant de façon considérable leurs capacités d'apprentissage.

CRAPAUD CANNIBALE▸ Un jeune crapaud buffle australien se nourrit pour les deux tiers... de plus petits crapauds buffles.

LÉZARD CLANDESTIN▸ Sue Banwell-Moore, une touriste britannique, a rapporté par mégarde du Cap-Vert un lézard *chioninia* dans ses bagages. Non seulement l'animal de 15 cm a survécu au vol de 4 800 km, mais il s'est retrouvé dans la machine à laver avec le linge sale de Sue. C'est au moment d'étendre ses vêtements, après un cycle doux d'une demi-heure, qu'elle a découvert sa présence. Baptisé Larry, le lézard s'est bien remis de son calvaire et vit désormais dans une réserve naturelle voisine.

RADEAU VIVANT▸ Les fourmis de feu sont capables de survivre aux inondations en se regroupant pour composer de véritables radeaux vivants. Les poils de leur corps capturent des bulles d'air qui, toutes assemblées, forment une couche protectrice qui les empêche de se noyer. Un seul radeau peut être constitué de plus de 10 000 fourmis.

EFFET MIROIR▸ Pour inciter ses flamants roses à se reproduire, le zoo de Shenzhen (Chine) a tapissé leur enclos de miroirs de 90 cm de haut, sur une longueur de 14 mètres, pour leur donner l'impression d'être plus nombreux. En arrivant du Japon, les oiseaux refusaient de s'accoupler : leur colonie leur semblait trop réduite pour envisager sereinement une descendance.

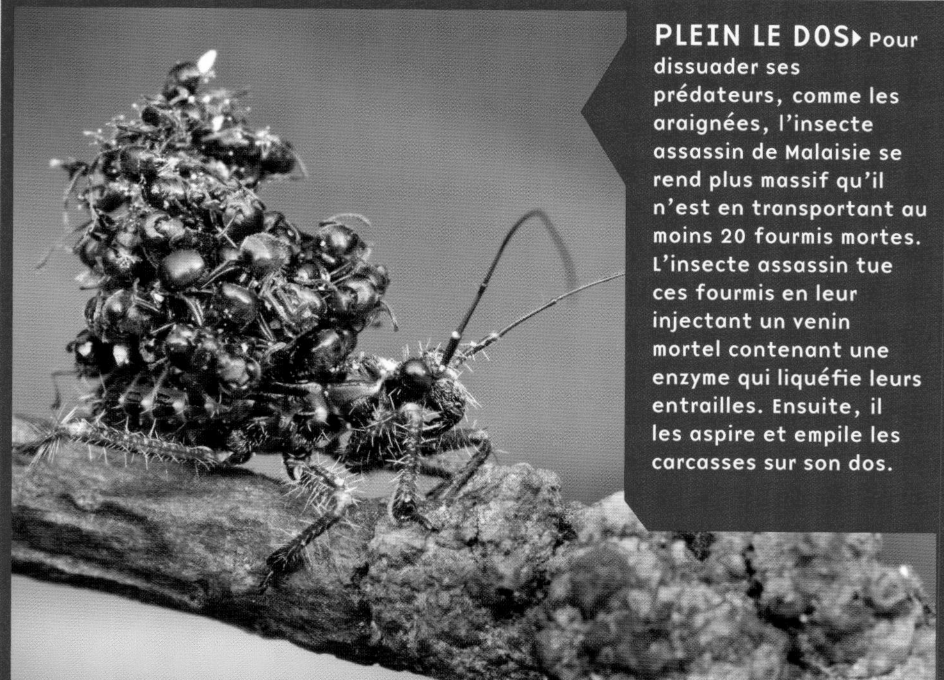

PLEIN LE DOS▸ Pour dissuader ses prédateurs, comme les araignées, l'insecte assassin de Malaisie se rend plus massif qu'il n'est en transportant au moins 20 fourmis mortes. L'insecte assassin tue ces fourmis en leur injectant un venin mortel contenant une enzyme qui liquéfie leurs entrailles. Ensuite, il les aspire et empile les carcasses sur son dos.

GUÊPE GÉANTE▸ Sur l'île de Sulawesi (Indonésie), on a découvert une guêpe géante de 6,4 cm, dont les mandibules sont plus longues que ses pattes avant.

CHANT D'AILES▸ Le manakin à ailes blanches, qui vit dans les forêts de Colombie et d'Équateur, est le seul oiseau qui chante avec ses ailes. Chez la plupart des oiseaux, les os des ailes sont légers et creux ; ceux du manakin à ailes blanches, denses et lourds, peuvent produire un son proche de celui du violon. Pour attirer un partenaire, cet oiseau se frotte les ailes au lieu de chanter.

MOUTON DE LUXE▸ Le dernier *collector* tendance chez les riches Chinois est un mouton de race dolan, qui vaut 1,4 million d'euros. Originaire de la ville antique de Kachgar, il a le museau recourbé, une double queue et des oreilles tombantes. Il n'y en a plus que 1 000 dans le monde.

JE VEUX RENTRER▸ Une perruche égarée a donné son adresse complète à un policier, qui a pu la ramener chez elle. Après s'être échappé d'une maison de Yokohama (Japon), l'oiseau bavard avait volé jusqu'à un hôtel du centre-ville où on l'a capturé et apporté à la police.

AUTONOMES▸ Les crabes yétis font pousser leur propre nourriture. Vivant près des sources hydrothermales, ils se nourrissent essentiellement des bactéries qu'ils cultivent sur leurs pattes poilues.

FAUSSE ROUTE▸ En juin 2011, un jeune manchot empereur a fait fausse route et s'est échoué sur une plage de Nouvelle-Zélande, à plus de 3 200 km de chez lui, en Antarctique. On n'avait pas vu de manchot empereur en Nouvelle-Zélande depuis 44 ans.

TORTUE ALBINOS

▸ Ce bébé albinos de tortue verte – un spécimen rare – nage dans une écloserie de l'île de Kham (Thaïlande), où naissent chaque année 15 000 tortues. Placées sous la protection de la Marine thaïlandaise, elles seront ensuite relâchées en mer.

DÉBANDADE▸ La population des vautours chaugouns, qui se comptaient par dizaines de millions en Asie du Sud, a chuté de 99,9 % ces dix dernières années.

MOUSTACHES MAGIQUES▸ Les loirs grimpent aux arbres grâce à leurs moustaches. Ces petits rongeurs, qui passent l'hiver au sol et l'été dans les arbres, font vibrer leurs moustaches jusqu'à 25 fois par seconde : cela les aide à se frayer un chemin sur les branches en toute sécurité.

TOP NIVEAU▸ Dans le désert de l'Arizona, un chat a squatté plus de trois jours le sommet d'un cactus saguaro de 9 mètres. Après avoir été filmé depuis un hélicoptère par une équipe de télévision, le casse-cou est redescendu tranquillement de son noble perchoir pour reprendre sa virée.

LE MAL DU PAYS▸ Buck, un labrador de 3 ans, a parcouru 800 km pour retourner chez son maître. Comme il n'était plus en mesure de s'occuper de son chien, Mark Wessels, de Myrtle Beach (Caroline du Sud), avait confié Buck à son père, à Winchester (Virginie). Mais le chien ne l'entendait pas de cette oreille : quelques mois plus tard, il s'est pointé chez Mark !

MORSURE DE SERPENT▸ À Shefa'Amr (Israël), un bébé de 13 mois a mâchonné la tête d'un serpent. Six dents ont suffi au petit Imad Aleeyan pour mordre le reptile – non venimeux – de 30 cm.

OUAH-OUAH, LA PERRUQUE !▸ Ruth Regina, des îles de Bay Harbor (Floride), fabrique des perruques sur mesure pour chiens. Elle a eu l'idée de créer son entreprise lorsque sa nièce lui a demandé une perruque pour son basset. Elle vend maintenant des postiches de tous les styles, dont la coiffure de Sarah Palin, d'Elvis ou des Beatles.

DÎNER SECRET▸ On pensait que les pandas étaient végétariens, se nourrissant presque exclusivement de bambou. Mais en décembre 2011, une caméra de la réserve naturelle de Huanglong, dans le Sichuan (Chine), a filmé un panda mangeant une antilope morte. Toutefois, on ne pense pas qu'il l'ait tuée : il a dû tomber par hasard sur son cadavre dans la forêt.

VERS IMMORTELS▸ Les vers plats peuvent se régénérer encore et encore, ce qui les rend potentiellement immortels, sauf maladie ou prédateur. Si un ver plat est sectionné en deux, une queue repousse sur la moitié comprenant la tête, et une tête sur la moitié comprenant la queue. Cela a permis à des chercheurs de l'université anglaise de Nottingham de créer une colonie de 20 000 vers identiques, à partir d'un seul et même spécimen.

HAUT PERCHÉES▸ Les chèvres de Tamri (Maroc) aiment tellement les baies de l'arganier que l'on a vu jusqu'à seize d'entre elles perchées sur les fines branches d'un seul arbre, certaines à 9 mètres du sol. Grâce à leurs sabots fendus, les chèvres conservent l'équilibre en se hissant aux arbres, tandis que la sole (la partie molle sous leur pied) adhère bien à l'écorce.

DOUBLE DOSE

▸ Ce serpent royal à deux têtes du zoo de San Diego (Californie) représente un vrai casse-tête au moment des repas. Le gardien doit mettre un capuchon sur une tête pour nourrir l'autre, afin d'éviter qu'elles ne se blessent en essayant de voler la part de la voisine. L'embryon de ce serpent aurait dû évoluer en jumeaux, mais il s'est mal divisé, formant finalement un seul animal à deux têtes.

AILES DE VERRE

▸ *Greta oto*, un papillon d'Amérique centrale, a les ailes aussi translucides que le verre. Contrairement aux autres papillons, il n'a pas d'écailles colorées entre les nervures de ses ailes. D'où son apparence insolite et son nom en espagnol : *espejitos*, « petits miroirs ». Ces ailes ont beau sembler fragiles, elles sont tout aussi solides que celles des autres papillons. Sans leurs bordures orangées, elles seraient quasiment invisibles !

OURS AFFAMÉS▸ Dans le nord de la Norvège, un ours et trois oursons sont entrés dans une cabane et ont fait une razzia sur la nourriture et les boissons – dont des chamallows, de la pâte à tartiner au chocolat et plus de 100 canettes de bière.

ESTOMAC NOUÉ▸ Certains pythons et boas constrictors en captivité sont touchés par la « maladie des corps d'inclusion ». Cette affection mortelle les amène à tordre leur corps en nœuds inextricables. On pense qu'elle est due à une souche jusque-là inconnue d'arénavirus – un virus qui attaque plutôt les rongeurs.

L'APPEL DU SANG▸ Certains moustiques peuvent parcourir jusqu'à 64 km pour se nourrir de sang. Il suffit de respirer pour les attirer : en expirant, on expulse du dioxyde de carbone et d'autres odeurs que l'air emporte ; les moustiques savent alors qu'un repas les attend dans leur rayon de vol.

FAUSSES PATTES▸ Lemon Pie, un chien de Mexico qui a perdu ses deux pattes avant, a réappris à marcher grâce à des prothèses ultramodernes à près de 4 500 €.

SANS NEZ

Kabang, un berger allemand, a perdu son museau en sauvant deux jeunes filles d'un accident aux Philippines. La fille et la nièce de son maître allaient se faire renverser par un deux-roues quand Kabang, héroïquement, s'est interposé. Mais ce faisant, le chien s'est coincé la tête dans la roue avant: son museau et sa mâchoire supérieure ont été arrachés. Toutefois, une campagne Internet menée par Karen Kenngott, une infirmière de Buffalo (État de New York), a permis de collecter 20000 dollars (environ 14500 euros) pour que Kabang soit emmené aux États-Unis et bénéficie d'une chirurgie réparatrice.

GRANDE LANGUE Découverte pour la première fois en Équateur en 2005, la chauve-souris Anoura fistulata a une langue une fois et demie plus longue que son corps. L'insectivore volant mesure 5 cm de long, et sa langue près de 9 cm. Soit la plus grande langue de tous les mammifères connus, proportionnellement au corps. Lorsqu'elle ne butine pas le nectar des fleurs, la langue de la chauve-souris se rétracte dans sa cage thoracique.

VIEILLE VILLE Le plus vieux cheval et le plus vieux chien au monde résident tous les deux dans la même ville de l'Essex (Angleterre). Shayne, le cheval, a 51 ans et vit dans un refuge depuis 2007. Pip, un croisé terrier-lévrier de 24 ans, habite non loin de là avec sa propriétaire Tiffany Dyer. Il est encore assez en forme pour se produire avec la compagnie de spectacles canins de l'Essex. En âge humain, Pip aurait 170 ans.

INSECTE LUMINEUX Le taupin de Jamaïque, l'insecte le plus brillant au monde, servait jadis à éclairer les huttes des tribus des Caraïbes. Contrairement à d'autres créatures bioluminescentes, différents taupins de Jamaïque peuvent émettre diverses couleurs, allant du vert à l'orange.

FAUX DÉPART Dans une ferme d'élevage du plateau du Golan, au Moyen-Orient, une centaine de crocodiles mâles ont commencé leurs cris nuptiaux prématurément, après avoir confondu les booms supersoniques d'avions de guerre israéliens avec l'appel des mâles rivaux !

VENIN ACIDE▶ Le venin du serpent corail du Texas provoque une douleur intense : les nerfs réagissent comme s'ils étaient attaqués par de l'acide.

ÂNES RASÉS▶ En juin 2012, dans une ferme du Hampshire (Angleterre), des baudets du Poitou se sont fait couper les poils pour la première fois en 17 ans, afin de les aider à supporter la chaleur. En général, on ne toilette pas ces ânes, une espèce rare : on laisse pousser leur long pelage qui s'entremêle en dreadlocks jusqu'au sol.

TAPAGE NOCTURNE▶ Par nuit calme, le rugissement d'un lion peut être entendu à 8 km à la ronde. Mâles et femelles émettent d'abord un gémissement qui progresse par étapes, jusqu'à un puissant rugissement pouvant atteindre 114 décibels : soit plus fort qu'un marteau-piqueur !

T'AS DE BEAUX ŒUFS▶ Les requins baleines naissent dans les œufs les plus gros au monde (30 cm de long), qui restent dans le corps de leur mère jusqu'à leur éclosion.

PLANCTON VOLANT▶ Pour échapper à leurs prédateurs, les copépodes – de minuscules crustacés qui forment le plancton dont se nourrissent les poissons – sautent à la surface de l'océan et volent dans les airs. Ces créatures sont tellement adeptes de ce mode de protection qu'elles passent plus de temps dans l'air que dans l'eau.

CHIEN DÉGUISÉ

▶ Lorsqu'ils ont vu cette étrange créature parcourir les rues, les habitants de Xinxiang (Chine) ont pensé qu'un cochon génétiquement modifié s'était échappé d'un laboratoire médical voisin. En réalité, cet animal est un chien de race très rare. Avec son étrange tête à crinière, son corps sans poils rose et tacheté, il ressemble pourtant bien plus à un cochon !

BOIS INSTANTANÉS▶ L'antilope cervicapre, originaire d'Inde, voit ses bois de 75 cm pousser en seulement 12 semaines. Une telle rapidité de croissance d'une partie du corps constitue un record dans le monde animal.

CACA VIVANT▶ Après avoir été mangés, certains escargots de mer survivent jusqu'à 5 heures dans les intestins des canards, volant même de nombreux kilomètres avant d'être expulsés vivants et intacts avec les excréments des volatiles.

OUAF OUAF FESTIVAL▶ Plus de 300 000 amoureux des chiens participent chaque année au festival de Woofstock, à Toronto. Organisé depuis 2003, l'événement comprend un défilé de mode et un concours canin. Un prix est remis au chien le mieux apprêté. En 2012, la star du festival s'appelait Remy, un yorkshire habillé en *biker* avec blouson de cuir noir, casque et lunettes de soleil. Parmi les gagnants précédents, on a vu un chien habillé en Bob Marley, et un autre vêtu d'un costume inspiré de *Men in Black*.

MINI LÉZARD▶ *Brookesia micra*, un caméléon découvert récemment à Madagascar, mesure tout au plus 2,9 cm. C'est le plus petit caméléon au monde.

TOUR DE PASSE-PASSE▶ *Squaliolus aliae*, un requin pygmée de 22 cm de l'océan Pacifique occidental, a des cellules bioluminescentes sur le ventre. Le poisson sélacien passe ainsi inaperçu aux yeux des prédateurs au-dessus desquels il nage.

LES PROS DE LA GALERIE▶ Le rat-taupe nu ne mesure que quelques centimètres, mais en colonie, à plusieurs dizaines, ils peuvent creuser des galeries souterraines équivalant à la surface de 20 terrains de football.

DUR À AVALER

▶ Ce serpent de 60 cm semble avoir eu les yeux plus gros que le ventre en voulant dévorer un crapaud, la tête la première, dans un jardin du Natal (Afrique du Sud). Pour tenter d'avaler le batracien, le serpent ouvre la bouche à un angle de près de 180 degrés.

PONT DE FOURMIS

Confrontées à un vide de plusieurs fois leur taille entre deux feuilles, ces fourmis tisserandes de Jakarta (Indonésie) ont fait preuve d'une incroyable ingéniosité : certaines d'entre elles se sont accrochées les unes aux autres pour former un pont que le reste de la colonie pouvait ainsi traverser.

SERIAL-CROCOKILLER Dans le nord de l'Australie, un crocodile des mers long de 4,4 mètres a mangé pas moins de 9 chiens dans une frénésie meurtrière. Le croco, qui avait aussi dévoré des wallabies, a fini par être attrapé près du village de Daly River, à 225 km au sud de Darwin.

POSTMATURÉS Un crotale diamantin a donné naissance à 19 petits (10 femelles et 9 mâles)... cinq ans après l'accouplement, alors que la gestation dure en général 6 à 7 mois. Le serpent s'était accouplé dans la nature alors qu'il était sexuellement immature, et avait réussi à stocker le sperme dans son corps durant 5 ans.

LA DERNIÈRE TORTUE Pendant plus de 40 ans, jusqu'à sa mort en 2012, Georges le Solitaire a été la dernière tortue géante de Pinta au monde ! Les chercheurs avaient tenté en vain de lui trouver une partenaire, en proposant plus de 7 000 € à qui découvrirait une femelle de son espèce.

PIÈGE DE RAT Avec l'homme, le rat à crête d'Afrique est le seul mammifère à utiliser du poison qu'il ne produit pas lui-même. Il mâche les racines et l'écorce toxiques d'un arbre, l'acokanthera (un poison mortel utilisé pour enduire les flèches). Puis il étale sa salive venimeuse sur sa fourrure spécialement adaptée pour dissuader les prédateurs.

MORTELLE VENGEANCE Après s'être fait mordre par un cobra alors qu'il travaillait dans une rizière près de Katmandou (Népal), Mohamed Salmo Miya était tellement énervé qu'il a poursuivi l'animal, l'a attrapé et l'a mordu à mort.

RESSUSCITÉ Rhino, un hamster, est revenu d'entre les morts après être sorti de sa tombe située à 60 cm sous terre. Après avoir trouvé l'animal « froid et sans vie » dans sa cage, Dave Eyley, de l'Oxfordshire (Angleterre), l'avait enterré dans son jardin. Mais le lendemain, il a aperçu Rhino en train de trottiner. L'animal avait creusé un tunnel de 5 cm de large pour remonter à la surface.

LA MORSURE DU PANDA GÉANT EST PLUS PUISSANTE QUE CELLE DE SON COUSIN L'OURS POLAIRE, BIEN PLUS GROS.

MÉDUSE ARTIFICIELLE Des biophysiciens de l'université de Harvard ont créé une méduse artificielle en utilisant du silicone et des cellules musculaires cardiaques de rat. Placée dans un champ électrique, la créature se déplace et nage comme une vraie méduse, dont elle a l'aspect. Mais génétiquement, c'est un rat.

L'APPEL DU KOALA Un koala pèse moins de 7 kg mais beugle aussi fort qu'une vache d'une tonne. Si ces marsupiaux peuvent émettre des sons aussi puissants pour attirer des partenaires durant la saison des amours, c'est que, contrairement à d'autres espèces, leur larynx se situe très bas dans la gorge. Comme chez l'homme.

MINI GRENOUILLE Une petite grenouille, *Paedophryne amauensis*, a été découverte en Papouasie-Nouvelle-Guinée. Longue de 7,7 mm à l'âge adulte, elle est si minus qu'elle tient sans problème sur une pièce de 10 centimes.

GROS CHAT Kidnappé dans le jardin d'une maison de Landskron (Autriche), Cupid, un chat de race Maine coon de 13 kg valant 3 200 €, a été rendu deux semaines plus tard à ses propriétaires : les voleurs ne pouvaient satisfaire l'appétit insatiable de l'animal, qui mange plus de trois boîtes de pâtée à chaque repas.

L'UNION FAIT LA FORCE Incapables de se défendre seules, les cigales périodiques sortent de terre par milliers, en même temps, à l'âge adulte : impossible, pour un prédateur, de les tuer toutes.

LONG NERF Les girafes ont un nerf qui descend tout le long de leur cou jusqu'à leur poitrine, puis remonte pour connecter le cerveau au larynx, situé à seulement quelques centimètres de lui !

CHANSONS D'AMOUR Pour donner des idées coquines à leurs flamants du Chili, les équipes du zoo de Drusillas Park, dans le Sussex (Angleterre), leur ont passé des chansons de Barry White, la nuit, dans leur enclos. Résultat : après 3 ans sans naissances, un premier poussin a vu le jour.

TABLEAU D'AILES▸ *Macrocilix maia*, un papillon de nuit malaisien, a les ailes « tatouées » d'une véritable scène qui représente deux mouches s'approchant d'une fiente d'oiseau. Ce papillon émet aussi une odeur infecte. Ainsi trompe-t-il ses prédateurs à la fois par la vue et l'odorat.

LAPIN BERGER▸ Champis, le lapin nain de 5 ans de Nils Erik et Greta Vigren, de Käl (Suède), regroupe le troupeau de moutons de la ferme comme un vrai chien de berger. Il a appris ça tout seul, sans doute en observant les chiens effectuer leur travail.

PUISSANTE MORSURE▸ Des scientifiques de Floride ont découvert une espèce de crocodiles disparue dont la force de la morsure dépassait 10,5 tonnes. Deux fois plus puissant que la morsure d'un tyrannosaure !

LA GRANDE FAMILLE DES VACHES▸ En étudiant l'ADN d'anciens os de vache trouvés sur un site archéologique iranien, des scientifiques ont découvert que toutes les vaches domestiques actuelles du globe (1,3 milliard environ) sont issues d'un seul et même troupeau de 80 vaches qui vivaient voici 10 500 ans.

OISEAU TOUFFU

▸ La perruche sur la gauche semble abasourdie de voir que son petit de 6 mois ressemble à un plumeau. Ce drôle d'oiseau de Zhengzhou (Chine) a de longues plumes ondulées sur tout le corps. C'est sans doute une rare mutation génétique qui a entraîné le développement illimité de ses plumes, lui donnant cette apparence résolument ébouriffée.

ÉLÉPHANT ARTISTE▸ En tenant un pinceau à l'aide de sa trompe, Shanti, un éléphant indien du zoo de Prague, peint des tableaux vendus 1 500 € pièce. Les bénéfices de ses œuvres ont permis d'acheter un nouvel enclos pour Shanti et ses congénères.

CHATTENTIONNÉE▸ Une chatte de Qingdao (Chine) vit dans une cage d'oiseaux avec 5 poussins qu'elle a adoptés. Cette relation insolite a débuté quand son maître, Li Tongfa, a laissé la porte de la cage ouverte : la chatte y est entrée, mais au lieu de manger les oisillons, elle a joué avec eux.

SOLIDAIRES▸ Les éléphants ont des capacités d'empathie, comme les humains, ce qui leur permet de travailler ensemble. Dans la nature, on a vu des éléphants s'arrêter et se rassembler pour porter secours à l'un des leurs, tombé dans un trou.

ANNONCEZ LA COULEUR▸ Le chien de prairie du Colorado, un rongeur américain qui ressemble à un écureuil, peut distinguer les couleurs des vêtements. Selon qu'il voit des habits bleus, jaunes ou verts, il émet différents cris d'alerte.

PORC GRILLÉ▸ Le 5 juillet 2012, 53 cochons ont été électrocutés par un seul éclair dans leur porcherie de Guangming Xinqulou (Chine). La fermière, Mme Chen, les a trouvés étendus sur le dos, immobiles. Seul un cochon a survécu, avec une jambe cassée.

COCHON PENDU▸ En 1386, un cochon accusé d'avoir tué un enfant a comparu devant le tribunal de Falaise, en Normandie. Habillé comme un être humain pour son procès, le cochon a été jugé coupable, mutilé et pendu en place publique.

MOUCHE À BULLES

▸ *Cette incroyable photo d'une mouche verte a été prise de bon matin dans un champ par Martin Amm, de Kronach (Allemagne). Ces étranges bulles sont en fait de la rosée. Martin nous a expliqué qu'il pouvait passer des heures à chercher un insecte à photographier, et que ce genre de plan très serré, qui nécessite un zoom spécial, est plus facile à réaliser par une matinée glaciale : les insectes, figés, ne peuvent pas s'envoler !*

PAS PRESSÉE▸ Il faut 45 ans à la tortue carette pour atteindre la maturité sexuelle et pondre ses œufs. Et pourtant, elle vit rarement au-delà de 50 ans.

ADN COMPLEXE▸ Le génome du dipneuste éthiopien (*Protopterus aethiopicus*) contient 133 milliards de paires de bases azotées, soit 44 fois plus que le génome humain.

PIQUÉ FATAL▸ Le faucon pèlerin peut atteindre plus de 320 km/h en piqué pour projeter de plus petits oiseaux – ses proies – contre le sol, ce qui les assomme et les rend plus faciles à manger.

LA LARVE À L'ŒIL▸ En Suède, une mouche parasite, l'œstre, pond ses œufs dans les narines des élans, où les larves se nourrissent de sang et de mucus. Mais, parfois, elle les dépose par erreur dans un œil humain ! Plusieurs victimes se sont retrouvées avec 30 œufs dans l'œil. Les larves provoquent une sensation de brûlure. Si on ne les enlève pas, elles se fixent à la cornée et à la paupière, où elles peuvent causer de gros dégâts.

PIQUE-PUCE▸ Voici 165 millions d'années, des sortes de puces géantes – 10 fois plus grandes qu'aujourd'hui – représentaient une vraie plaie pour les dinosaures. Quand elles suçaient leur sang, on pense que leurs piqûres étaient aussi douloureuses que celle d'une seringue hypodermique.

COUCOU, ME REVOILÀ !▸ *Dryococelus australis*, un phasme originaire de l'île de Lord Howe, a été redécouvert au XXIe siècle alors qu'on pensait l'espèce disparue depuis 1920. Cet insecte de la taille d'une main se nourrit d'une seule sorte d'arbuste. Il n'en existerait que 30 spécimens, sur un affleurement volcanique dénué de rats, au large de l'Australie.

RAMÈNE TA FRAISE!▸ Max, un rottweiler de 10 ans appartenant à Annette Robertshaw, du Yorkshire (Angleterre), a dû être opéré après avoir avalé une fraise… et la cuillère qui l'accompagnait. L'intervention s'est bien passée, mais Max semble dégoûté à vie des fraises.

UN CLIENT AU POIL▸ Billy, un grizzly de 18 mois pesant 113 kg, est devenu un habitué d'un pub de Vancouver (Canada), où il apprécie le billard. Ensuite, Billy rentre à la maison avec ses propriétaires, le dresseur Mark Dumas et son épouse Dawn, pour regarder la télé ou jouer au ballon avec eux dans la piscine.

CHÈVRE CYCLOPE

▸ Sans blague ! Kyndra Batla, de Garden City (Texas), nous a envoyé cette photo d'un chevreau né le 26 avril 2012, avec un seul œil au milieu du visage.

À VOUS DE JOUER
www.ripleys.com/submit

INSECTES PRÉHISTORIQUES▸ Des scientifiques travaillant dans les Dolomites (Italie) ont découvert une mouche et deux mites parfaitement conservées dans de l'ambre depuis 230 millions d'années. Invisibles à l'œil nu, ils se trouvaient dans des gouttes millimétriques d'ambre. Jusqu'alors, les plus vieux insectes découverts dans ces conditions dataient de 130 millions d'années.

LE DIABLE DES PROFONDEURS▸ On a découvert un ver nématode vivant à 3,5 km de profondeur – un record dans le monde animal. Il a été baptisé *Halicephalobus mephisto*, en référence à Méphistophélès.

REQUINS CANNIBALES▸ Le requin-tapis cordonnier se nourrit de ses congénères. On avait déjà trouvé des restes de requin dans son estomac. Mais en 2012, près de la Grande Barrière de corail, des plongeurs australiens ont observé en direct un requin-tapis cordonnier dévorant un requin-chabot bambou.

IN EXTREMIS▸ Attaqué par un grand requin blanc de 4,6 mètres au large du Cap (Afrique du Sud), Michael Cohen, un expatrié britannique, a été sauvé par un phoque qui a repoussé le requin juste avant une deuxième attaque, sans doute fatale. La jambe droite arrachée, Michael Cohen a perdu plus de 7 litres de sang.

IMITATEURS▸ En Indonésie, des scientifiques ont repéré un poisson qui imite une pieuvre qui imite d'autres poissons ! Le poisson, un opistognathe à rayures jaunes et noires, nage près de la pieuvre jaune et noire en se tortillant comme un de ses tentacules. Il profite de ce camouflage pour chercher de la nourriture ou une nouvelle tanière.

POUSSE ENCORE LE DÉLIRE!!

Télécharge l'appli et utilise ODDSCAN™ pour voir Eli nager avec les requins et les faire tournoyer.

DANSE AVEC LES REQUINS

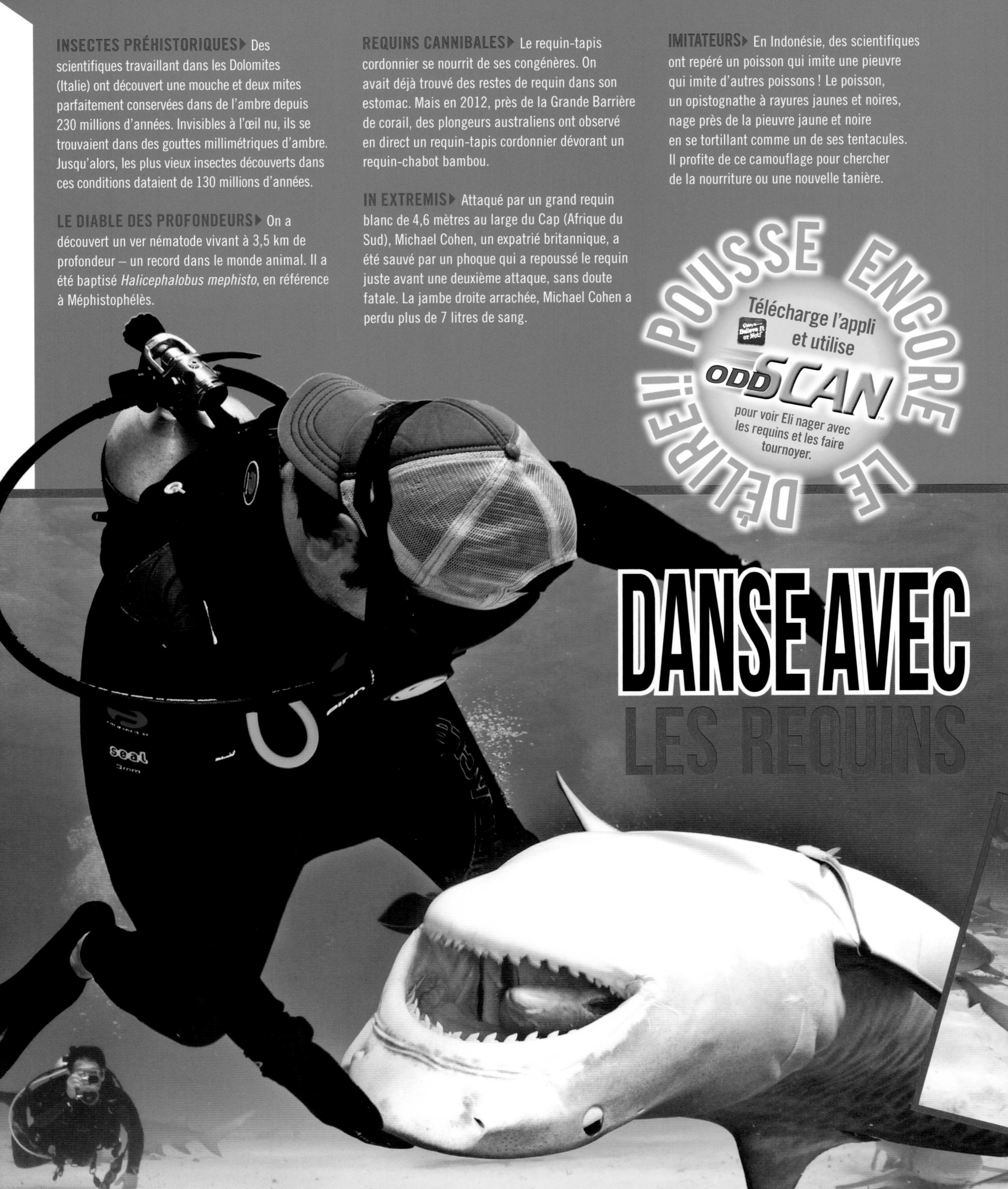

LENTILLES DE CONTACT ▶ Win Thida, une éléphante de 45 ans du zoo Artis, à Amsterdam, s'est blessée à l'œil en se battant avec un autre pachyderme. On a dû la soigner et lui poser une lentille de contact. Mais comme les éléphants ne peuvent pas s'allonger trop longtemps en raison de leur poids, qui gêne leur respiration, Win Thida est restée debout pendant l'opération sous anesthésie. Le vétérinaire a réalisé son intervention perché sur une échelle.

60 YEUX ▶ Près de Cambridge, des scientifiques ont découvert une nouvelle espèce de ver plat qui ne mesure que 12 mm… mais possède 60 yeux !

TIGRE DOMESTIQUE ▶ Michael Jamison et Jackie Smit partagent leur maison de Brakpan (Afrique du Sud) avec 14 chiens et un tigre du Bengale de 172 kg nommé Enzo, qu'ils ont acheté bébé. Au début, il se promenait avec eux dans leur Lamborghini jaune, jusqu'à ce que son régime quotidien de 5 kg de viande le rende trop encombrant !

INTELLIGENCE DÉBORDANTE ▶ De petites araignées mesurant moins de 1 mm de diamètre ont un cerveau si grand par rapport à leur corps (il occupe près de 80 % de leur volume) qu'il déborde dans leurs pattes.

FRINGALE

▶ *Bien qu'elles pèsent jusqu'à 36 tonnes pour 16 mètres de long, les baleines à bosse projettent régulièrement 90 % de leur corps hors de l'eau, avant de se retourner et de retomber sur le dos. Attirée par un banc de sardines, cette baleine affamée a fait surface dans les eaux peu profondes de San Luis Obispo (Californie), au grand étonnement de ces plaisanciers qui ont pu approcher à quelques mètres de la géante de l'océan. Cette photo a été prise par Bill Bouton, qui essayait en vain de photographier des oiseaux quand la chance lui a soudain offert ce cliché qui a été vu par 200 000 personnes en 16 heures sur Flickr.*

▲ *Les photographes sont en place quand les requins-tigres viennent jouer avec Eli.*

▲ *Eli et un requin-tigre : tope là !*

▶ Eli Martinez a appris à des requins-tigres de 5 mètres à tournoyer comme des bébés phoques rien qu'en les chatouillant. Ces animaux mortels arrivent pourtant juste après les grands requins blancs au palmarès des attaques contre les humains ! Eli, originaire d'Alamo (Texas), plonge depuis 10 ans à Tiger Beach (Bahamas). Il a créé un tel lien avec les requins que ceux-ci lui tapent dans la main avec leurs nageoires, et qu'ils font des tours complets autour de son bras. Il reste toutefois très prudent, conscient qu'ils sont « si sauvages qu'on n'est jamais 100 % en sécurité ».

Amis des animaux

CHEVAUX ▶ L'éleveur américain Monty Roberts pense que les chevaux utilisent un langage non verbal, qu'il appelle « equus ». Il l'utilise pour communiquer avec eux par des gestes silencieux.

LIONS ▶ À force de patience, Kevin Richardson, un garde-forestier de Lion Park, près de Johannesburg (Afrique du Sud), a développé une telle relation avec les lions qu'il peut manger, dormir et vivre avec eux.

SERPENTS ▶ Paul Kenyon sait déceler l'état d'esprit des serpents. Il s'en sert pour éloigner les plus venimeux d'entre eux autour de chez lui, en Australie-Occidentale.

ALLIGATORS ▶ Jeanette Rivera, de la Ferme des alligators des Everglades (Floride), s'amuse et se chamaille avec ces animaux qui pèsent 25 kg de plus qu'elle. Pour montrer sa confiance, elle place le menton sur leur museau.

CROISSANCE CONTINUE▸ La baleine boréale peut vivre plus de 200 ans. Comme sa colonne vertébrale ne se soude pas, elle ne cesse jamais de grandir.

SINGES RÉDUITS▸ Les babouins peuvent apprendre des rudiments de lecture. Dans 300 000 tests réalisés par des scientifiques français, 6 babouins ont su faire la différence entre des vrais mots et des faux. La star du groupe, Dan (4 ans), a obtenu 80 % de bonnes réponses et appris à reconnaître 308 mots de 4 lettres.

FORTICHE▸ Les pinces du crabe royal de Floride peuvent exercer une force de 1 336 kg/cm², soit bien plus qu'une presse de casse automobile.

CHACUN SON TRUC▸ Pour séduire les femelles, les capucins mâles font pipi sur leurs mains puis en frottent leur fourrure, comme un humain se parfumerait le corps. Quand une femelle capucin est en chaleur, l'odeur d'urine lui indique que le mâle est sexuellement mature et disponible.

REPOUSSE-ÉLÉPHANT▸ Des fermiers de Tanzanie ont trouvé un nouveau moyen d'éloigner les éléphants de leurs terres : ils badigeonnent les clôtures d'un mélange de piment rouge et d'huile de moteur. L'odeur agressive du piment les fait éternuer, tandis que l'huile assure l'adhérence du mélange sur les clôtures, même en cas de forte pluie.

DOUBLE FACE

▸ Vénus, une chatte chimère de Caroline du Nord, est devenue une star sur Facebook grâce à son visage parfaitement divisé en deux moitiés : son pelage est mi-noir, mi-calico, et en plus, elle a les yeux vairons (un bleu et un vert).

SUPER VACHE▸ Au cours de ses 15 années d'existence, Smurf, une vache Holstein d'Embrun (Canada), a produit plus de 216 000 litres de lait, soit 3 fois plus qu'une vache laitière moyenne. Cela représente plus d'un million de verres de lait.

STYLÉS▸ Les chimpanzés se transmettent de génération en génération une poignée de main secrète, dont le style diffère selon les communautés. En Zambie, des chercheurs ont découvert que certains d'entre eux préfèrent se serrer la main, tandis que d'autres s'agrippent le poignet.

OURS EN VILLE▸ En décembre 2011, un ours brun s'est offert une balade au centre-ville de Vancouver (Canada) en voyageant dans un camion-poubelle. L'ours cherchait de la nourriture dans une benne lorsque le contenu de celle-ci – y compris l'animal – a été déversé dans le camion.

UN CHIEN AU TOP▸ Quand Richard Haughton va réparer les toits de chaume des cottages du Norfolk (Angleterre), son chien Axel l'accompagne. Richard embarque son croisé labrador, terre-neuve et rottweiler sur ses épaules. Ils montent et redescendent tous les deux par une échelle.

NID D'ABEILLES▸ Tommy Hill, de Brighton (Tennessee), a découvert que 25 000 abeilles s'étaient installées dans le moteur de sa voiture en une nuit. Il a essayé de les disperser en roulant à 100 km/h sur l'autoroute, mais aucune abeille n'a quitté le nid ! Finalement, il a réussi à les attirer avec un pot de miel.

FAUT PAS SE GÊNER▸ Non seulement le piquebœuf à bec rouge se nourrit sur le dos des grands mammifères d'Afrique en picorant leurs parasites, mais il déguste aussi leurs larmes, leur salive, leur morve, leur sang et leur cérumen !

CHAT OBÈSE▸ C'est sans doute le plus gros chat au monde : Sponge Bob pesait 15 kg (comme un enfant de 4 ans) quand il a été admis au refuge pour animaux de Manhattan, à New York.

CHAT VOLANT▸ Un chat nommé Sugar a chuté de 19 étages d'un immeuble de Boston (Massachusetts)... sans la moindre égratignure.

PRIS AU PIÈGE▸ Tombé dans les égouts de Santiago (Chili), un taureau est resté coincé deux jours dans une digue de drainage avant d'être secouru.

DIALECTE LOCAL▸ Comme la plupart de leurs vocalises sont acquises, et non innées, les perroquets développent souvent des dialectes régionaux : leurs chants varient selon les oiseaux auprès desquels ils grandissent.

PYTHON SQUATTEUR

▸ Un python de 5 mètres s'est glissé sous le capot du véhicule de Marlene Swart et Leon Swanepoel durant leurs vacances en Afrique du Sud, dans le parc national Kruger. Le reptile refusant de s'en aller, ils ont dû gagner en voiture le poste de surveillance le plus proche, où le squatteur a fini par se faire déloger.

ÉQUILIBRISTE▸ À Chongqing (Chine), un malamute d'Alaska a appris à marcher sur une corde raide. Il peut parcourir 10 mètres en une minute sur deux câbles parallèles. Wang Xianting et ses collègues entraînent ainsi leurs chiens à accéder à des zones difficiles pour aider les pompiers lors de catastrophes.

ÂNES BRILLANTS▸ Au Botswana, 500 ânes ont été marqués à l'oreille par des étiquettes phosphorescentes, dans le but de limiter le nombre d'accidents nocturnes sur les routes de campagne. Ils appartiennent à des hommes pauvres qui les laissent errer la nuit à la recherche de nourriture. Dans le nord du Botswana, les ânes sont impliqués dans 10 % des accidents de la route.

PYTHON GÉANT▸ Dans les Everglades (Floride), en 2012, on a capturé un python birman femelle de 5,3 mètres de long pour 75 kg, et portant 87 œufs !

CHIEN HÉROÏQUE▸ Yogi, un golden retriever, a remporté un prix d'héroïsme pour avoir secouru son maître. Quand Paul Horton, d'Austin (Texas), a perdu connaissance après une chute de vélo, Yogi a couru chercher de l'aide. À force d'aboyer devant la maison de leurs voisins, ceux-ci ont fini par suivre Yogi qui les a conduits jusqu'à Paul. Digne de Lassie !

ÇA MANQUE DE PIQUANT !

▸ Betty souffre d'une mystérieuse maladie de peau qui la prive d'épines. Abandonnée par sa mère, la petite hérissonne a été recueillie dans un centre de soins pour animaux du Norfolk (Angleterre). Elle ne doit pas s'exposer au soleil, à cause de sa peau très sèche et sensible. La pauvre Betty ayant peur des autres hérissons, elle ne trouvera peut-être jamais de partenaire.

FAMILLE NOMBREUSE▸ Jocko, un taureau français, est mort à 27 ans, en mars 2012, après avoir eu 400 000 filles au cours de sa vie ! En donnant 1,7 million de doses de semence, Jocko a contribué à sauvegarder la race Prim'Holstein. Rien qu'en France, ses filles sont présentes dans plus de 23 000 fermes.

CHAT DE BANLIEUE▸ Graeme, le chat de Nicole Weinrich, de Melbourne (Australie), accompagne tous les matins sa maîtresse à la gare quand elle part travailler… et retourne l'y attendre en fin de journée. De temps à autre, il monte même dans le train avant de descendre deux ou trois stations plus loin.

ÉLÉPHANT MUSICIEN▸ Shanthi, une éléphante d'Asie du Smithsonian National Zoo de Washington, âgée de 36 ans, s'est mise à l'harmonica. Elle joue avec sa trompe, l'instrument étant attaché sur un côté de son enclos.

ATTAQUE DE RAIE▸ Jenny Hausch faisait du bateau au large d'Islamorada (Floride) lorsqu'une raie aigle de 136 kg a surgi de l'eau, la scotchant sur le pont !

PAS DE BOL !

La photographe Marina Scarr a capturé cette image d'une malheureuse orphie sautant pile poil dans la gueule d'un alligator affamé de la rivière Myakka, en Floride. Comme le niveau de l'eau était bas et qu'il y avait au moins 70 autres alligators dans les parages, le poisson n'avait pas beaucoup de chances de s'en sortir...

CHUTE DE REQUIN Un requin-léopard long de 60 cm est tombé du ciel près du 12e trou du golf de San Juan Hills, en Californie. Vu ses blessures en forme de trou, un oiseau avait dû le capturer dans l'océan, à 8 km de là. Les responsables du club se sont dépêchés de le remettre à l'eau.

ÉLÉPHANT PARLANT Koshik, un éléphant d'Asie de 22 ans qui vit au zoo d'Everland, en Corée du Sud, imite le langage des hommes. Il peut dire 5 mots en coréen : bonjour, non, assis, allongé et bien. Koshik met le bout de sa trompe dans sa bouche pour transformer son grognement naturel en un simulacre convaincant de voix humaine.

CORPS À CORPS Steve Gustafson, un grand-père de 66 ans de Lake County (Floride), s'est battu contre un alligator pour sauver Bounce, son westie. Voyant le reptile retourner à l'eau avec son petit chien dans la gueule, l'homme lui a plongé sur le dos et a entamé une lutte sous l'eau jusqu'à libérer Bounce. L'alligator a essayé de lui mordre la main, mais Gustafson lui a attrapé les mâchoires pour lui fermer le clapet. L'animal s'en est allé et a été tué quelques jours plus tard par un trappeur. Gustafson l'a acheté et l'a fait empailler, en souvenir de cet incroyable combat.

MALIN ! À Vienne, un cacatoès domestique nommé Figaro a appris à se servir de son bec pour réaliser des outils lui permettant d'attraper de la nourriture hors de portée. Il sait couper des brindilles à la bonne longueur pour saisir des graines à l'extérieur de sa cage. À l'état sauvage, les cacatoès sauvages ne fabriquent pas d'outils. Selon les scientifiques, Figaro est le premier de son espèce à le faire.

UN ORNITHORYNQUE PEUT STOCKER 600 VERS DE TERRE EN RÉSERVE DANS SES JOUES.

INFATIGABLE DAUPHIN Les dauphins peuvent rester éveillés plus de 15 jours en ne dormant que d'une moitié de cerveau à la fois. Comme ça, ils peuvent venir régulièrement respirer à la surface et gardent un œil sur leurs prédateurs.

CHAT RASSURE À Southampton (Angleterre), un grand entrepôt de jouets a embauché une chatte comme agent de sécurité pour surveiller ses stocks de Noël. Millie, une chatte bengale, a obtenu le poste grâce à ses excellentes aptitudes à l'escalade et à un ronronnement très sonore. Son salaire ? Des croquettes et du poisson.

SOUK EN SOUTE Les bagagistes de l'aéroport de Melbourne ont eu un choc quand, déchargeant un avion, ils ont vu un crocodile courir dans la soute ! Le reptile avait réussi à s'échapper de sa cage pendant le vol depuis Brisbane.

MORSURE MORTELLE Une seule morsure du taïpan du désert, un serpent d'Australie, contient suffisamment de venin pour tuer 100 hommes en 45 min. Mais comme il croise rarement la route des humains, il n'en a pas tué beaucoup.

PAGAILLES D'IVROGNES 50 éléphants ivres ont mis à sac le village de Dumurkota, en Inde, après avoir sifflé 18 tonneaux de mahua, un alcool fort local. Le troupeau a démoli des dizaines de maisons, saccagé un magasin et ruiné les récoltes en cherchant du rab d'eau-de-vie.

DENTS NEUVES Les dents du crocodile marin d'Australie tombent et repoussent sans cesse. C'est ainsi qu'il peut avoir 3 000 dents au cours de sa vie !

GRANDE PERCHE Les gardiens du zoo de Linyi (Chine) ont appris à une girafe à esquiver les obstacles, afin de passer sous plus de 20 ponts, pylônes électriques et panneaux d'autoroute lors de son transfert dans sa nouvelle demeure. Ils ont passé des mois à entraîner Mengmeng, 15 ans, à baisser la tête face à un obstacle, mais il a fallu 7 heures pour la transporter sur quelques kilomètres.

TOUJOURS PLUS DÉLIRANT !!

Télécharge l'appli et utilise ODDSCAN™ pour découvrir une vidéo de Porter au volant...

IL CONDUIT TOUT SEUL

▶ En Nouvelle-Zélande, un chien a appris à conduire. Après avoir passé une vitesse, la patte avant gauche sur le volant et la droite sur l'accélérateur (modifié pour être accessible), Porter a conduit une Mini Cooper sur un circuit d'Auckland. Son instructeur, Mark Vette, a travaillé avec lui chaque jour pendant 2 mois, d'abord sur un faux poste de commande, puis à ses côtés dans une vraie voiture, jusqu'à ce que Porter puisse se lancer en solo. Cette initiative de la SPA locale visait à mettre à l'honneur l'intelligence des chiens.

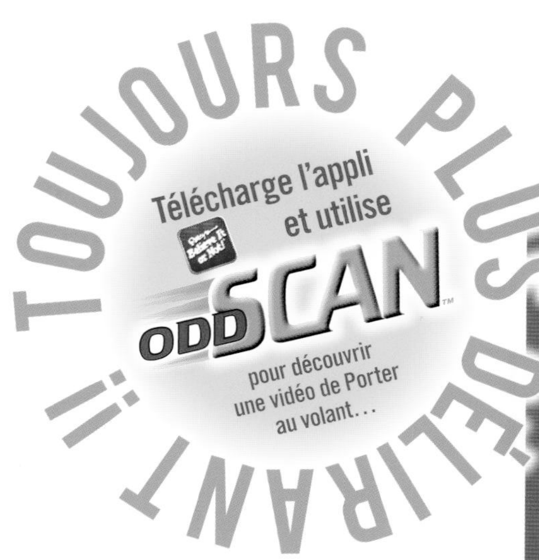

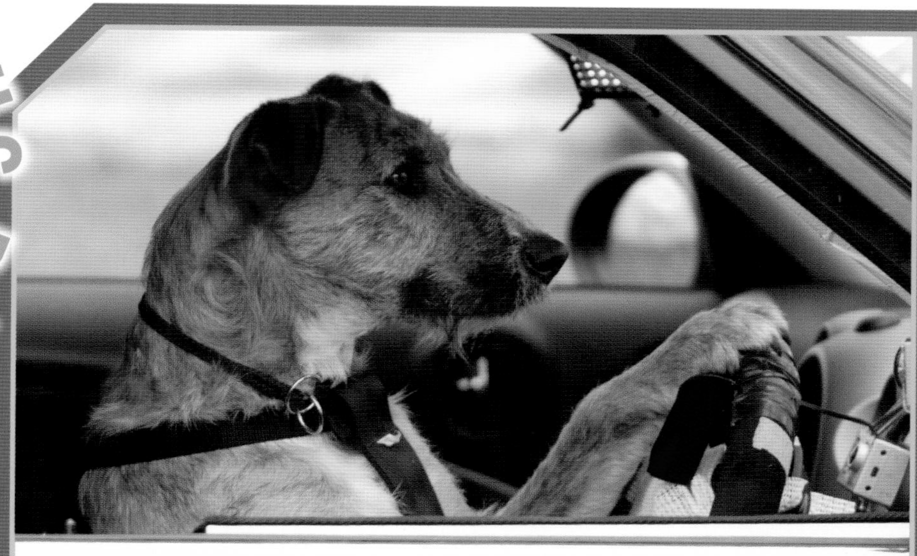

REMÈDE MIRACLE▶ Paralysé après un accident, Jasper, un teckel, avait perdu l'usage de ses pattes arrière. Mais depuis que des scientifiques de Cambridge ont injecté des cellules de sa truffe dans sa colonne vertébrale, Jasper trotte à nouveau.

UNE VIE SAUVÉE▶ Aysha Perry, du Nottinghamshire (Angleterre), a avalé de travers et failli s'étouffer. Mais Sheba, sa chienne, a bondi dans la pièce et lui a tapé dans le dos avec l'une de ses grosses pattes. Sheba lui a ensuite léché le visage pour s'assurer que tout allait bien.

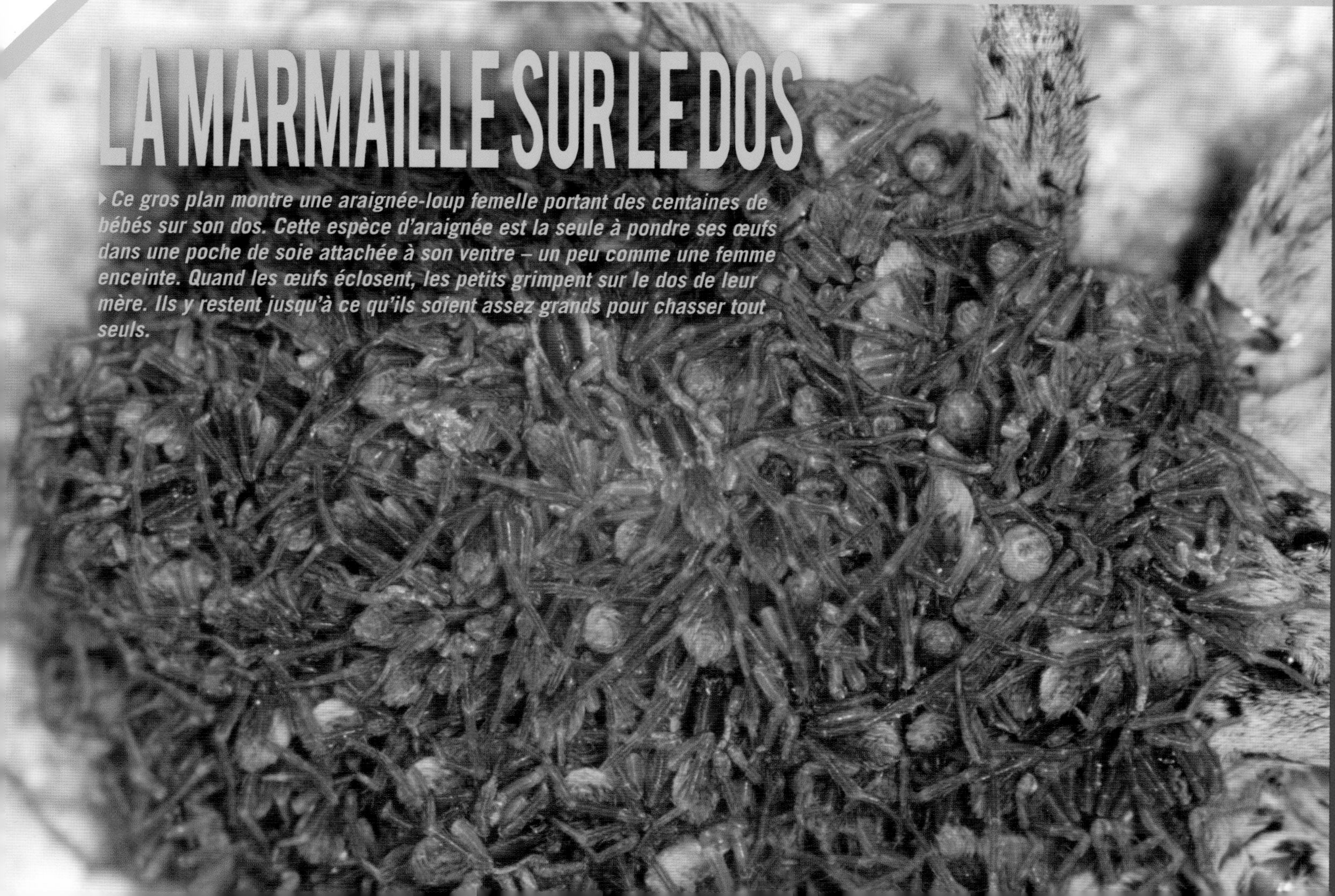

LA MARMAILLE SUR LE DOS

▶ Ce gros plan montre une araignée-loup femelle portant des centaines de bébés sur son dos. Cette espèce d'araignée est la seule à pondre ses œufs dans une poche de soie attachée à son ventre – un peu comme une femme enceinte. Quand les œufs éclosent, les petits grimpent sur le dos de leur mère. Ils y restent jusqu'à ce qu'ils soient assez grands pour chasser tout seuls.

TROP GROS▶ Roly Poly, un hérisson d'un refuge pour animaux du Somerset (Angleterre), était si gros qu'il ne pouvait pas se rouler en boule. Il pesait 2 kg, soit plus de 3 fois le poids moyen de ses congénères.

COURSE FOLLE▶ Une chienne errante a suivi une course cycliste sur 1 830 km à travers la Chine, pendant 24 jours. L'incroyable voyage de Xiao Sa a commencé quand un des coureurs lui a donné à manger : elle s'est alors jointe au peloton de Wuhan à Lhassa, gravissant des cols de plus de 4 000 mètres.

MÈRE ADOPTIVE▶ Après avoir été rejeté par sa mère, un bébé chimpanzé d'un zoo russe a été adopté par le chien du gardien, un mastiff de 45 kg. En quelques heures, le petit singe s'est intégré, mangeant et dormant avec les chiens de la maisonnée.

FRISBEE CANON▶ 60 chiens de 6 pays ont rivalisé d'habileté lors de l'édition 2012 du championnat européen Extreme Distance Frisbee de Budapest. Parmi les disciplines : lancer, récupération et une épreuve *freestyle*, où les chiens font une prestation en musique.

SURF EN SABOTS▶ La chèvre Goatee constitue régulièrement l'attraction sur la plage de Pismo Beach (Californie) : vêtue de son gilet de sauvetage jaune, elle taquine la vague sur la planche de surf de sa maîtresse, Dana McGregor.

APPEL D'URGENCE▶ George, un basset de 2 ans, a échappé à la mort en mars 2012, appelant lui-même les secours sur un vieux téléphone dont le cordon l'étranglait. George avait fait tomber le téléphone de son maître, Steve Brown, du West Yorkshire (Angleterre). Le cordon enroulé autour du cou, il a quand même réussi à composer le 999 d'un coup de patte. À l'autre bout du fil, l'opérateur, entendant une respiration rauque et des suffocations, a alerté les urgentistes et un voisin.

SUR DES ROULETTES▶ 18 mois après un accident qui lui a paralysé les pattes arrière, Carnage, une chienne croisée shih tzu et bichon maltais, gambade à nouveau : sa maîtresse, Jude McMinn, du Queensland (Australie), lui a fait fabriquer un chariot à deux roues à 220 €. Elle ne voulait pas que sa chienne soit euthanasiée.

CHAT EN PÉRIL▶ À La Nouvelle-Orléans, un centre de recherches sur les espèces en danger a eu recours à une chatte domestique comme mère porteuse de chatons d'une espèce africaine menacée, le chat à pieds noirs. Il en reste moins de 10 000 spécimens dans la nature. Les scientifiques ont utilisé du sperme congelé depuis 2 ans pour fabriquer des embryons, à leur tour congelés pendant 6 ans, puis implantés dans l'utérus de la chatte. Une première mondiale !

ENCORE PLUS DÉLIRANT !!
Télécharge l'appli et utilise ODD SCAN™ pour voir une vidéo des chiens occupés à surfer !

C'EST FOU !

▶ Un record mondial : pas moins de 17 toutous se sont serrés sur une planche lors de l'édition 2012 du concours de surf pour chiens organisé par l'hôtel Loews de Coronado Bay (Californie). Au début, ils étaient 20, mais 3 ont sauté à l'eau dès que la planche s'est mise à tanguer.

EN AVANT !

Ce fermier bloque le trafic pour guider ses 5000 canards jusqu'à un étang de Taizhou, en Chine. M. Hong, qui mène ses troupes à travers la ville depuis plusieurs mois, assure n'avoir jamais perdu un seul volatile !

L'AMI DES STARS Au cours de sa vie, Lucky, un petit chien, a été pris en photo avec plus de 300 célébrités, dont Bill Clinton, Kim Kardashian, Kristen Stewart et Kanye West. Lucky était le bichon maltais de Wendy Diamond, une personnalité de la télé américaine et militante de la cause animale. Mais le pauvre est mort en juin 2012, à l'âge de 15 ans, d'un cancer de la rate.

CHATON À VIE Lil Bub, une chatte naine de Bloomington (Indiana), gardera toute sa vie l'apparence d'un chaton. Née avec plusieurs mutations génétiques, elle a des jambes très petites par rapport au reste de son corps. Elle n'a pas de dents, mais un orteil de trop sur chaque patte, ce qui lui fait 22 griffes (4 de plus qu'un chat normal).

ART PRIMATE Un capucin moine s'est taillé une telle réputation d'artiste que 40 de ses toiles ont été exposées à Toronto (Canada) en 2011. Ce petit singe nommé Pockets Warhol vit dans un refuge pour primates de l'Ontario, la Story Book Farm. Il peint avec la queue, les mains et les pieds, et parfois même un pinceau. Ses œuvres colorées, qui atteignent 300 €, se vendent jusqu'en Europe ou en Israël.

CHIEN RENIFLEUR Tucker, un croisé labrador noir, est capable de repérer des orques dans l'océan à plus d'un kilomètre… grâce à l'odeur de leurs crottes. Cet ancien chien errant de Seattle a été dressé à cet effet par des biologistes marins. Il les aide ainsi à surveiller l'état de santé des orques autour des îles San Juan, au nord-ouest des États-Unis.

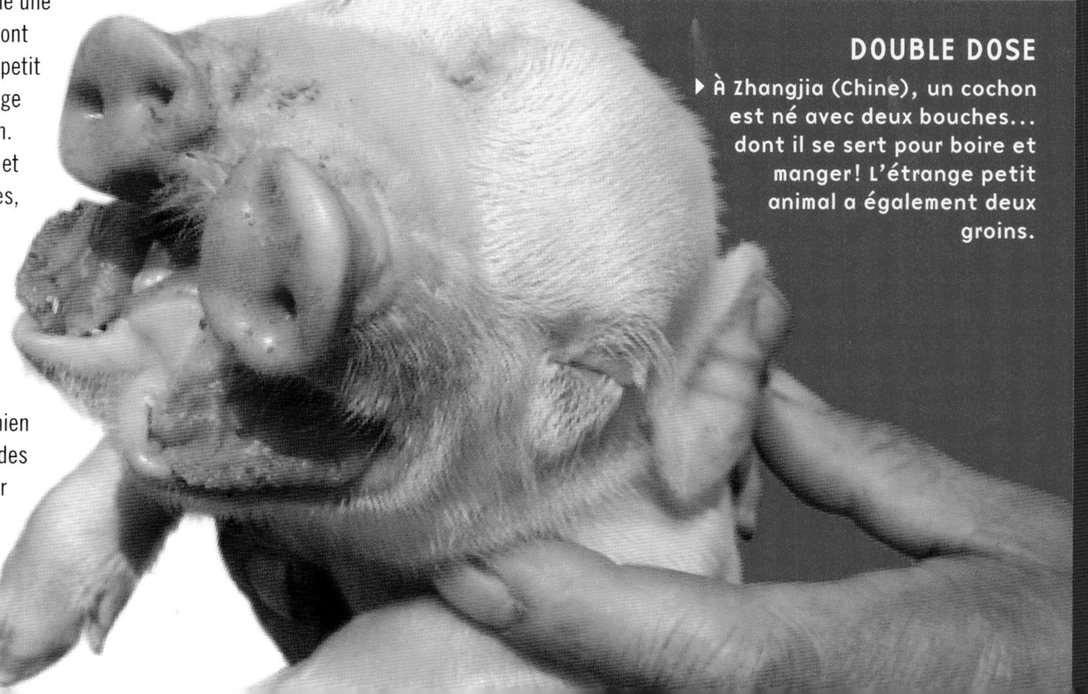

DOUBLE DOSE

À Zhangjia (Chine), un cochon est né avec deux bouches… dont il se sert pour boire et manger ! L'étrange petit animal a également deux groins.

LUMINEUSES CRÉATURES

Un ver luisant femelle

- Le bas-ventre des **vers luisants femelles** émet une étrange lueur verte qui attire les mâles. Après l'accouplement, la femelle éteint la lumière, pond ses œufs et meurt.

- Le **poisson-pêcheur** vit dans les profondeurs obscures de l'Atlantique. Pour attirer des proies, la femelle projette une sorte de canne à pêche de sa bouche, dont l'extrémité est illuminée par des bactéries.

- Une lueur verdâtre constitue la tenue de camouflage du **poisson-hachette**. Quand le soleil brille et que l'ombre du poisson risque de le trahir, il émet cette lumière pour se cacher de ses prédateurs situés en dessous de lui.

- La luminescence verte du **squalelet féroce**, un petit requin, lui permet de se camoufler. Mais une petite partie de son ventre reste sombre : ainsi, il attaque facilement les thons et les maquereaux, qui le prennent pour un poisson plus petit qu'eux.

- Une **blatte géante d'Amérique du Sud** possède trois points lumineux sur le dos, pour imiter l'apparence d'un scarabée toxique et repousser ses prédateurs.

- Les **taupins phosphorescents** des Antilles émettent tellement de lumière que, jadis, les habitants de ces îles en accrochaient à leurs orteils, la nuit, pour voir leur chemin.

ANIMAUX CANNIBALES

- En Australie, l'**araignée à dos rouge** femelle dévore souvent son partenaire, plus petit qu'elle, durant l'accouplement.
- Les dents des **requins-taureaux** poussent quand ils sont encore dans le ventre de leur mère, qui a deux utérus : seul un bébé survit dans chacun, après avoir mangé tous les autres !
- On a retrouvé un python-tapis dans le ventre d'un **python de Papouasie**.
- Pour trouver de la nourriture, les **sauterelles mormones** parcourent jusqu'à 80 km pendant la saison des migrations. Et si l'une d'elles s'arrête, les autres la mangent.
- Moins de 1 % des œufs de **crocodile de Johnston** deviennent des adultes. Le cannibalisme est l'une des principales causes de mortalité chez ces bébés crocodiles.
- Les petites **hyènes tachetées** s'entraînent à chasser en attaquant leurs frères et sœurs, qu'elles mettent en pièces même si les adultes tentent de les séparer.
- Chez les **anacondas verts**, la femelle, qui peut mesurer 5 mètres et peser 97,5 kg, mange parfois son partenaire mâle pour survivre à ses 7 mois de grossesse.
- Les **mantes religieuses** dévorent souvent leur partenaire pendant l'accouplement. Mais les pulsions sexuelles du mâle sont si fortes qu'il peut continuer l'acte tout en étant lentement englouti.

Des singes tamarins

- La femelle **tamarin** est le plus souvent une bonne mère. Mais on en a vu croquer le crâne de leur bébé pour leur manger le cerveau !

DES CÉLÉBRITÉS & DES BÊTES

- Au XIXe siècle, alors qu'elle visitait Athènes, l'infirmière britannique **Florence Nightingale** a sauvé un **bébé hibou**. Elle l'a rapporté discrètement en Angleterre, où elle le gardait souvent dans sa poche.
- Quand il était petit, **Steven Tyler**, le leader d'Aerosmith, avait un **raton laveur** qu'il emmenait souvent pêcher avec lui.
- Au XIXe siècle, dans les jardins parisiens, le poète **Gérard de Nerval** promenait un **homard** attaché au bout d'un ruban.
- Le peintre espagnol **Salvador Dalí** possédait un **ocelot**, Babou, qu'il emmenait partout, même sur de luxueux bateaux de croisière.
- L'astronome danois **Tycho Brahe** (XVIe siècle) possédait un élan. Pendant les fêtes, l'animal déambulait librement et buvait force alcool.
- Le poète anglais **Lord Byron** emmenait son **ours** à l'université de Cambridge – les chiens n'y étant pas admis.
- Bubbles, le **chimpanzé** de **Michael Jackson**, dormait dans un berceau, dans la chambre même du chanteur. Il utilisait même ses toilettes.
- Le président américain **John Quincy Adams** avait un **alligator** – cadeau du marquis de La Fayette – qu'il gardait dans une salle de bains de la Maison Blanche.
- L'**orang-outang** de **Joséphine de Beauharnais**, l'épouse de Napoléon Bonaparte, avait le droit de déjeuner à sa table.

ILS ONT SAUVÉ DES HUMAINS

- Quand Sean Callahan, 11 ans, a été attaqué par un serpent à sonnette au Texas, Leo, un caniche, s'est interposé. Malgré six morsures potentiellement mortelles à la tête, Leo a survécu et a sauvé Sean.
- En voyant le surfeur Adam Maguire attaqué par un requin à Sydney (Australie), un groupe de dauphins s'est précipité pour encercler l'animal et l'a mis en fuite.
- Schnautzie, le chaton de Trudy Guy, a attiré son attention sur une fuite de gaz qui aurait pu être fatale, dans sa maison du Montana. Il n'arrêtait pas de lui tapoter le nez et de renifler.
- Sans l'intervention de Priscilla, la truie de Victoria Herberta, de Houston (Texas), Anthony Melton, 11 ans, se serait noyé dans le lac Somerville. Elle a nagé vers lui et lui a maintenu la tête hors de l'eau grâce à son groin, jusqu'à ce qu'il puisse s'accrocher à elle. Elle l'a ensuite traîné jusqu'à la rive.
- Noel Osborne s'est cassé la hanche en tombant dans sa ferme de Benalla, en Australie. Sa chèvre Mandy est restée à ses côtés pendant 5 jours et 5 nuits froides. Elle lui a tenu chaud et lui a permis de survivre en buvant son lait.
- Alors qu'un cougar s'apprêtait à bondir sur Austin Forman, 11 ans, au Canada, le golden retriever du petit garçon, Angel, a coupé la trajectoire du félin, détournant ainsi l'attaque contre lui.
- Quand un garçon de 3 ans est tombé dans l'enclos des gorilles du zoo de Brookfield (Illinois), Binti Jua, une femelle, a protégé l'enfant de ses congénères puis l'a bercé dans ses bras, son propre bébé sur le dos, avant de se diriger vers la porte, où les gardiens ont pu le récupérer.

Un poisson-ogre

DRÔLES DE POISSONS

- Le **poisson-globe** peut atteindre jusqu'à trois fois son volume normal en **gonflant** une poche d'air située dans son corps.
- La **perche grimpeuse** utilise ses branchies épineuses et ses nageoires pour **grimper aux arbres**.
- Certaines espèces de **requins ne s'arrêtent jamais de nager**, même en dormant – sinon, ils couleraient.
- Grâce au tube qu'il a entre la langue et le palais, le **poisson-archer** peut propulser de l'eau sur des insectes jusqu'à 1 mètre au-dessus de la surface. Le jet **assomme l'insecte** qui tombe à l'eau, où le poisson l'attend pour le manger.
- Le **chelmon à bec médiocre a un faux œil** près de la queue pour tromper ses ennemis, qui croient que c'est sa tête : comme ça, ils l'attaquent du mauvais côté.
- L'**espadon** a un organe spécial qui lui **réchauffe le cerveau et les muscles des yeux**, ce qui lui permet d'y voir assez clair pour chasser dans l'obscurité des eaux profondes, à 600 mètres.
- Par rapport à sa taille, le **poisson-ogre** a **les plus grandes dents de l'océan** : elles font un dixième de la longueur de son corps. C'est comme si nous avions des dents de 25 cm !

NOIR ET BLANC▶ Dans une ferme de la Barossa Valley (Australie), Zoe, une dalmatienne, s'est prise d'affection pour un agneau au pelage parsemé de taches noires, comme le sien. Désorienté par leur ressemblance, l'agneau a même essayé de téter la chienne, qui l'a recueilli dans sa niche.

DR PENNY▶ Grâce à son chien, Sharon Rawlinson, du Nottinghamshire (Angleterre), a découvert qu'elle avait un cancer du sein. Penny, un Cavalier King Charles Spaniel, n'arrêtait pas de renifler et de donner des petits coups de patte à cet endroit. Cela a duré plusieurs mois, jusqu'au jour où Penny a marché sur la poitrine de sa maîtresse : Sharon a eu tellement mal qu'elle a décidé de consulter un médecin. Les examens ont révélé une tumeur.

TOUR DU MONDE▶ Le traquet motteux, un petit passereau migrateur de 28 grammes, parcourt des dizaines de milliers de kilomètres chaque année, lorsqu'il voyage entre son Arctique natal et l'Afrique sub-saharienne.

UN CHAT EN OR▶ En 2011, Tommaso, un chat noir très chanceux qui avait été recueilli par une riche veuve alors qu'il errait dans les rues de Rome, a hérité de 11,7 millions d'euros. Sa fortune se compose d'argent, d'actions et d'un empire immobilier incluant des maisons à Rome et à Milan, ainsi que des terrains en Calabre. Maria Assunta aimait tellement son chat que, deux ans avant sa mort, elle a décidé de lui léguer tous ses biens.

ATTAQUE DE PORC-ÉPIC

▶ Bella Mae, un bouledogue, n'aurait pas dû se battre avec un porc-épic, près de sa maison de Norman (Oklahoma) : elle s'est retrouvée avec 500 épines plantées un peu partout... sauf dans les yeux, par miracle ! Pour se défendre, les porcs-épics donnent des coups de queue qui criblent leurs victimes de quelques-uns de leurs 30 000 piquants acérés. Heureusement pour Bella Mae, les vétérinaires ont pu la débarrasser de tous les aiguillons, et elle s'en est remise.

POISSON AVEUGLE▶ Peu après la naissance, une peau recouvre les yeux du tétra aveugle, un poisson d'Amérique centrale. Comment trouve-t-il son chemin ? En émettant des ondes sonores, que renvoient les objets environnants.

LONG VOYAGE▶ Willow, le chat calico de la famille Squires, de Boulder (Colorado), a disparu en 2006. On l'a retrouvé cinq ans plus tard dans les rues de New York, à 2 900 km de là !

ANGE GARDIEN▶ Une nuit, Patricia Peter, de Camrose (Canada), a été réveillée par son chat Monty qui n'arrêtait pas de lui mordiller la main gauche – celle qui lui servait à surveiller sa glycémie depuis qu'elle se savait diabétique. En se réveillant, Patricia s'est sentie mal et son chat a couru s'asseoir près de son kit d'autotest. Prenant exemple sur Monty, Patricia s'est rendu compte que son taux de sucre dans le sang était dangereusement bas. Monty a tout fait pour maintenir Patricia éveillée jusqu'à ce qu'elle aille mieux.

CINQ PATTES▶ Le chien de Leah Garcia, du Texas, a cinq pattes : le membre supplémentaire de Benny, 5 ans, est situé sous sa patte avant droite. Mais il ne marche que sur trois d'entre elles, car sa double patte avant droite n'est pas fonctionnelle. Leah a recueilli Benny bébé, alors qu'on l'avait abandonné sur son lieu de travail.

LE JOUR DE LA MARMOTTE▸ Autour du 4 juillet 2012, jour de la fête nationale américaine, des marmottes ont décroché plus de 75 drapeaux ornant les tombes des soldats de la guerre de Sécession, dans le cimetière Cedar Park de Hudson (État de New York). La police a identifié les coupables grâce à des caméras qui ont révélé la présence de drapeaux dans les terriers des mammifères.

PONEY ALLERGIQUE▸ Crunchie, un poney Welsh aubère doit dormir sur une litière de vieux papiers chiffonnés, dans son étable du Cheshire (Angleterre), pour éviter le rhume des foins ! On lui a diagnostiqué une allergie à la poussière des litières de paille, après une crise d'asthme qui a failli le tuer en 2009.

PASSAGER CLANDESTIN▸ Un chat a parcouru 230 km sous le capot d'une voiture, entre Xenia et Cleveland, dans l'Ohio. Il s'en est sorti avec seulement quelques brûlures mineures.

DEUX TÊTES▸ Un serpent royal de Californie à deux têtes est né dans un zoo de Yalta (Ukraine). Il faut nourrir chacune des têtes, mais comme elles ont des réactions différentes, l'une doit être isolée grâce à une spatule spéciale pour laisser à l'autre le temps de déglutir.

CHIEN PLANEUR

▸Le chien Oscar a visité plus de 30 pays en trois ans et effectué deux fois le tour la Terre, pour voir des monuments tels que la Grande Muraille de Chine, la tour Eiffel ou le pont du Golden Gate, à San Francisco. Il a voyagé en avion, mais aussi en montgolfière, et a survolé le Grand Canyon en hélicoptère. Oscar accompagne sa maîtresse Joanne Lefson, qui l'a recueilli dans un chenil d'Afrique du Sud en 2004… un jour avant qu'il ne soit piqué.

À bord d'un avion

En Inde

Devant la tour Eiffel

Près du Golden Gate

Vue sur le Grand Canyon

BONS AMIS▸ Dans la Forêt des singes d'Ubud, à Bali (Indonésie), un macaque à longue queue a adopté un chaton roux sauvage, dont il s'occupe et avec lequel il joue, comme avec un animal domestique.

PETITS CHEVAUX▸ La taille des tout premiers chevaux s'est réduite à mesure que le climat s'est réchauffé. Apparus voici environ 56 millions d'années, ils n'étaient pas plus gros qu'un chien. Puis ils ont encore rapetissé pendant une période de réchauffement climatique, avant de se mettre à grandir considérablement lorsque la température de la Terre s'est rafraîchie.

EXTRA-LARGE

▸Le chien qui a la plus grande langue au monde s'appelle Puggy. Ce n'est ni un saint-bernard ni un dogue danois, mais un pékinois ! Avec 11,43 cm, sa langue est si longue qu'elle touche presque le sol. Puggy vit à Fort Worth, au Texas, avec sa maîtresse Becky Stanford. Il avait été abandonné tout petit par ses anciens propriétaires : avec une telle langue, ils pensaient sans doute qu'il leur coûterait trop cher en nourriture !

BÉBÉ CÂLIN▸ Lieke Stenbreker, 2 ans, a sauvé la vie d'un bébé paresseux du zoo d'Arnhem (Pays-Bas) en lui donnant son ours en peluche. La mère du petit animal n'ayant pas assez de lait, les gardiens essayaient de le nourrir eux-mêmes, mais sans succès : les bébés paresseux ont besoin de se blottir contre quelque chose pendant qu'ils mangent. Quand Lieke lui a donné son ours, le petit a pu se pelotonner contre lui et a accepté le biberon.

SAUVÉ DES EAUX▸ Nicole Graham est restée trois heures dans la vase jusqu'à la taille pour maintenir la tête de son cheval Astro hors de l'eau. L'animal de 500 kg s'était enlisé dans les sables mouvants du rivage de Geelong (Australie). Astro a pu être sauvé quelques minutes avant la marée montante : un fermier l'a extrait de là à l'aide de son tracteur.

BON ÉLÈVE▸ Sammy, un écureuil gris recueilli par Shirley Higton, professeur de piano dans le Yorkshire (Angleterre), joue désormais quelques notes sur un piano miniature. À force de s'intéresser aux leçons de musique de sa maîtresse, Sammy a appris à appuyer sur les touches.

DRÔLE D'OISEAU▸ Entendant du vacarme dans la cour de sa maison de Northampton (Massachusetts), April Britt est sortie pour voir et a découvert un bébé cardinal avec deux têtes et trois becs.

CHAT ÉQUILIBRISTE▸ Une vidéo montrant un chaton à deux pattes jouant avec une balle et une plume a fait le buzz sur YouTube. Le petit Anakin a été trouvé et adopté par Carrie Hawks, une artiste de Pensacola (Floride). Ce chaton, né sans pattes arrière, parvient à marcher en équilibre sur ses pattes avant.

TROIS PATTES À UN CANARD...

▸ Robert Brooks, de Concord (Caroline du Nord), nous a envoyé cette photo de Tripod, un canard à trois pattes né le 24 avril 2011. Selon lui, Tripod est en bonne santé et se débrouille très bien malgré cette patte en trop.

ATTENTION, TOILE FRAGILE !▸ Certaines araignées tissent des toiles qui réfléchissent les ultraviolets : ainsi, les oiseaux les voient et évitent de les détruire en fonçant dessus !

PREUVE VIVANTE▸ Le rhinopithèque de Stryker, ou singe au nez retroussé, a été photographié pour la première fois en janvier 2012 dans les forêts humides reculées des montagnes situées entre la Birmanie et la Chine. Jusqu'alors, on n'en avait qu'une description faite par un chasseur, à partir d'un spécimen mort.

PATIENT HORS NORME▸ Il a fallu une équipe de 12 personnes (dentistes, vétérinaires, assistantes dentaires) pour soigner la rage de dents d'un ours polaire de 477 kg, au Highland Wildlife Park, un parc zoologique écossais. Le « fauteuil » sur lequel s'est allongé Arktos, 5 ans, était constitué de planches et de poteaux d'échafaudage. Le traitement de racines a duré 3 heures !

LA TOUR AUX CHÈVRES▸ À Paarl (Afrique du Sud), le propriétaire de la Fairview Farm a construit une tour à deux étages pour ses 750 chèvres. Un escalier en spirale en fait le tour : les chèvres, qui adorent grimper, préfèrent des angles en biais.

ELEPHANT MAN▸ Andy Swan, de Sacramento (Californie), a une collection de plus de 10 000 objets en lien avec les éléphants : des modèles miniatures, des peluches, des bijoux, des vêtements... Tout le monde l'appelle « Elephant Man ».

RECRUE À POIL▸ Dominic, un cochon de 91 kg, a rejoint la brigade des sapeurs-pompiers d'Avon (Angleterre). Grâce à lui, les hommes apprennent à porter secours aux animaux qui se sont échappés.

L'APPEL DES DAUPHINS▸ Chaque dauphin a son propre sifflement, mais souvent, ces mammifères communiquent en imitant leurs plus proches compagnons. Les chercheurs ont montré qu'un dauphin reproduit uniquement le sifflement de ceux avec qui il a des liens sociaux forts, et qu'il veut retrouver.

NUAGES D'ENCRE▸ Pour se cacher de ses prédateurs, le calmar de récif des Caraïbes expulse des nuages d'encre dans lesquels il se fond, passant ainsi inaperçu.

LE ROI DU SPRINT▸ Le zoo de Houston (Texas) a loué une piste de course pour que Kito et Kiburi, deux frères guépards âgés de 5 ans, puissent se dégourdir les pattes. Pour se maintenir en forme, un guépard adulte a besoin de piquer un sprint de 200 mètres tous les jours. Le zoo n'étant pas assez grand, c'est dans l'hippodrome voisin, le Sam Houston Race Park, que Kito et Kiburi atteignent leur vitesse de pointe : 104 km/h.

SLAM DUNKS▸ Eddie, une loutre de 16 ans du zoo de Portland (Oregon), s'est mise au basket pour soigner son arthrite. Les visiteurs adorent la regarder attraper une balle en plastique dans son bassin, la pousser en nageant vers un panier aménagé à sa hauteur, puis faire des dunks.

VACHE MAUVE▸ En janvier 2012, à Cacak (Serbie), une vache noire et blanche a donné naissance à un veau au pelage mauve. Les scientifiques pensent que cette étonnante couleur est due à une mutation génétique.

CASTORS COLLECTOR▸ Depuis qu'elle a commencé sa collection dans les années 1970, Betty Davis, de Redlands (Californie), a accumulé plus de 600 objets sur le thème des castors.

LE DÉLIRE VA ENCORE PLUS LOIN !!
Télécharge l'appli et utilise ODDSCAN™
Trop cool : Ratatouille en pleine action sur son surf !

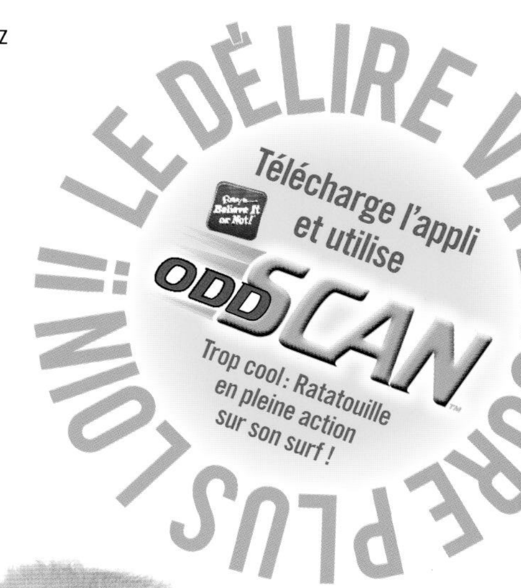

L'OPOSSUM DES NEIGES

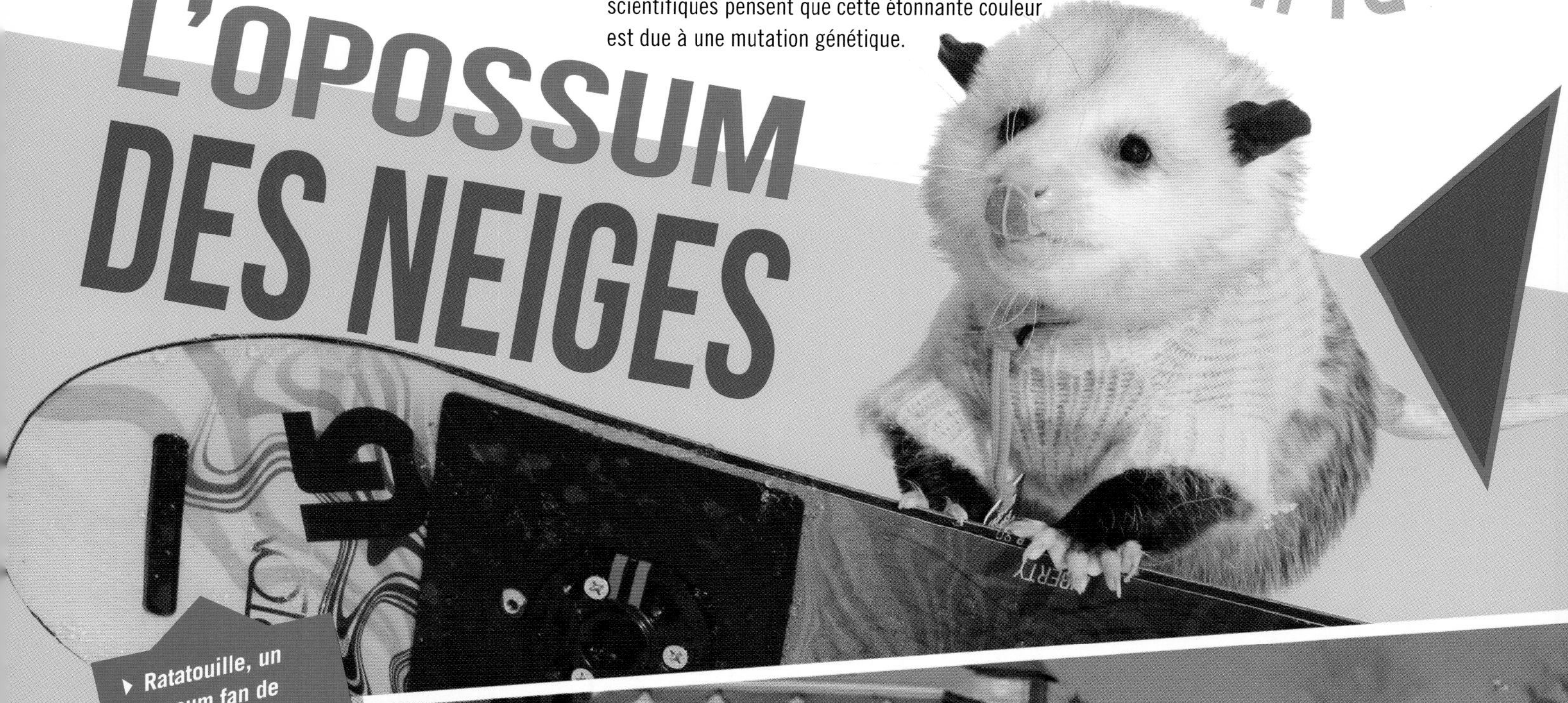

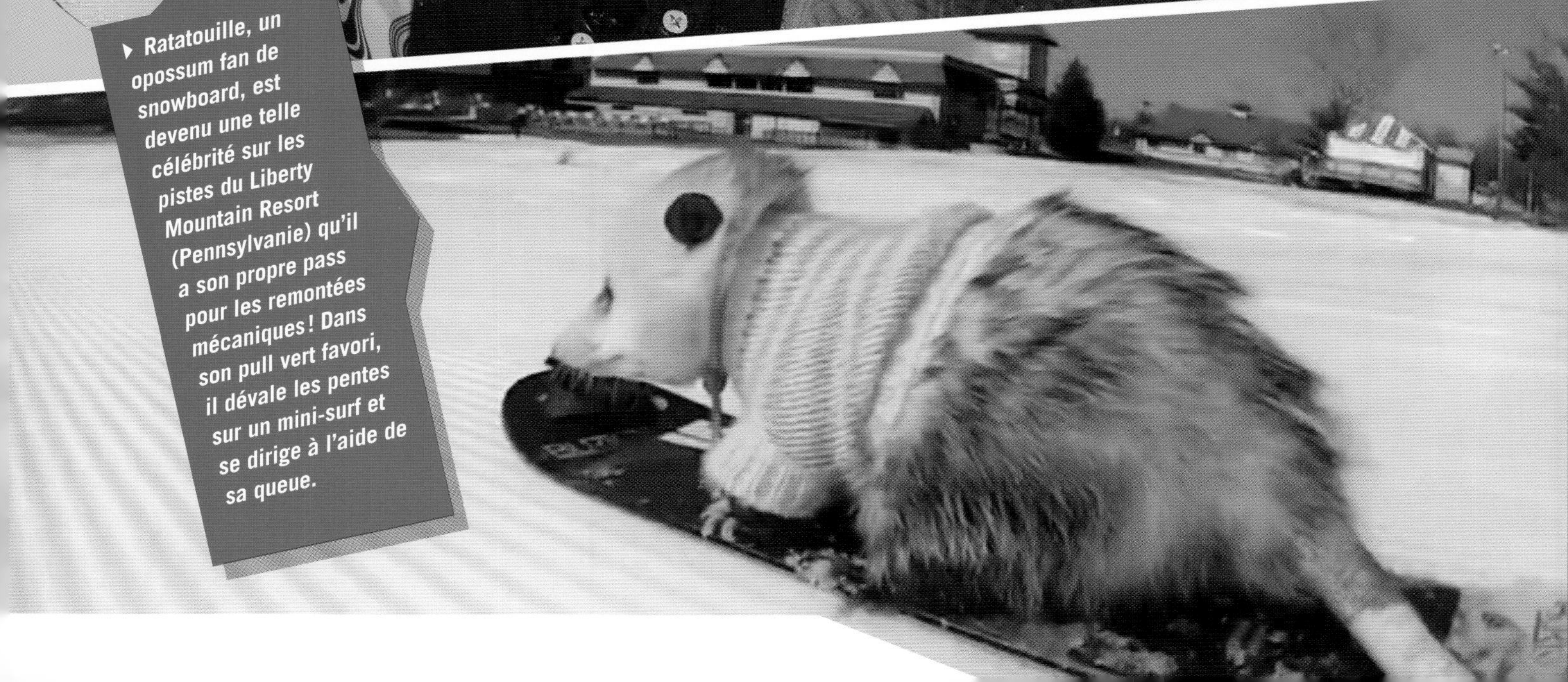

▸ Ratatouille, un opossum fan de snowboard, est devenu une telle célébrité sur les pistes du Liberty Mountain Resort (Pennsylvanie) qu'il a son propre pass pour les remontées mécaniques ! Dans son pull vert favori, il dévale les pentes sur un mini-surf et se dirige à l'aide de sa queue.

04

SPORTS

LE + DE Ripley's

Les skieurs de l'extrême, qui sautent parfois de hauteurs dépassant 180 mètres, descendent en chute libre à des vitesses pouvant atteindre 200 km/h, mais évitent en général les blessures en atterrissant dans une épaisse couche de neige. Elle amortit leur chute, ils choisissent donc de pratiquer ce sport dans des endroits où il y a toujours de la poudreuse fraîche, comme le domaine skiable d'Alta (Utah) : il y tombe pas moins de 12,70 mètres de neige par an, en moyenne.

Lors d'une séance de snowboard sur le glacier de Methven (Nouvelle-Zélande), le Canadien Mark Sollors titille l'extrémité d'un piton de glace naturel surplombant un gouffre de 12 mètres. Sur les glaciers, il faut se méfier des trous, presque invisibles dans le décor… Ce « spot » de glisse est tellement inaccessible que Sollors a dû s'y faire déposer en hélicoptère.

Julian Carr s'élance sur un snow-board depuis un pic de 18 mètres dans la station de ski de Alta de Utah.

FONDUS DE GLISSE

Après des mois de préparation, le photographe Patrik Lindqvist a saisi le fabuleux plongeon de 183 mètres réalisé par Tomas Bergemalm dans les Alpes françaises.

Elyse Saugstad, de Girdwood (Alaska), descend ici un à-pic de 6 mètres couvert de neige fraîche sur le mont Baker, un jour de risque d'avalanche « maximal ».

Les skieurs de l'extrême vont au bout de leur discipline, défiant le risque permanent d'avalanche mortelle en réalisant leurs acrobaties sur des pentes quasi verticales. Au-delà du simple saut, certains effectuent même des figures, dansant au-dessus de la neige, comme suspendus en l'air.

Lorsqu'il a sauté en chute libre d'une hauteur de 78 mètres dans le Wyoming, Jamie Pierre ne portait ni casque ni parachute. Il a atterri tête la première, créant un cratère de 3 mètres dans la neige. Son unique blessure : une coupure à la lèvre, due au tranchant de la pelle de l'un de ses copains venus le sortir de là !

En 2011, le Suédois Tomas Bergemalm a fait plus de deux fois mieux en sautant d'une hauteur de 183 mètres près de Chamonix, dans les Alpes. Il a dû faire preuve d'une énorme assurance, renforcée par 5 mois d'entraînement. À 35 ans, ce skieur – qui a déjà à son actif la traversée du Groenland en 47 jours et a participé à nombre de compétitions à travers le monde – voulait accomplir une dernière performance spectaculaire avant de se retirer pour se consacrer à sa famille.

Pour immortaliser son exploit, il a fait appel à Patrik Lindqvist, un photographe qui adore faire ce genre de clichés. « Et tant pis si je devais escalader des montagnes et passer des nuits sous la tente par -20 °C », explique Lindqvist.

Julian Carr est un autre de ces fondus à la recherche d'une poussée d'adrénaline maximale. On lui doit un saut record en 2006 : un salto avant réalisé en plongeant d'un à-pic de 64 mètres, en Suisse.

BIDONNANT

▶ Le 16e championnat universitaire de plongeon ventral du Colorado s'est achevé dans un grand « splash » à l'Aqualand de Denver, en juillet 2012. Durant la compétition, les plongeurs se sont jetés - sans trop d'élégance - d'une hauteur de 12 mètres, à plat ventre, pour éclabousser le plus possible en touchant l'eau. Ça fait mal, mais ça paye : les meilleurs remportent des lots, et même des bourses d'études allant jusqu'à 4 000 euros. Le grand vainqueur, cette année-là, fut un certain Paul Salcido.

COUREUR/REURUOC▶ L'Irlandais Garret Doherty est capable de courir le mille (1,609 km) en moins de 7 minutes – à l'envers. En 2012, à 33 ans, il a défendu son titre avec succès lors du Championnat britannique de course à l'envers, surclassant de près d'une minute son principal adversaire.

C'EST DU PROPRE▶ En 2011, la Traversée à la nage de la baie de Victoria (Hong Kong) a de nouveau pu avoir lieu, pour la première fois depuis 33 ans. Entre-temps, l'eau avait été jugée trop polluée.

PRÊTRE BOXEUR▶ Le 1er avril 2012, un prêtre anglican âgé de 50 ans – le Père Dave Smith – a boxé 120 rounds de 3 minutes dans une église de Sydney (Australie). Cela lui a pris plus de 6 heures, face à 66 adversaires différents. Record mondial.

NOM DE PEACE▶ En septembre 2011, Ron Artest, un joueur de basket des Los Angeles Lakers, a officiellement changé son nom en Metta World Peace.

SCHTROUMPF IDÉE

▶ Les supporters de l'équipe de foot d'Hartlepool United ont trouvé une drôle de façon de se manifester, allant assister au dernier match de la saison 2011-2012... déguisés en schtroumpfs. Les images surréalistes de centaines de visages peinturlurés de bleu, dans les gradins, lors de la rencontre contre Charlton Athletic, à Londres, en juin 2012, ont ainsi fait le tour du monde. Depuis 25 ans, les supporters du club se déguisent lors de la dernière journée, mais ça n'a pas suffi pour emporter ce match.

CARTE CHANCE▶ Lorsque Karl Kissner, un fan de baseball, a ouvert ce vieux carton qui dormait dans le grenier de sa grand-mère, il ne s'attendait pas à y découvrir une fabuleuse collection de vieilles cartes à l'effigie de joueurs de baseball. Certaines d'entre elles, d'une valeur de 2 millions d'euros, dataient de près d'un siècle. Au nombre de 700, toutes en excellent état, elles représentaient des joueurs mythiques, dont Ty Cobb, Christy Mathewson, Connie Mack...

L'ARC DE ZAK▶ En 2010, Zak Crawford, 14 ans, un archer du Northamptonshire fan de Robin des bois, a tiré une flèche à près de 500 mètres. Soit 150 mètres de plus que le précédent record !

POUCE PAR POUCE▶ En juin 2012, Spencer West, 31 ans, de Toronto, a gravi sur les mains les 5 885 mètres du Kilimandjaro, en Tanzanie. Amputé des deux jambes dès l'âge de 5 ans, il a cependant réussi cet exploit en projetant son torse en avant, mètre par mètre, faisant balancier sur ses bras. Cela lui a pris 7 jours.

AFREUX, JO-JO !▶ Joseph « Jo-Jo » Reyes, le *pitcher* (lanceur) de l'équipe de baseball des Blue Jays (Toronto), est le détenteur du record de la plus longue série de matchs sans aucune réussite : soit 28 entre le 13 juin 2008 et le 30 mai 2011.

BUNGAYRAMA▸ En mai 2012 a eu lieu à Bungay, dans le Suffolk (Angleterre), un match de foot dont les 22 joueurs, l'arbitre, les juges de touche et les remplaçants portaient tous le même nom de famille : Bungay ! La mascotte était la petite Carla Bungay (8 ans), et le soigneur, le Dr. Elizabeth Bungay.

INTERMINABLE▸ Du 22 au 24 juin 2010, au tournoi de tennis de Wimbledon, le Français Nicolas Mahut et l'Américain John Isner ont disputé un match record d'une durée de 11 heures et 5 minutes. Il s'est conclu en faveur de l'Américain sur le score de 6-4, 3-6, 6-7, 7-6, 70-68.

DOUBLE MARATHON▸ En 2010, Mark Otto, de Jackson (Michigan), a couru le Marathon traditionnel de Deaborn (42,95 km) en 3 h, 23 m et 42 s, tout en faisont rebondir un ballon de basket.

SUPPLICES CHINOIS▸ À Nanning (Chine) a eu lieu une démonstration de jeux traditionnels de l'ethnie Yao. L'un consiste à jeter un ballon en feu dans le panier de l'adversaire, un autre à courir par-dessus des bûches enflammées pour aller lancer un fruit sur une cible de 5 m, et un autre à gravir, pieds nus, où l'on doit escalader un poteau de 7 m agrémenté de 36 lames.

HÉROÏNE DE CHEVAL▸ Black Caviar, une jument pur-sang australienne, est si populaire qu'un grand match de football a dû être décalé du fait qu'elle devait courir en même temps. Et lors de son premier déplacement en Grande-Bretagne, pour le derby d'Ascot, en juin 2012, ses fans ont afflué place de la Fédération à Melbourne, pour assister à sa victoire (la 22e d'affilée) retransmise sur écran géant à 1 heure du matin.

EN 1946, AL COUTURE A BATTU RALPH WALTON À L'ISSUE D'UN MATCH DE BOXE DE 10 SECONDES ET 5 DIXIÈMES – DÉCOMPTE COMPRIS.

À RALLONGE▸ En juillet 2012, à O'Fallon, dans le Missouri, 50 joueurs de baseball ont participé à un match qui a duré 60 heures, 11 minutes et 32 secondes – soit le plus long jamais enregistré dans les annales de ce sport, alors même que la température atteignait parfois 38 °C.

SKATE EXPRESS▸ Le 18 juin 2012, Mischo Erban, de Vernon (Canada), a battu le record mondial de vitesse à skate, départ arrêté. Au Québec, il a dévalé une pente à près de 129,9 km/h.

GRIMPE-FENTES

▸Tom Randall et Pete Whittaker, deux risque-tout très déterminés, ont fait le voyage depuis la Grande-Bretagne jusqu'en Utah pour être les premiers à vaincre une paroi réputée infranchissable. Et ils ont réussi leur pari, triomphant du Century Crack, impressionnante fissure qui court sur 37 mètres entre deux roches, dans le parc national Canyonlands. Ils se sont hissés jusqu'en haut sans pouvoir faire appel aux techniques classiques de l'alpinisme, glissant leurs mains et leurs pieds dans l'étroite fente : leur ascension s'est déroulée pour l'essentiel tête en bas, les pieds coincés dans la roche en surplomb. Randall et Whittaker ont effectué 2 ans d'entraînement intensif pour y parvenir, passant des heures à tester leur méthode de grimpe sur la réplique d'une portion de fissure, dans la cave de Randall.

PAS FORMIDABLE ▸ En septembre 2011, un match de football américain entre deux équipes de lycéens, Hunter-Kinard-Tyler et Calhoun County, à Neeses (Caroline du Sud), a dû être reporté à cause d'une espèce de fourmis, les « fourmis de feu ». L'arbitre a constaté la présence de pas moins de 20 grosses fourmilières sur le terrain. Toute tentative d'élimination, en les enlevant ou en versant du sel dessus, a échoué.

TRIPLE ÉGALITÉ ▸ Lors d'une course de lévriers dans l'Essex (Angleterre), le 19 janvier 2011, s'est produit quelque chose qui n'a qu'une chance sur plusieurs millions de se produire : les trois vainqueurs ont franchi la ligne exactement en même temps. Même la photo-finish n'a pu les départager. Et ils couraient la plus longue distance de cette discipline, le 925 mètres.

RHODE RODÉE ▸ Lors des Jeux Olympiques d'été de 2012, Kimberley Rhode a remporté l'or au tir féminin, devenant la première Américaine à décrocher une médaille au tir lors de cinq olympiades consécutives. Elle a terminé avec 99 points, n'ayant manqué qu'une seule des 100 cibles d'argile visées dans la journée.

TIRE-POTEAU ▸ Au bo-taoshi, un sport japonais plutôt dingue, deux équipes de 75 joueurs s'affrontent ; l'une défend un grand mât de bois tandis que l'autre doit le mettre à bas. Les attaquants disposent d'environ 2 minutes 30, tirant, poussant, boxant ou agrippant les défenseurs, pour incliner le mât à 30 degrés au moins. Faute de quoi ce sont les défenseurs qui gagnent.

ENFANT DOUÉ ▸ Gabriel Muniz, un jeune Brésilien de 11 ans, a été invité au centre d'entraînement du FC Barcelone bien qu'il n'ait pas de pieds. S'il est né handicapé, il est l'un des meilleurs joueurs de son école, et il a beaucoup impressionné les techniciens catalans lorsqu'ils ont vu un reportage sur lui à la télévision.

GO MANTEO ! ▸ Manteo Mitchell, l'un des athlètes du relais 4 x 400 mètres américain aux JO de Londres en 2012, a couru la moitié de sa course avec une jambe cassée ! Participant au premier relais, il a senti son os céder à mi-parcours mais a continué à sprinter sur les 200 derniers mètres, refusant de laisser tomber son équipe. Malgré sa blessure, il a couvert la distance en 46'1'', et l'équipe américaine a pu se qualifier pour la suite de la compétition.

RIZ VITE

▸ La Pacu Jawi, qui se déroule dans l'île de Sumatra (Indonésie), est une course où les concurrents doivent conduire un attelage de bœufs dans la boue en s'accrochant simplement à leurs queues… qu'ils mordent pour les faire accélérer ! Cet événement annuel, vieux de centaines d'années, offrait à l'origine un moment de détente aux cultivateurs avant d'attaquer la saison de la récolte du riz.

EUNE DRAGUEUSE▶ Le jour où Belle Wheeler, du Northamptonshire (Angleterre), a passé les tests permettant de participer aux courses de dragsters, elle est devenue la plus jeune conductrice de sa discipline. C'était juste la veille de son 8e anniversaire. Elle s'est ensuite mesurée à des pilotes ayant plus du double de son âge, dans son dragster modifié, capable de passer de 0 à 30 km/h en 12 secondes.

YE YEAH YEAH !▶ En remportant le 400 mètres féminin 4 nages aux JO de 2012, la Chinoise Ye Shiwen a nagé les 50 derniers mètres plus vite que l'Américain Ryan Lochte, vainqueur de l'épreuve masculine correspondante. C'était la première fois qu'une femme faisait aussi vite qu'un homme dans la même discipline. Son temps de parcours total, 4 minutes 28' 23'', lui aurait même permis de remporter l'or olympique masculin en 1964, 1968 ou 1972.

GENTIL OGRE

Maurice Tillet, dit « L'Ange », exhibe ses papiers officiels devant les photographes le jour où il est devenu citoyen américain, en 1947.

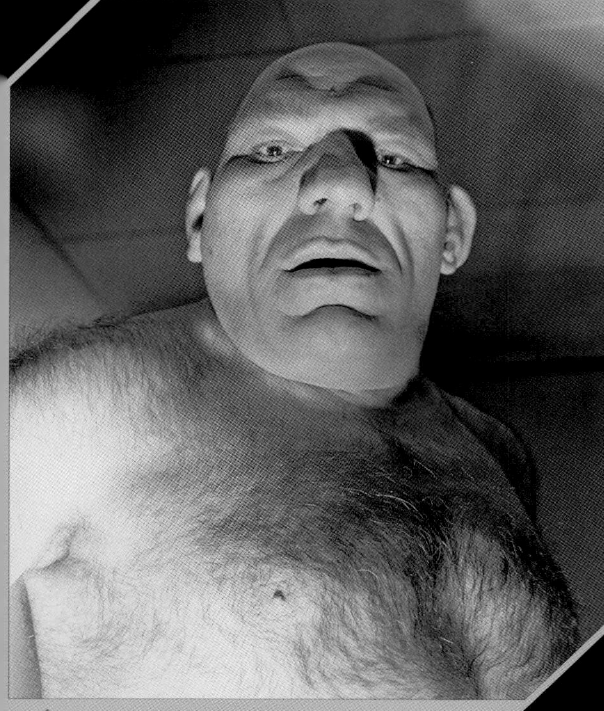

Il semble que Maurice Tillet ait inspiré le personnage de Shrek au cinéma.

Maurice Tillet, un catcheur des années 1940, Français d'origine russe, était si mignon, enfant, qu'on le surnommait « L'Ange ». Mais à 17 ans, ses pieds, ses mains et sa tête se sont mis à enfler de façon inexplicable. On lui a alors diagnostiqué une acromégalie, dérèglement de l'hypophyse qui entraîne ce genre de symptômes.

Polyglotte, le jeune Maurice voulait devenir avocat, mais, défiguré par la maladie, il a dû y renoncer. Il s'est alors reconverti dans le catch, où il s'est fait appeler « L'Ange français », on le surnommait aussi « L'Ogre du ring ». Ses bizarres proportions : un poids de 127 kg, des mains et une tête énormes sur un corps de taille moyenne (1,74 mètre) le rendaient difficile à battre et il fut considéré comme un adversaire « imprenable » pendant des années. C'était une tête d'affiche, reconnu deux fois champion du monde des lourds par l'American Wrestling Association. Il est mort en 1954, à 51 ans, juste un an après son dernier combat.

COMPELOTEUR

▶ Un tricoteur fou a ceint la jetée de Saltburn, dans le North Yorkshire (Angleterre), d'une écharpe de 46 mètres de long, décorée de têtes d'athlètes en laine, figurant les participants de plusieurs disciplines olympiques : la natation synchronisée, l'haltérophilie, l'aviron, le cyclisme...

TROP EAU !

Steve Fisher et Dale Jardine, deux kayakistes sud-africains, et Sam Drevo, un Américain, ont conduit leurs kayaks au bord des chutes Victoria, les plus hautes au monde. Une opération très casse-cou, sachant que la moindre glissade les expédierait dans le vide, 106 mètres plus bas, vers une mort certaine – personne n'est jamais sorti vivant d'un tel plongeon. Ils ont d'abord bravé les hippopotames et les crocodiles qui rôdent dans le bassin d'eaux calmes en amont de ces chutes, à la frontière de la Zambie et du Zimbabwe. On les voit contempler ce spectacle inouï, juchés sur l'un des rares rochers qui affleurent au bord du gouffre.

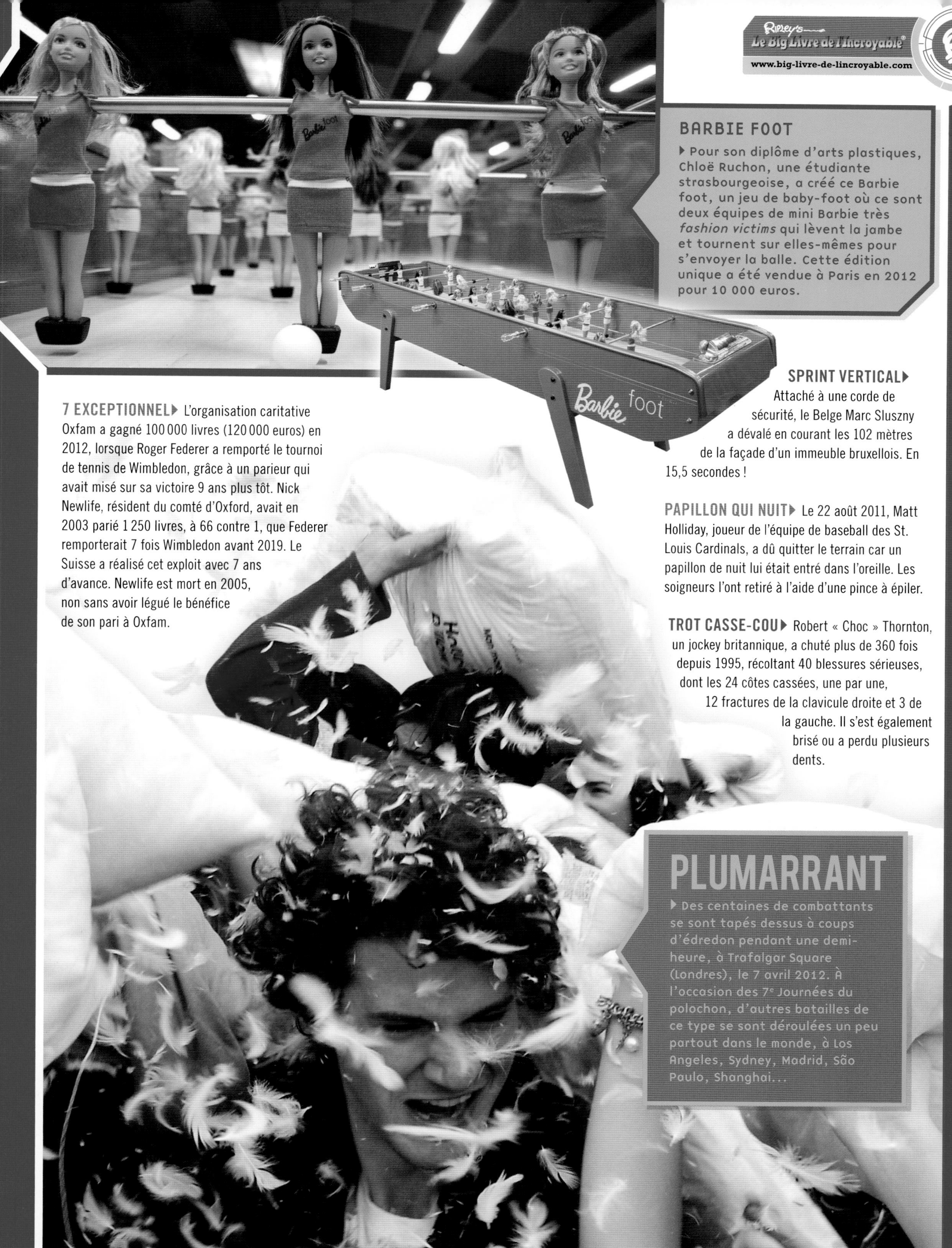

BARBIE FOOT

▸ Pour son diplôme d'arts plastiques, Chloë Ruchon, une étudiante strasbourgeoise, a créé ce Barbie foot, un jeu de baby-foot où ce sont deux équipes de mini Barbie très *fashion victims* qui lèvent la jambe et tournent sur elles-mêmes pour s'envoyer la balle. Cette édition unique a été vendue à Paris en 2012 pour 10 000 euros.

7 EXCEPTIONNEL▸ L'organisation caritative Oxfam a gagné 100 000 livres (120 000 euros) en 2012, lorsque Roger Federer a remporté le tournoi de tennis de Wimbledon, grâce à un parieur qui avait misé sur sa victoire 9 ans plus tôt. Nick Newlife, résident du comté d'Oxford, avait en 2003 parié 1 250 livres, à 66 contre 1, que Federer remporterait 7 fois Wimbledon avant 2019. Le Suisse a réalisé cet exploit avec 7 ans d'avance. Newlife est mort en 2005, non sans avoir légué le bénéfice de son pari à Oxfam.

SPRINT VERTICAL▸ Attaché à une corde de sécurité, le Belge Marc Sluszny a dévalé en courant les 102 mètres de la façade d'un immeuble bruxellois. En 15,5 secondes !

PAPILLON QUI NUIT▸ Le 22 août 2011, Matt Holliday, joueur de l'équipe de baseball des St. Louis Cardinals, a dû quitter le terrain car un papillon de nuit lui était entré dans l'oreille. Les soigneurs l'ont retiré à l'aide d'une pince à épiler.

TROT CASSE-COU▸ Robert « Choc » Thornton, un jockey britannique, a chuté plus de 360 fois depuis 1995, récoltant 40 blessures sérieuses, dont les 24 côtes cassées, une par une, 12 fractures de la clavicule droite et 3 de la gauche. Il s'est également brisé ou a perdu plusieurs dents.

PLUMARRANT

▸ Des centaines de combattants se sont tapés dessus à coups d'édredon pendant une demi-heure, à Trafalgar Square (Londres), le 7 avril 2012. À l'occasion des 7e Journées du polochon, d'autres batailles de ce type se sont déroulées un peu partout dans le monde, à Los Angeles, Sydney, Madrid, São Paulo, Shanghai...

MATE L'ÉCHEC ! ▶ Le Chess Club and Scholastic Center de St. Louis, Missouri, a dévoilé un roi de 4,4 mètres de haut et 1,8 de large – soit 45 fois plus gros qu'une pièce d'échec normale.

MONGOL FIER ▶ Rob Ginnivan a couru un semi-marathon… en montgolfière, au-dessus de Canberra (Australie). Il a couru les 21 km dans la nacelle, sur un tapis de jogging alimenté par un petit générateur, en 2 heures 18 minutes.

FOU DU KICK ▶ Raul Meza, 33 ans, un kick-boxer de Sioux Falls (Dakota du Sud), a donné 335 coups de pied de la même jambe en 1 minute, en novembre 2011. Parmi ses précédentes performances : 18 000 *kicks* en l'espace de 8 semaines.

BABE CARTONNE ▶ Un maillot de l'équipe de base-ball des New York Yankees porté par Babe Ruth, vers 1920, a été vendu aux enchères pour l'équivalent de 3 235 675 euros en 2012, en Californie. Une casquette du célèbre joueur est partie à 393 312 euros, et l'une de ses battes pour 432 648 euros.

VASE VITE !

▶ *Couvert des pieds à la tête d'une boue épaisse, ce barbu se bat pour rester en course lors de la Bluegrass Mud Run de 2012. Dans cette épreuve, les participants avancent avec de la vase parfois jusqu'à la poitrine. Pour éviter les obstacles, ils doivent par endroits plonger dans l'eau du marais.*

ROUES DE FEU▸ Greg Tracy et Tanner Foust, spécialistes des cascades automobiles, se sont livrés à une incroyable démonstration de *hot wheels* lors des X Games de Los Angeles, en juin 2012. Lancés à 80 km/h, roulant sur une piste en forme de boucle haute de 5 étages, ils ont défié les lois de la pesanteur et encaissé une force d'accélération de 7G – soit celle que subissent les pilotes d'avions de combat. Pas le moment d'oublier son casque !

1 CM SUFFIT▸ À Brighton, en 2012, le championnat annuel anglais de chasse aux encornets a vu s'affronter 74 concurrents. Mais au bout des 5 heures d'épreuve, seul un unique calamar avait été attrapé (d'1 cm de long !), par Davide Thambithurai, qui a ainsi triomphé pour la seconde fois de suite.

RAZZIA KENYANE▸ Depuis 1968, chaque fois qu'un athlète kenyan dispute la finale du 3 000 mètres steeple aux J.O., il remporte l'épreuve. À ceux de 2012, le Kenya a décroché l'or pour la 8e fois consécutive. Seul le boycott des Jeux l'a empêché de faire de même en 1976 et 1980.

SUR UNE BALLE DE GOLF, ON COMPTE JUSQU'À 500 PETITS CREUX.

TOUT 9▸ Braden DuBois, d'Indian River (Michigan), a participé à une saison complète de courses de stock-car à Onaway Speedway au volant de sa Chevrolet 4 cylindres, alors qu'il n'avait que 9 ans… Il est ainsi devenu le plus jeune pilote du genre au monde.

ROI DES BOULES▸ Antony Riniti, de New York, a formé une pyramide de 75 boules de billard américain sur 25 niveaux, mesurant 1,5 mètre de haut, avant de frapper la boule blanche afin de déloger l'une des boules de la base de l'édifice sans faire écrouler l'ensemble.

D'UN CHEVEU▸ Kevin et Jonathan Borlee, deux athlètes belges jumeaux, ont l'un comme l'autre atteint la finale du 400 mètres haies aux J.O. de 2012. Ils ont respectivement terminé 5e et 6e, à 2 cm d'intervalle.

SANS SOUFLER▸ Missy Franklin, une jeune nageuse américaine de 17 ans, a remporté l'or du 100 mètres dos crawlé aux jeux Olympiques de 2012, 20 minutes à peine après avoir disputé avec succès la demi-finale du 200 mètres nage libre et s'être qualifiée pour la finale.

MR. GONFLETTE

▸ Gregg Valentino, un body-builder new-yorkais, a des biscotos gigantesques: 71 cm de tour de biceps, plus larges que bien des cuisses ! Culturiste depuis l'âge de 14 ans, il fait du développé couché avec une charge de 250 kg et monte jusqu'à 136 kg à la flexion du biceps.

BUCAPEST▸ Plus de 400 fans de l'équipe de football espagnole de l'Athletic Club Bilbao qui voulaient assister à la finale de l'Europa League se sont trompés de pays, débarquant en Hongrie alors qu'elle avait lieu en Roumanie. Ils avaient mélangé les noms de leurs capitales, prenant la Hongroise Budapest pour la Roumaine Bucarest, à des centaines de kilomètres l'une de l'autre !

SKI EST FOU▸ Rainer Hertrich, un conducteur de déneigeuse d'origine allemande qui vit à Copper Mountain, dans le Colorado, est allé quotidiennement skier pendant 2 993 jours consécutifs – soit plus de 8 ans en continu. Il a ainsi monté ou descendu à skis près de 30 millions de mètres de dénivelé. Apprenant qu'il souffrait d'une dangereuse arythmie cardiaque, il a tout de même dû arrêter le ski, le 10 janvier 2012.

COLOMBOPHOBE▸ Le « Triangle des Bermudes des pigeons » : c'est ainsi qu'on surnomme une petite zone autour de la ville de Thirsk, dans le North Yorkshire (Angleterre). Seuls 13 des 232 oiseaux qui y ont été lâchés en 2012 ont su regagner leurs pigeonniers en Écosse.

PAS DE GÉANT▸ Il n'a fallu que 41 foulées au Jamaïcain Usain Bolt pour battre le record du 100 mètres, en 9,63 secondes, aux J.O. de 2012. Son compatriote Yohan Blake, médaille d'argent, a eu besoin de 46 foulées pour couvrir la même distance.

MAXI KAYAK

▸ Avec ses 124 mètres de long, ce kayak peut accueillir 100 personnes! Fabriqué à l'occasion du centenaire d'une enseigne américaine d'articles de sports de plein air, L. L. Bean, il a été testé pour la première fois sur un lac de Freeport (Maine) en juin 2012.

RÉVEILLE-ÇA MOI !▸ L'équipe de football des îles Samoa était la dernière ex-aequo du classement mondial lorsqu'elle a remporté son premier match en compétition internationale, battant les îles Tonga 2-1 lors de la phase de qualifications pour la Coupe du monde, en novembre 2011. Les îles Samoa, qui ne comptent que 55 000 habitants, remportaient ainsi leur premier match après 17 ans de défaites – dont un cuisant 0-31 contre l'Australie en 2001.

HOCKEY ON CONTINUE▸ En mai 2012, à Chestermere (Alberta, Canada), un match de hockey a pris des proportions épiques, s'éternisant pendant 246 heures (soit plus de 10 jours) avant que les équipes puissent se départager. C'est à ce jour la plus longue partie jamais disputée.

BAN TURC▸ Lorsque les supporters masculins de la ligue turque de football se comportent de façon trop remuante, ils sont temporairement bannis des stades, au profit de leurs femmes et de leurs enfants, alors seuls autorisés à assister aux matchs.

SURF À RÉACTION En février 2012, Rimas Kinka a quitté Whale Harbor (Floride) pour établir un nouveau record en *kitesurf* (planche à voile équipée d'un cerf-volant) : 645 km parcourus en juste 24 heures !

IL PNEU LE FAIRE !▸ L'athlète kenyan David Rudisha, qui a remporté l'or olympique en 2012 au 800 mètres, battant le record du monde, devait se contenter enfant de chaussures artisanales taillées dans un vieux pneu…

JEU À SEC▸ En novembre 2011, dans la région d'Imotski (Croatie), frappée par la sécheresse, deux équipes de foot se sont affrontées sur ce qui est habituellement le lit d'un lac. Le Modro Jezero (« lac Bleu »), à sec, a laissé place à un terrain de football improvisé, là même où la profondeur de l'eau peut atteindre 150 mètres en temps normal.

1 080 DEGRÉS▸ Le 30 mars 2012, à Tehachapi (Californie), Tom Schaar, 12 ans, a réussi la première rotation à 1 080 degrés (3 fois 360 degrés) en skateboard, soit un triple tour sur lui-même, en l'air. Tom, qui fait du skate depuis l'âge de 4 ans, a réussi cet exploit sur la MegaRamp – avec ses 21,30 mètres de haut, celle-ci permet des bonds de 4,50 mètres.

VIEILLE CHAUSSETTE▸ Le rameur britannique Greg Searle, vétéran de l'aviron, a enfilé ses chaussettes porte-bonheur aux J.O. de 2012, les mêmes qu'en 1992, lors de sa première participation. Elles étaient plus vieilles que quatre de ses nouveaux coéquipiers !

PUNI PAR SA MÈRE▸ Pour avoir touché une porte lors des qualifications des J.O. de 2012, le kayakiste néo-zélandais Mike Dawson s'est vu infliger une pénalité de 2 secondes par… sa mère, Kay, juge-arbitre de l'épreuve.

TIR AVEUGLE▸ Im Dong-hyun, archer sud-coréen, détient un record du monde dans sa discipline, bien qu'il soit reconnu comme aveugle : il n'a que 10 dixièmes de vision à l'œil gauche, et 20 au droit. Les couleurs et les lignes troubles de la cible lui suffisent.

PASSE, COCO !▸ Le *yubi iapki* est une variété indienne de rugby à sept, où la balle est remplacée par une noix de coco. De plus, avant de commencer, les joueurs s'enduisent d'huile de graines de moutarde et d'eau pour être plus difficiles à plaquer.

ARTHUR DURE▸ En juin 2012, l'Anglais Arthur Gilbert, du Somerset, a bouclé son 41e triathlon, à 91 ans, en 2 heures 47 minutes et 22 secondes. Son secret : un entraînement rigoureux et régulier. Il fait ainsi de la gym deux fois par semaine, 40 km de vélo le week-end et 50 longueurs de piscine tous les matins.

SAUTE-BOSSES

▸ Les hommes de la tribu des Zaraniques, au Yémen, sont les seuls à pratiquer le saut de dromadaire et à en faire leur métier. Leur technique consiste à s'élancer en courant pour bondir au-dessus du plus grand nombre de dromadaires possible. Ici, Bhaydar Muhammed Kubaisi en franchit trois. Ce sport est pratiqué depuis 2 000 ans dans la région de Tehama, où il donne lieu chaque année à des tournois entre tribus.

11 VAUT BIEN▸ « Robo Dan », robot conçu par Massey University Albany, est un buteur aussi accompli que les plus grands professionnels du rugby. Lors d'un challenge spécial, il a affronté l'ancien joueur néo-zélandais Andrew Mehrtens, qui a marqué 967 points pour les All Blacks entre 1995 et 2004. Résultat : l'un et l'autre ont fait passer 11 fois le ballon entre les poteaux, sur 12 tentatives.

DÉFI RODÉO▸ En plus de deux ans, aucun champion de rodéo américain n'est parvenu à chevaucher Bushwacker, un taureau de 726 kg, durant les 8 secondes minimum requises pour inscrire les premiers points dans ce genre de compétition. En moyenne, ceux qui s'y sont essayés ont tenu 3,06 secondes.

CAPTAIN CANADA▸ En 2012, le cavalier canadien Ian Millar, 65 ans, surnommé « Captain Canada », est devenu le premier athlète à participer 10 fois aux J.O. : soit toutes les olympiades depuis 1972, sauf celles de Moscou en 1980, année où son pays a boycotté les Jeux.

BEACH VOLÉE▸ Lors des J.O. de Londres en 2012, l'épreuve de beach-volley a dû être annulée à cause des écureuils. Ceux-ci venaient sans cesse enterrer glands et noisettes dans la terre sablonneuse des terrains d'entraînement londoniens de St. James's Park.

▸ Le Français Franky Zapata, champion de jet-ski, fait une démonstration de son invention, le Flyboard, propulseur qui lui permet de s'élever à 15 mètres en l'air et de replonger tête la première, tel un dauphin. L'engin fonctionne grâce à un moteur de jet-ski rejetant de l'eau, à un long tuyau, des chaussures spéciales et deux stabilisateurs.

DAUPHIN DES AIRS

05

CORPS

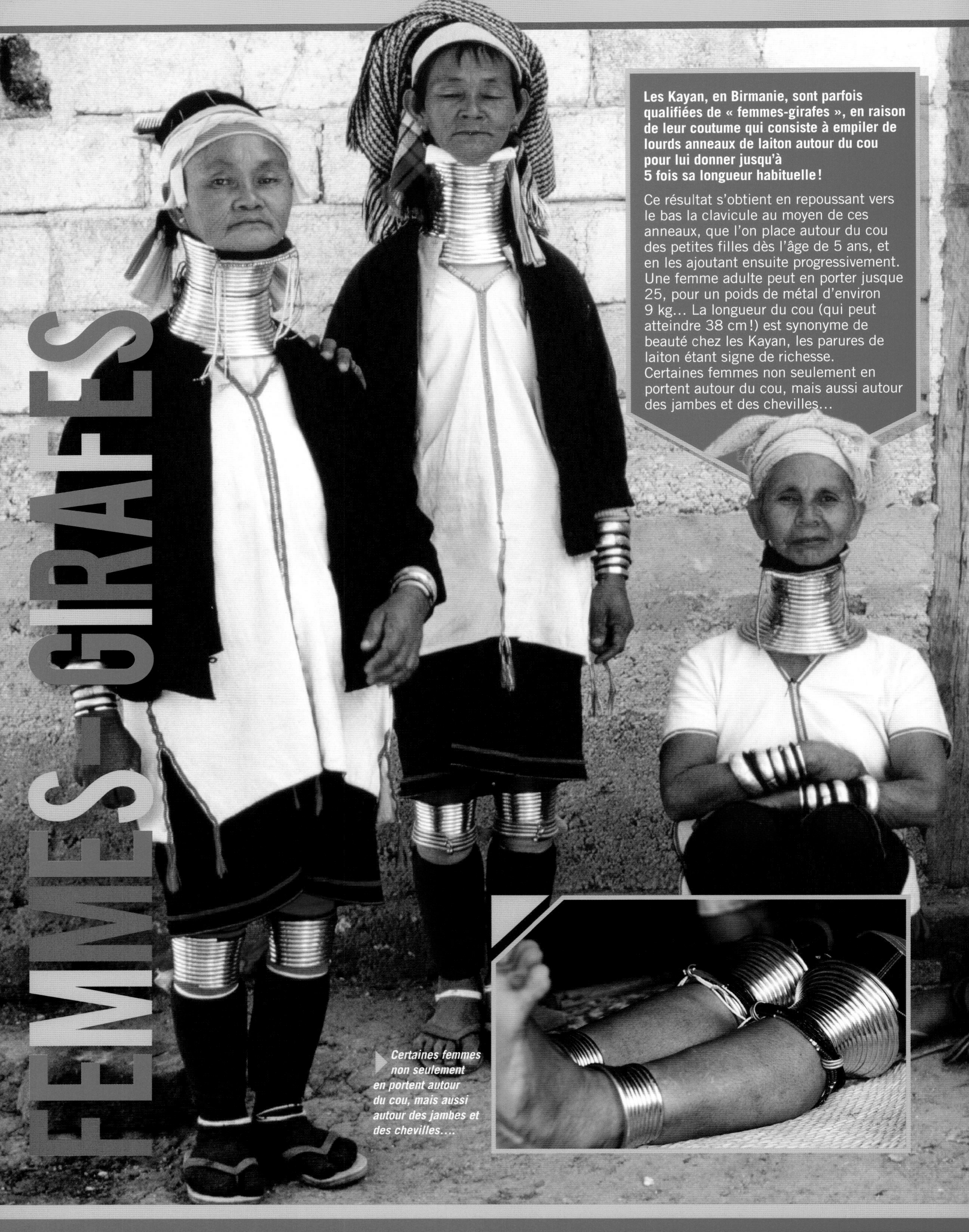

FEMMES-GIRAFES

Les Kayan, en Birmanie, sont parfois qualifiées de « femmes-girafes », en raison de leur coutume qui consiste à empiler de lourds anneaux de laiton autour du cou pour lui donner jusqu'à 5 fois sa longueur habituelle !

Ce résultat s'obtient en repoussant vers le bas la clavicule au moyen de ces anneaux, que l'on place autour du cou des petites filles dès l'âge de 5 ans, et en les ajoutant ensuite progressivement. Une femme adulte peut en porter jusque 25, pour un poids de métal d'environ 9 kg… La longueur du cou (qui peut atteindre 38 cm !) est synonyme de beauté chez les Kayan, les parures de laiton étant signe de richesse. Certaines femmes non seulement en portent autour du cou, mais aussi autour des jambes et des chevilles…

Certaines femmes non seulement en portent autour du cou, mais aussi autour des jambes et des chevilles….

Cette femme Kayan porte plus de 20 anneaux autour du cou, ce qui l'allonge de façon spectaculaire.

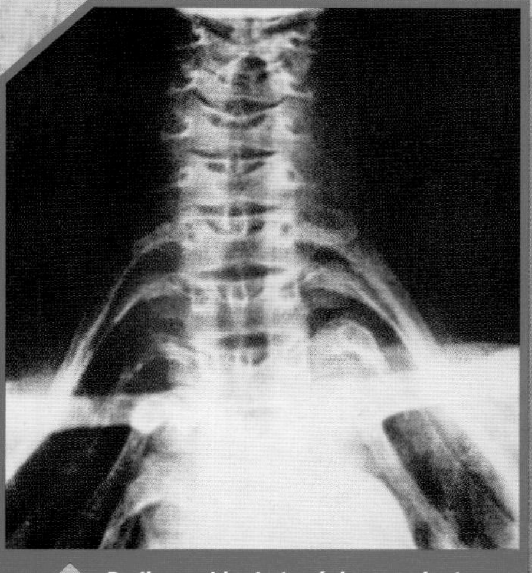

Radiographie de la région cervicale d'une Kanyan : aux rayons X, on se rend mieux compte de l'abaissement de la clavicule.

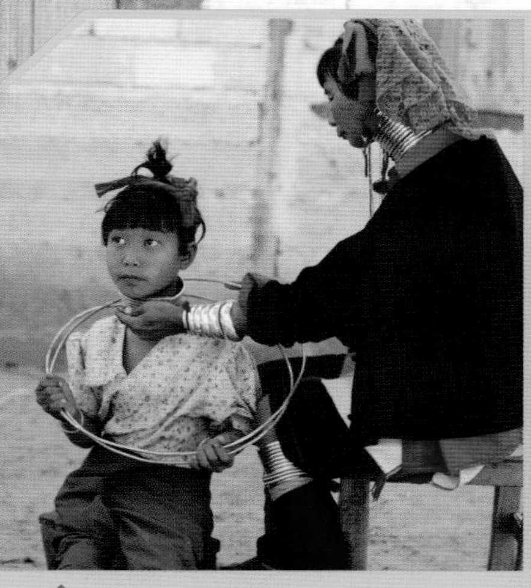

Les fillettes ont à peine 5 ans lorsqu'on leur pose le premier anneau. Les cercles s'ajoutent ensuite, au fil de la croissance.

SOUPE DE POISSONS

▸ *Cet homme qui souffre d'une maladie de peau chronique (un psoriasis) se détend dans un spa à Kangal (Turquie), pendant que des Garra rufa obtusas – ou « poissons-médecins » – lui nettoient l'épiderme. Fort heureusement, ils ne dévorent que les peaux mortes, laissant intactes peaux ou chairs en bonne santé. En outre, l'eau du spa, riche en minéraux, aide à la cicatrisation, une fois que les poissons-médecins ont fini leur repas.*

NÉPALONG▸ Le Népalais Chandra Bahadur Dangi, 72 ans, est officiellement, depuis 2012, l'homme le plus petit au monde, avec ses 54,6 cm. Trois de ses frères mesurent moins de 1,20 mètre, mais il a également deux frères et deux sœurs qui sont, eux, d'une taille proche de la moyenne.

TÊTE DURE▸ Yasser Lopez, un adolescent de Floride, a survécu à un tir accidentel d'arbalète en pleine tête. Miraculeusement, le projectile, une sorte de javelot de 90 cm de long, lui a traversé le crâne sans toucher de vaisseau essentiel, passant à quelques millimètres de son œil droit. Les médecins de l'hôpital de Miami ont dû scier une partie du javelot pour que la tête de Yasser puisse entrer dans le scanner.

OS À COURS !▸ En août 2011, les enseignants de la Totara North School de Northland (Nouvelle-Zélande) ont découvert que ce qu'ils croyaient être un squelette en plastique, dont ils se servaient pour leurs cours, était en réalité fait de véritables os humains…

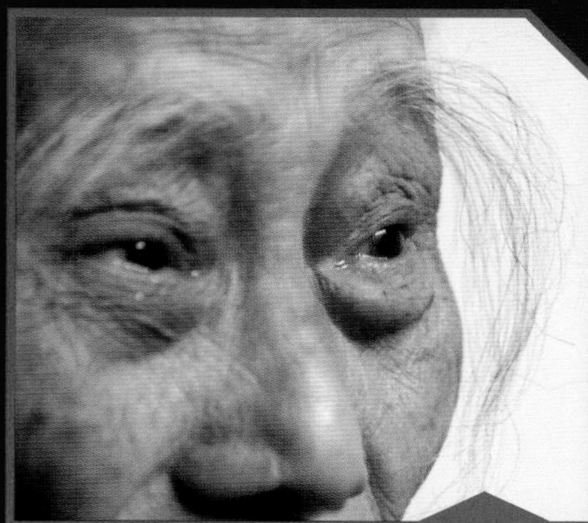

POIL AUX YEUX

▸ Incroyable mais vrai ! Luo Zhicheng, un Chinois de 90 ans, a des sourcils de plus de 10 cm de long !

SOS GLACIÈRE▸ Lorsqu'un incendie a éclaté à bord de leur bateau, les obligeant à sauter par-dessus bord dans l'eau de Botany Bay (Australie), Scott Smiles, Rick Matthews et leurs fils Riley et Ryan, tous les deux âgés de 11 ans, n'ont survécu qu'en s'agrippant pendant 45 minutes à une glacière dont ils se servaient pour ranger leur matériel de pêche.

GRAS DOUBLE▸ À Mexico, le 24 juin 2012, à l'issue d'une opération qui a duré 20 heures, un enfant de 2 ans s'est vu retirer une tumeur bénigne de 15 kg, plus lourde que lui. Jesus Rodriguez ne pesait que 12 kg, mais cette tumeur incontrôlable avait fini par recouvrir tout le côté droit de son corps, de l'aisselle à la hanche.

ŒIL ANTIQUE▸ Des archéologues ont découvert le plus ancien œil postiche au monde, celui d'une femme qui vivait il y a 5 000 ans. Ce faux œil était fait d'un matériau léger, mélange de poix et de graisse animale. D'un diamètre de 2,5 cm, il était troué de chaque côté, de manière à pouvoir être maintenu en place à l'aide d'un fil.

RESSUSCITÉ▸ Fabrice Muamba, joueur des Bolton Wanderers, est resté 78 minutes effondré sur le terrain, mort, au cours d'une rencontre de football disputée à Tottenham le 17 mars 2012. Il a fallu 15 chocs électriques au moyen d'un défibrillateur pour que son cœur redémarre. Quinze jours plus tard, il avait de nouveau le sourire.

EN DEUX FOIS▸ Le 1er juillet 2012, Donna Keenan a donné naissance à des jumeaux, à moins de 2 heures d'intervalle et dans deux pays différents. Elle a eu ses premières contractions alors qu'elle se trouvait encore chez elle, dans le Northumberland (Angleterre), et son fils Dylan est né sur place, à l'hôpital. Puis on l'a conduite en Écosse, à 64 km de là, où elle a accouché de sa fille Hannah dans un autre hôpital, à Melrose.

MAXICROBES▸ 100 000 milliards de bactéries utiles vivent à l'intérieur de notre corps, et chez un adulte, leur masse cumulée représente près de 2,3 kg !

L'HOMME ÉCHIQUIER

▸ *Matt Gone, de Portland (Oregon), est tatoué à 98 % – même sa langue et ses parties génitales le sont –, pour l'essentiel suivant un motif à damiers. Il a même fait injecter de l'encre dans ses yeux : bleue pour l'un, verte pour l'autre. Les seules parties de son corps qui ne soient pas tatouées sont ses paumes et la plante de ses pieds, et par endroits il y a plus de 7 couches d'encres sur sa peau. « J'adore l'aspect mathématique des damiers, explique-t-il, mais s'en faire tatouer sur le crâne est si douloureux que j'en suis tombé malade. »*
En 17 ans, il a dépensé l'équivalent de 47 500 euros en tatouages, faisant travailler 80 artistes tatoueurs sur son corps. Selon lui, sa température interne est plus élevée que la moyenne, les tatouages empêchant sa peau de s'aérer et de suer normalement.

GRANDE GUEULE !▸ À Atlanta (Georgie), une femme de 30 ans a avalé par accident, pendant une crise de rire, un couteau à beurre. Elle se l'était introduit au fond de la bouche pour impressionner ses amis, mais s'est alors bêtement mise à rire et le couteau a glissé. Elle a été conduite à toute vitesse à l'hôpital, où on le lui a retiré.

MUTANTE▸ Shanyna Isom, de Memphis (Tennessee), souffre d'une étrange maladie : des morceaux d'ongle lui poussent sur le corps au lieu de poils. C'est en 2009 que son corps a commencé à se couvrir d'écailles d'ongle, consécutivement à ce qui semblait être une réaction allergique à un traitement contre l'asthme. Elle a perdu tous ses cheveux, et des ongles ont remplacé les poils sur son corps, croissant puis tombant naturellement, avant de pousser à nouveau…

VÉLO INDIGESTE▸ Branko Crnogorac, d'Apatin (Serbie), au cours de ses 60 ans de carrière d'« Homme à l'estomac de fer », a avalé 25 000 ampoules, 12 000 fourchettes, 2 000 petites cuillères, 2 600 assiettes et 6 000 disques vinyles. Il a finalement dû s'arrêter à l'âge de 80 ans, à moitié étouffé par la pédale d'une bicyclette qu'il avait parié d'ingérer en 3 jours. Il a fallu l'opérer d'urgence, et c'est 2 kg d'objets de métal variés que les médecins ont retirés de son ventre.

MAXI BARBE

Zach T. Wilcox, de Carson City (Nevada), s'est laissé pousser la barbe pendant 41 ans, si bien qu'en 1922 celle-ci mesurait 3,90 mètres. Cela a longtemps fait de lui l'un des prétendants à la plus longue barbe au monde. Zach devait la porter dès qu'il marchait, afin ne pas se prendre les pieds dedans !

KARLA LA BOMBE Karla Flores, de Culiacán au Mexique, a reçu au visage une grenade qui s'y est incrustée sans exploser. L'arme risquait encore de détoner, ce qui aurait tué tout le monde dans un rayon de 9 mètres. Les médecins de l'hôpital de Culiacán, chargés de l'opération, ont donc décidé de s'installer en plein champ. Ils ont finalement réussi à extraire la grenade avant qu'elle n'explose.

PAS YOUPI Wang Youping, du Shaanxi (Chine), n'a pu fermer la bouche pendant 21 ans, en raison d'une langue disproportionnée : 24 cm de long, 10 de large et 18 d'épaisseur. Vers l'âge de 6 ans, son visage et sa langue se sont mis à enfler, et l'énorme muscle n'a cessé de repousser les dents, les couchant presque à l'horizontale. Wang souffre de graves difformités faciales.

SUPERPEAU Des chercheurs de l'université de Californie du Sud ont créé un robot possédant une « peau » artificielle dont le sens du toucher dépasse celui de l'homme. Équipée de capteurs qui envoient à la machine des informations ensuite traitées par un logiciel spécial, cette « peau » est capable d'identifier 177 matériaux. Soit davantage qu'une peau humaine.

TÊTE À CLOU Dante Autullo, de Chicago, s'est enfoncé accidentellement un clou dans la tête et ne l'a remarqué que le lendemain matin. Il a cru s'être juste égratigné en utilisant un pistolet à clous pour fixer une étagère – jusqu'à ce que les médecins lui montrent une radio sur laquelle figurait, logé en plein milieu de son crâne, un clou de 8,3 cm. La tige métallique frôlait une zone du cerveau gérant les facultés motrices. Ne sentant rien, Autullo a trouvé le temps, tandis qu'on le transférait d'urgence à l'hôpital, de poster sur Facebook une photo de sa radio.

TÊTE À CLAQUES Danielle Martin, du Kent (Angleterre), a quitté l'université pour devenir un phénomène du Cirque des horreurs. Elle se plante des clous dans le nez, saute sur du verre pilé, avale des lames de rasoir, se contorsionne pour entrer dans un baquet trop petit pour son corps, gravit une échelle dont les barreaux sont des sabres… Bref, Danielle adore se faire mal !

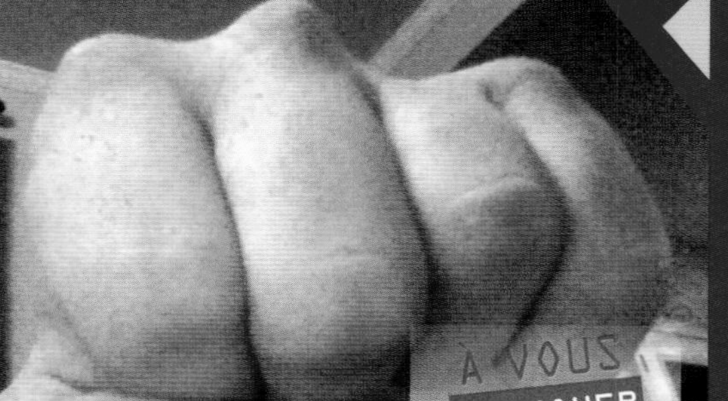

POINT CREUX

Ripley's a reçu cette photo du Californien Isaac Burrier, dont l'annulaire de la main gauche, une fois replié, a la propriété de ne pas former une bosse. Cela donne l'illusion, lorsqu'il ferme le poing, qu'il y a un trou dedans. N'est-ce poing bizarre ?

DENTS D'ACIER▸ Li Hongxiao a tenu 23 bancs de bois en équilibre sur ses dents pendant 11 secondes, à Chongqing (Chine). Chacun d'eux mesurait 1 mètre de long, leur poids total atteignant 70 kg.

NOIRE ET POILUE▸ Lorsque les bactéries naturellement présentes dans la bouche sont trop nombreuses et empêchent les minuscules nodules papillaires de la langue de se rétracter – celles-ci peuvent alors atteindre jusqu'à 15 fois leur taille habituelle –, la langue devient toute noire et « poilue ». Ce n'est pas très beau à voir, mais c'est sans danger !

MAL AU BIDE▸ Lee Gardner, du South Yorkshire (Angleterre), a une fourchette en plastique de 23 cm de long dans le ventre depuis une décennie. Ce n'est que le jour où il a commencé à avoir des crampes d'estomac et à vomir qu'il s'est souvenu de l'avoir avalée par accident, 10 ans plus tôt.

SURVIVANT▸ Le physicien britannique Stephen Hawking, aujourd'hui septuagénaire, vit depuis 50 ans avec une maladie rare qui, dans 90 % des cas, tue en 10 ans ceux qui en sont atteints.

JUSTE UN VER▸ À Mumbai (Inde), des médecins ont retiré vivant un ver de 12,5 cm de long. Il occupait l'œil droit de P. K. Krishnamurthy, un homme de 75 ans qui se plaignait de démangeaisons et d'irritations… Ce vers parasite, qui a survécu 30 minutes à l'opération, serait entré dans son corps à partir d'une plaie au pied, pour remonter jusqu'à son œil.

PIQUÉ AU PIED

▸ Ceci n'est pas une photo truquée ! Mr. Tetanus, un performer australien, porte une pointe de métal de 1 cm qu'il a lui-même placée au-dessus de la cheville – elle est si solidement fichée qu'il peut s'en servir pour faire rouler des boules de bowling. Voici une douzaine d'années, il s'est fait pratiquer une modification corporelle au niveau du tendon d'Achille. Lorsqu'il retire cette pointe, le « trou » se referme en moins d'une minute, et en une demi-heure le creux dans ses chairs se comble.

LE SEXE DES LARMES▸ Les hommes pleurent 16 fois par an en moyenne – en particulier lors des mariages –, tandis que les femmes larmoient jusqu'à 64 fois par an. Chez les hommes, cela dure 2 minutes, tandis que les sanglots féminins se prolongent jusqu'à 4 minutes de plus. Snif !

DENTS DE SECOURS▸ Des médecins néerlandais ont fabriqué une mâchoire en titane, dents comprises, grâce à une imprimante 3D. Cet implant, destiné à une femme de 83 ans, est formé de milliers de couches de poudre de titane solidifiée par rayon laser. Il a été greffé avec succès à la patiente, atteinte d'une infection de l'os de la mâchoire.

ELLE A UN HIC▸ Lisa Doherty, de Lincoln (Angleterre), a le hoquet depuis 5 ans ; il lui arrive de hoqueter jusqu'à 100 fois par jour. Elle a accouché deux fois sans cesser de hoqueter, et se met maintenant à hoqueter en dormant.

ÇA COÛTE UN BRAS▸ Attaqué par un alligator de 3,40 mètres dans les eaux de la Caloosahatchee, une rivière de Floride, Kaleb Langdale, 17 ans, n'a réussi à sauver sa vie qu'en offrant son bras droit au monstre. Devant la gueule ouverte du saurien, Kaleb a préféré tendre son bras, sachant qu'il éviterait ainsi de se faire croquer jusqu'à la taille. Puis il a trouvé la force de s'éloigner à la nage. Il s'en est tiré en posant un garrot sur son moignon et en fermant la plaie à l'aide de toiles d'araignée géantes. L'alligator a été abattu, son ventre ouvert, le bras retrouvé, mais celui-ci n'a pu être greffé avec succès sur le jeune homme.

L'HOMME AUX DEUX BOUCHES

Otto Tolpefer est né avec deux bouches : une qui fonctionnait normalement, et une autre, située juste sous son menton, par laquelle il ne pouvait ni parler ni manger. Pour s'exprimer, il utilisait la première tout en fermant manuellement la seconde, équipée de lèvres de métal. « L'Homme aux deux bouches » s'est donné en spectacle dans les années 1880, dans le quartier du Bowery, à New York. Juché sur une estrade, il buvait de l'eau par l'un de ses orifices buccaux, tout en fumant par l'autre une cigarette ou en jouant de l'harmonica. Un journaliste du *New York Times* écrivit : « Cette fuite dans le bas de sa trachée donne à sa voix une tonalité étrange, irréelle, comme le murmure du sacristain lors d'un enterrement. Cet Otto n'est pas une chose très plaisante à voir. » Il avait pour compagne de scène une vache à deux têtes, dont on disait qu'elle devait se sentir moins laide à ses côtés…

FORCE D'ESPRIT▸ Sévèrement paralysé, le patient d'un hôpital suisse est parvenu – une fois équipé d'un casque à électrodes – à envoyer un ordre mental à l'ordinateur auquel il était relié. Celui-ci a lui-même activé un autre ordinateur, distant de 40 km, qui commandait un petit robot.

RAB DE BÉBÉ▸ À Anajas (Brésil), en décembre 2011, Maria de Nazare a donné naissance à un bébé en pleine santé… pourvu de deux têtes. Il s'agit en fait de jumeaux (prénommés Jesus et Emanuel) qui ont chacun leur cerveau et une colonne vertébrale, mais un seul cœur commun.

LE + DE Ripley's

L'albinisme touche 1 personne sur 17 000. C'est le résultat génétique issu de l'absence de mélanine qui colore la peau, les cheveux et les yeux, et protège le corps des rayons du soleil. Les albinos ont l'iris de l'œil légèrement rosé, tandis que leur peau et leurs cheveux sont d'un blanc éclatant. Leur peau étant particulièrement claire, ils sont sujets aux coups de soleil et donc aux cancers de la peau. Sensibles à la lumière, leurs yeux produisent souvent des mouvements involontaires et désorganisés.

Dharamraj est, à deux ans, le plus jeune albinos de la famille Pullan.

Rosetauri et Mani, le jour de leur mariage, en 1983.

Vijay, Pooja, Deepa et Shankar Pullan avec leurs parents.

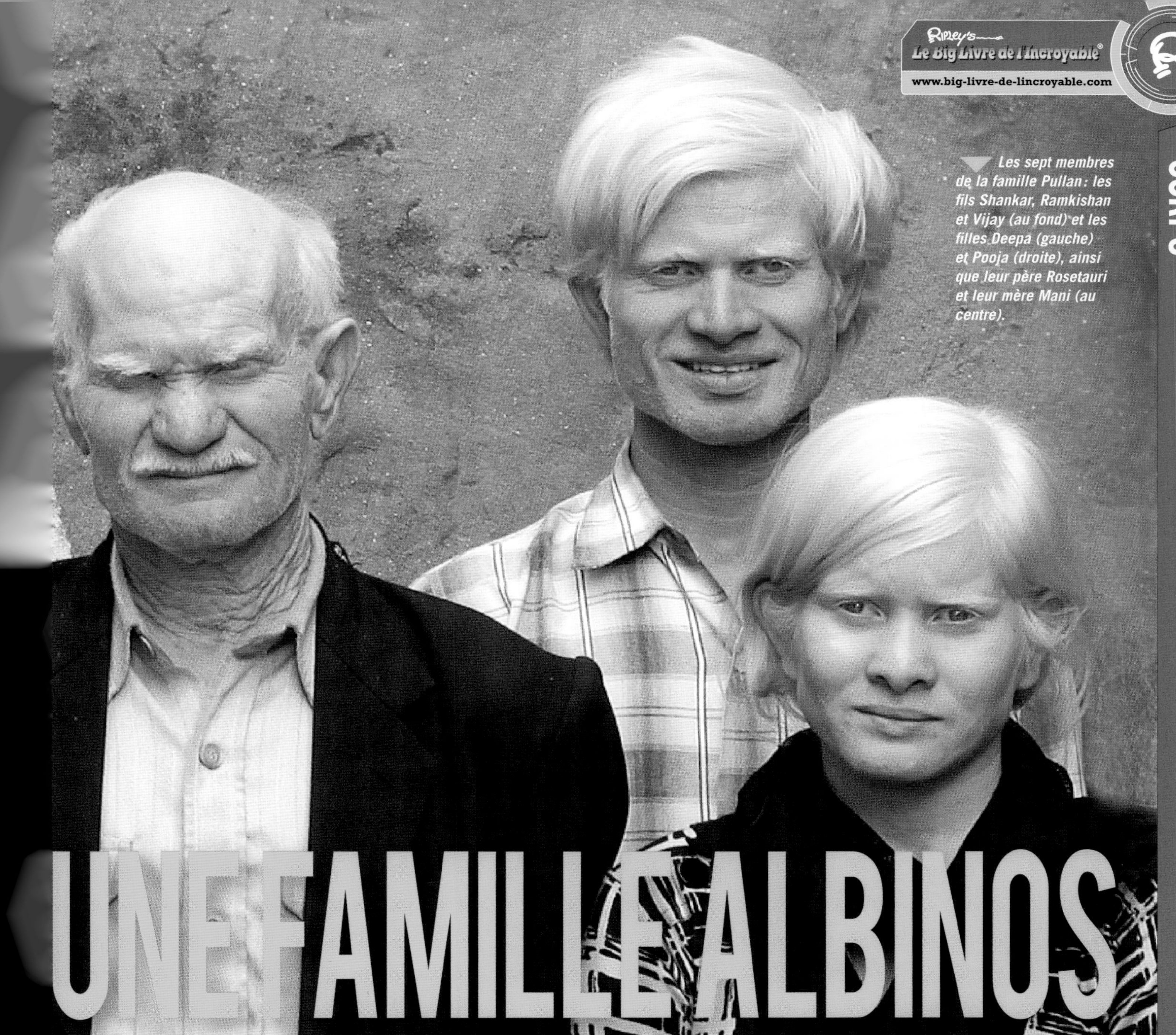

Les sept membres de la famille Pullan : les fils Shankar, Ramkishan et Vijay (au fond) et les filles Deepa (gauche) et Pooja (droite), ainsi que leur père Rosetauri et leur mère Mani (au centre).

UNE FAMILLE ALBINOS

La famille Pullan, originaire d'Inde, se fait facilement remarquer dans une foule. Dix d'entre eux sont albinos, ce qui en fait la plus grande famille albinos au monde. Les six enfants – les garçons Shankar, Ramkishan et Vijay, et les filles Deepa, Pooja et Renu – ont hérité de la condition génétique de leurs parents Rosetauri et Mani. Quand Renu s'est mariée à un homme atteint également d'albinisme, elle a donné naissance à son fils Dharamraj, albinos aussi.

Les Pullan vivent dans un appartement d'une seule pièce à New Delhi. En raison de leur peau claire, de leurs yeux roses et de leurs cheveux blancs comme la neige, ils ne ressemblent pas aux autres Indiens. Rosetauri dit : « J'ai entendu des gens nous appeler les Anglais. Les gens ne comprennent pas que nous soyons indiens. »

Les parents de Rosetauri et Mani ont plus ou moins arrangé leur mariage en 1983 estimant qu'il serait mieux pour eux d'être mariés à un autre albinos. Dans le sud de l'Inde, d'où ils sont originaires, on prétend que se marier avec une personne atteinte d'albinisme porte chance et amène la richesse. Pourtant, de nombreux voisins pensaient qu'ils étaient malades et les rejetaient.

Après la naissance de leur premier enfant albinos, Mani courut à l'hôpital pour y subir une hystérectomie car elle ne voulait plus tomber enceinte. « Mais le médecin m'a vue, il a pris peur et m'a renvoyée chez moi. Je n'y suis jamais retournée. Aujourd'hui, je considère que c'est un cadeau de Dieu. »

Les albinos ne peuvent pas rester au soleil trop longtemps et ont une mauvaise vue. Deux des enfants ont fréquenté une école pour malvoyants et ils ont tous besoin d'une loupe pour lire. Vijay, 26 ans, a beau être compétent en informatique, il a du mal à trouver un travail stable en raison de sa vue médiocre. Il espère toutefois se marier un jour avec une albinos et prolonger ainsi la descendance.

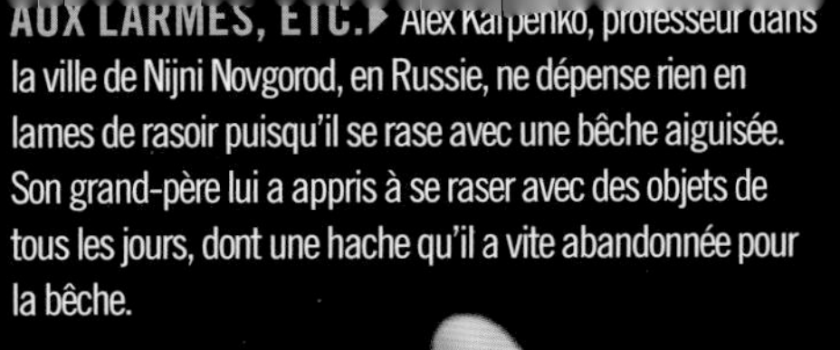

AUX LARMES, ETC. ▸ Alex Karpenko, professeur dans la ville de Nijni Novgorod, en Russie, ne dépense rien en lames de rasoir puisqu'il se rase avec une bêche aiguisée. Son grand-père lui a appris à se raser avec des objets de tous les jours, dont une hache qu'il a vite abandonnée pour la bêche.

▸ Igor Vovkovinskiy, de Rochester dans le Minnesota, est l'homme le plus grand des États-Unis, mesurant 2,30 mètres. Il a subi seize opérations du pied en 6 ans et dispose de 24 paires de chaussures à 11 000 € la paire confectionnées sur mesure ! Né en Ukraine, ce géant doit sa taille à une tumeur développée durant l'enfance dans son hypophyse qui a bombardé son corps d'hormones de croissance. À tout juste 7 ans, il mesurait déjà 1,80 mètre !

GRIMACE À BATTRE

▸ *Tang Shuquan de Chengdu City en Chine est un champion de la grimace qui arrive à tordre son visage dans tous les sens, au point même de mordre son propre nez ! Il offre 12 000 € à quiconque pourra le battre dans une compétition de grimace.*

À-BRAS-CADABRA ▸ Tim Hemmes de Connoquenessing Township, en Pennsylvanie, s'est retrouvé paralysé à vie en 2004 à la suite d'un accident de moto. Grâce à un entraînement d'un mois avec l'interface d'une machine expérimentale, il arrive désormais à contrôler son bras manipulateur par la simple pensée et l'aide d'électrodes fichées dans son cerveau.

ATCHOUM DANGEREUX ▸ Monique Jeffrey, 28 ans, de Victoria en Australie, a failli se retrouver paralysée après un éternuement. Elle était au lit en train de lire ses courriels sur son téléphone portable quand elle s'est mise à éternuer si violemment que deux vertèbres de son cou se sont

SALADE, TOMATE, OIGNONS, PANSEMENT ▸ James Hobbs du Somerset, en Angleterre, s'est servi de viande à kebab pour empêcher le sang de couler suite à une blessure de couteau dans son cou. Il a réussi à cautériser la plaie de 13 cm, mais a tout de même perdu près de 3 litres de sang.

SIXIÈME SENS ▸ Se plaignant de maux de tête répétés, Brenton Gurney, du New South Wales en Australie, a passé une IRM qui s'est révélée négative, contrairement à celle qu'il a exigé que son frère jumeau Craig passe également, et qui a révélé une tumeur au cerveau. Par le passé, Craig avait pressenti un danger chez son frère et avait deviné que Brenton subissait une mystérieuse attaque d'éruption cutanée potentiellement mortelle, alors qu'il se trouvait à 2 700 km de son frère.

GÉO TROUVETOUT ▸ Un hôpital de Sibenik, en Croatie, a exposé une sélection d'objets qui avaient été avalés par des patients et retirés de leurs estomacs au cours des 80 dernières années. On y a trouvé des aiguilles, des pièces, des os d'animaux et des boutons et badges en métal !

TUMEUR XL ▸ Marek Barden de Bristol, en Angleterre, s'est fait retirer une tumeur de 1,5 kg (la taille d'un melon) de ses côtes. Il a fallu du béton pour reconstruire sa poitrine. Après six heures d'intervention, les chirurgiens ont retiré la tumeur, mais aussi la paroi du poumon gauche, six côtes et une partie de son diaphragme. Un panneau en ciment de 25x25 cm a été nécessaire pour

LANGUE VIVANTE

▶ L'acteur Nick Stoeberl de Monterey, en Californie, a toujours quelque chose sur le bout de la langue… et pour cause ! Mesurée par un docteur, sa langue est la plus grande au monde, longue de plus de 10 cm. Cinq anneaux de donuts peuvent y tenir !

LE POIDS DES MAUX▶ Le 5 janvier 2012, une équipe de chirurgiens emmenée par l'Américain McKay McKinnon a retiré une tumeur de 90 kg de la jambe droite de Nguyen Duy Hai dans un hôpital de Hô Chi Minh Ville au Vietnam. Depuis l'enfance, ce patient de 32 ans souffrait d'une tumeur qui ne cessait d'enfler, le résultat d'une mutation génétique rare. En 1997, sa jambe droite a été amputée jusqu'au genou dans l'espoir que la tumeur cesse de se développer. Après sa dernière opération, il a pu enfin marcher pour la première fois en quatre ans.

UNE BALLE À ABILENE▶ Jim Saunders d'Abilene, au Texas, vit avec une balle logée dans son cerveau depuis qu'on lui a tiré dans le front le 24 août 1981. La balle de calibre 25 est fichée à 7,5 cm de profondeur, entre deux nerfs optiques et les deux hémisphères du cerveau. Il a perdu la vue et l'odorat, mais les docteurs ont décidé de ne pas tenter l'opération pour retirer la balle, trop dangereuse à réaliser.

MINI FLIC▶ La plus petite policière au monde, Aisha Al Hamoudi, est sergent dans la police Al Bidya de Fujairah aux Émirats Arabes Unis. Elle mesure 88 cm.

DOCTEUR FOREVER▶ Âgé de 100 ans, le docteur Fred Goldman de Cincinnati, dans l'Ohio, continuait d'exercer à raison de trois jours par semaine, recevant douze patients par jour dans son cabinet, sans ordinateur. Il se déplaçait aussi chez les malades, malgré une grave opération du cœur et sa bataille contre un cancer de la prostate. Le docteur avait démarré son activité en 1935.

ŒIL POUR ŒIL

▶ Ouille, ouille, ouille ! L'Australien Chayne Hultgren a établi un nouveau record du monde en portant une charge de 411,7 kg avec des crochets fixés dans ses orbites. Chayne, dont le nom de scène est le Cow-boy de l'espace, peut aussi avaler 27 lames en simultané, et jongler avec des haches tranchantes, des couteaux, et même une tronçonneuse en marche, tout en enfourchant un monocycle de 3 mètres de haut. Il lui arrive de faire tous ces tours les yeux bandés.

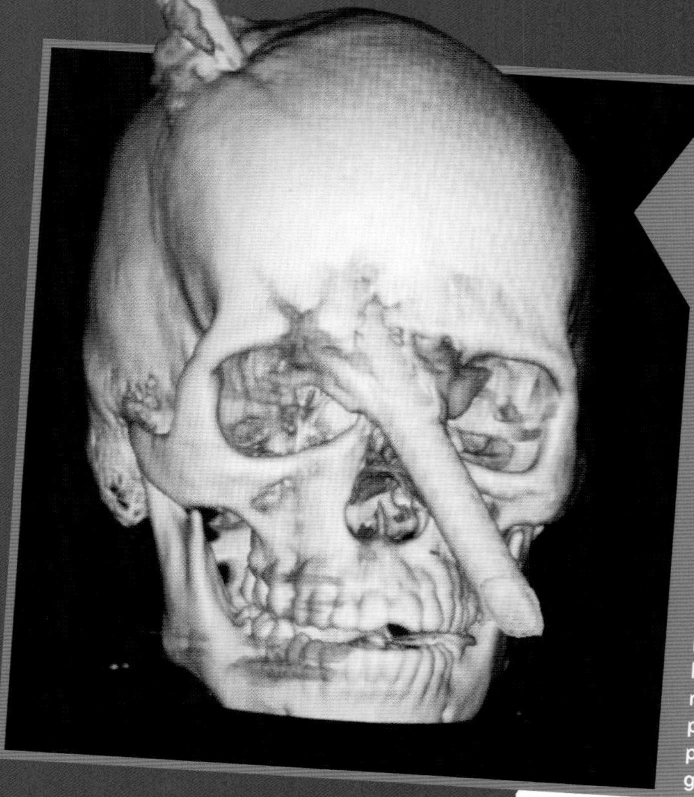

COUP DE BARRE

▸ Cette radio en 3D montre bien le crâne d'Eduardo Leite, un ouvrier en bâtiment qui a miraculeusement survécu à la chute d'une barre en métal de 1,80 mètre de long, tombée du 5e étage d'un immeuble à Rio de Janeiro, au Brésil. La barre a transpercé son casque de protection, est entrée par l'arrière de la tête pour ressortir entre ses yeux. Transporté à l'hôpital, il a passé cinq heures sur le billard, où les chirurgiens lui ont retiré l'objet. Il a failli perdre un œil et devenir paralysé du côté gauche de son corps.

FRUIT DE LA PASSION▸ Blanca Riveron de Seminole Heights, en Floride, attendait patiemment que le feu passe au vert au volant de sa voiture quand elle s'est mise à tousser et cracher le noyau d'un fruit qu'elle avait dans les poumons depuis 28 ans. Elle avait avalé accidentellement le noyau d'une nèfle dans son Cuba natal en 1984 et passait, depuis, son temps à tousser.

LE CLOU DU SPECTACLE▸ Li Xiangyang, un charpentier de Huangshi, en Chine, a avalé trois fois de suite un clou de 15 cm. Le tenant entre ses dents, il a toussé et l'a avalé aussitôt. Les docteurs l'ont localisé dans son poumon droit, ont introduit un bronchoscope à fibre optique dans sa gorge et l'ont retiré, mais au moment de le sortir, Li a toussé, renvoyant le clou dans son poumon gauche cette fois. En tentant de le sortir à nouveau, les docteurs ont provoqué une nouvelle toux, et le clou est parti se loger dans l'estomac, d'où il a finalement été extrait grâce à un endoscope.

COUPS DE MAIN▸ Sun Jifa, de la province du Jilin, en Chine, a perdu ses deux mains dans une explosion. Ne pouvant s'offrir les prothèses qu'un hôpital lui proposait, il a tout simplement décidé de les fabriquer lui-même. Après huit années de travail, il a réussi à créer deux mains en métal pouvant agripper et tenir des objets. Elles fonctionnent grâce à des câbles et des poulies actionnés par le mouvement de ses coudes.

BALLE SANS DANGER▸ Après s'être fait tirer dessus en mars 2012, le New-Yorkais Ricardo Acevedo est ressorti de l'hôpital rapidement : les médecins ont jugé que la balle qu'il avait reçue dans le cou ne posait aucun danger.

COQUINE COCCINELLE▸ Danielle Eccles de l'Essex, en Angleterre, a vécu une coccinelle dans l'oreille droite pendant trois ans. L'insecte, pris au piège dans la cire, lui a provoqué surdité, gonflement et diverses douleurs, avant d'être finalement localisé et retiré.

LE CŒUR SUR LE DOS▸ Le Londonien Matthew Green porte son cœur sur son dos. En attendant qu'un donneur d'organes se déclare, il vit avec un cœur en plastique alimenté par une machine qui tient dans un sac à bandoulière, suffisamment léger pour être transporté comme un sac à dos.

LE GARÇON TORTUE▸ Didier Montalvo, un gamin de 6 ans vivant à la campagne, en Colombie, a longtemps vécu avec une excroissance qui couvrait 40 % de son corps jusqu'à son ablation. Atteint de nervus géant congénital, il présentait un grain de beauté de 3,3 kg qui ressemblait à une carapace, d'où son surnom de Garçon tortue. À sa naissance, on a expliqué à sa mère Luz que c'était sa faute car elle avait assisté à une éclipse solaire étant enceinte.

COUP DE POUCE

▸ C'est en sciant du bois que James Byrne de Bristol, en Angleterre, s'est coupé le pouce gauche. Incapables de l'opérer, les chirurgiens lui ont proposé une autre solution : remplacer son pouce par un de ses orteils. Deux mois plus tard, le pouce-orteil fonctionnait très bien.

Quel pouce !

NI VU NI CONNU▸ Lotte van den Acker de Brunssum, aux Pays-Bas, affiche une illusion d'optique permanente sur sa peau. Helma, sa mère et par ailleurs artiste, lui a tatoué un Pentax *vintage* sur l'avant-bras, donnant l'impression que Lotte prend une photo quand elle met son bras devant ses yeux.

PIQUE ET PIQUE▸ Écrasé par un cactus Saguaro de 5 mètres de haut, William Mason, un ouvrier de Yuma, en Arizona, s'est brisé le dos et a reçu 146 piqûres d'épines. Sauvé par ses coéquipiers, il a été transporté aux urgences.

EYE AÏE AÏE !▸ Le 28 avril 2012, Yang Guanghe d'Anshun, en Chine, a tracté une Mercedes de 1,7 tonne grâce à des crochets fixés dans l'orbite de ses yeux. Yang, qui s'entraîne depuis 10 ans, pèse à peine 45 kg.

PIERCING▸ Wren Bowell, 2 ans, du Somerset, en Angleterre, a eu une chance inouïe quand un stylo lui a traversé l'orbite s'enfonçant de 4 cm dans le crâne, et s'arrêtant à quelques millimètres d'un vaisseau sanguin vital, lui évitant de sérieux troubles au cerveau, voire la mort. Les chirurgiens ont dû percer son crâne pour retirer le stylo, puis l'ont refermé avec des plaques et des vis en plastique.

ÉMÉCHÉ !▸ Après s'être fait pousser les cheveux pendant trois ans, Josh Darrah, un graphiste du Queensland, en Australie, s'est rasé la tête et a créé une perruque à partir de ses cheveux en collant les mèches une à une.

LA MONTAGNE, ÇA VOUS SAUVE▸ Emma Bassett, jeune écolière londonienne, ne le savait pas, mais elle a échappé à la mort grâce à une fête foraine. Se plaignant sans cesse de violents maux de tête, elle ignorait qu'elle était atteinte d'une tumeur au cerveau, si grosse qu'elle empêchait le liquide vital de bien circuler. C'est en faisant des montagnes russes dans une foire de Thorpe Park dans le Surrey que la pression dans son cerveau s'est relâchée, lui octroyant un précieux répit. Opérée à de multiples reprises, elle a dû réapprendre à marcher et à parler, mais elle a étonné les docteurs en se rétablissant complètement.

PRINCESSE TATOUÉE▸ Le corps d'une ancienne princesse de Sibérie retrouvé dans l'Altaï, en Asie centrale, arborant le tatouage d'un cerf avec le bec d'un griffon et les bois d'un capricorne, a été préservé pendant 2 500 ans dans le permafrost.

EN 30 MINUTES, LE CORPS HUMAIN DÉGAGE SUFFISAMMENT DE CHALEUR POUR CHAUFFER DEUX LITRES D'EAU.

EMPREINTE DIGITALE▸ Découvert en 2010 sur un parking dans l'Essex, en Angleterre, un pouce était la seule partie jamais retrouvée du corps d'un restaurateur assassiné. Largué du ciel par un oiseau, le pouce avait été sectionné par une scie de boucher. Cette découverte a permis l'arrestation de six personnes en lien avec le crime.

EMPALÉ MAIS VIVANT▸ Après une chute de cinq étages depuis la fenêtre d'un appartement, Julian Mattes de San Antonio, au Texas, s'est empalé le cou dans une barrière en fer, mais a survécu.

ŒIL DE LUXE▸ Inspiré par les bijoux dans la dentition de sa femme, le Dr Chandrashekhar Chawan de Mumbai, en Inde, a lancé une collection de lentilles de contact à 11 000 € la paire, contenant de l'or et des diamants. Les pierres ne touchent pas la cornée de l'œil, étant ainsi sans danger.

ARAIGNÉE SOURDE▸ Se plaignant de démangeaisons dans l'oreille gauche, une patiente du Changsha Central Hospital, en Chine, ne savait pas encore qu'une araignée s'était logée dans son canal auditif. Inquiets que l'insecte s'enfonce ou pique, les docteurs ont inondé l'oreille de solution saline pour la faire déguerpir.

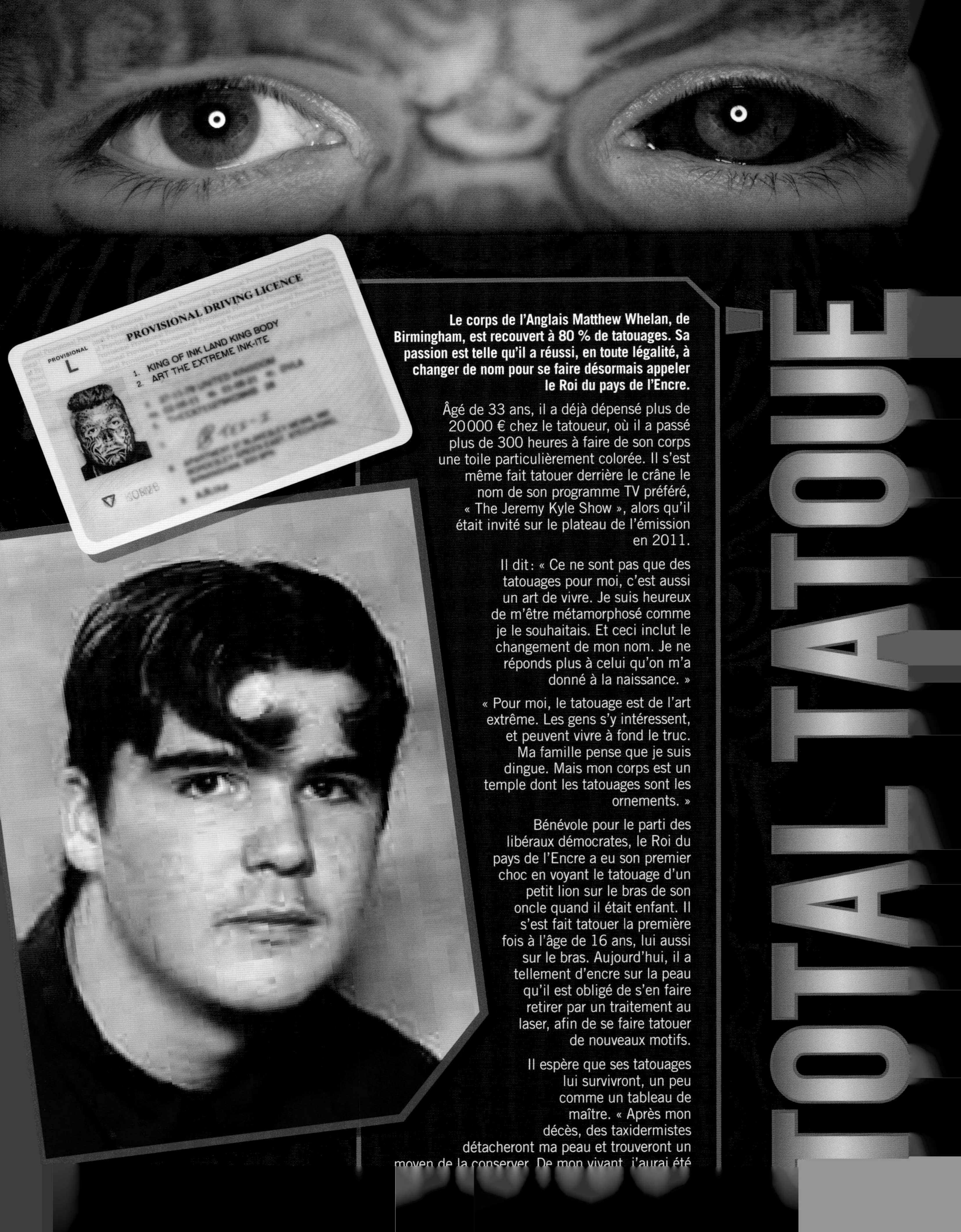

TOTAL TATOUÉ

Le corps de l'Anglais Matthew Whelan, de Birmingham, est recouvert à 80 % de tatouages. Sa passion est telle qu'il a réussi, en toute légalité, à changer de nom pour se faire désormais appeler le Roi du pays de l'Encre.

Âgé de 33 ans, il a déjà dépensé plus de 20 000 € chez le tatoueur, où il a passé plus de 300 heures à faire de son corps une toile particulièrement colorée. Il s'est même fait tatouer derrière le crâne le nom de son programme TV préféré, « The Jeremy Kyle Show », alors qu'il était invité sur le plateau de l'émission en 2011.

Il dit : « Ce ne sont pas que des tatouages pour moi, c'est aussi un art de vivre. Je suis heureux de m'être métamorphosé comme je le souhaitais. Et ceci inclut le changement de mon nom. Je ne réponds plus à celui qu'on m'a donné à la naissance. »

« Pour moi, le tatouage est de l'art extrême. Les gens s'y intéressent, et peuvent vivre à fond le truc. Ma famille pense que je suis dingue. Mais mon corps est un temple dont les tatouages sont les ornements. »

Bénévole pour le parti des libéraux démocrates, le Roi du pays de l'Encre a eu son premier choc en voyant le tatouage d'un petit lion sur le bras de son oncle quand il était enfant. Il s'est fait tatouer la première fois à l'âge de 16 ans, lui aussi sur le bras. Aujourd'hui, il a tellement d'encre sur la peau qu'il est obligé de s'en faire retirer par un traitement au laser, afin de se faire tatouer de nouveaux motifs.

Il espère que ses tatouages lui survivront, un peu comme un tableau de maître. « Après mon décès, des taxidermistes détacheront ma peau et trouveront un moyen de la conserver. De mon vivant, j'aurai été

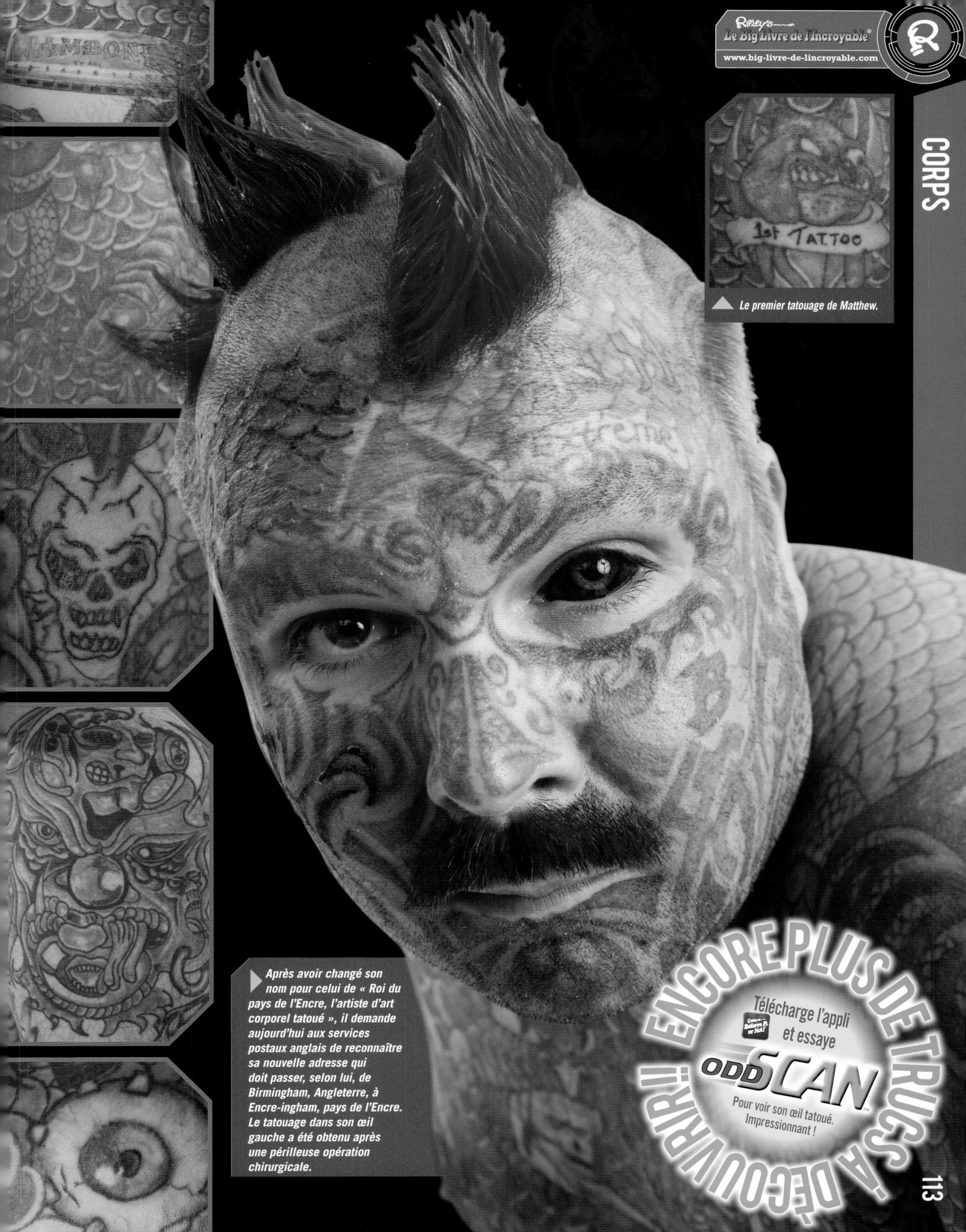

Le premier tatouage de Matthew.

Après avoir changé son nom pour celui de « Roi du pays de l'Encre, l'artiste d'art corporel tatoué », il demande aujourd'hui aux services postaux anglais de reconnaître sa nouvelle adresse qui doit passer, selon lui, de Birmingham, Angleterre, à Encre-ingham, pays de l'Encre. Le tatouage dans son œil gauche a été obtenu après une périlleuse opération chirurgicale.

ÉTRANGES CHOSES AVALÉES

▶ Aux Pays-Bas, des chirurgiens ont retrouvé **78 pièces de couvert** dans l'estomac de Margaret Daalman, 52 ans.

▶ Au Vietnam, les docteurs ont retiré **119 clous rouillés de 7,5 cm** chacun dans l'estomac d'une femme de 43 ans.

▶ Une touffe de poils de **4,5 kg et de 38 cm** de long a été retrouvée dans l'estomac d'une jeune fille de 18 ans originaire de Chicago, dans l'Illinois.

▶ En tentant de déloger un cafard qui venait d'entrer dans sa bouche, une Israélienne a avalé la **fourchette** qui lui servait d'outil… avec le **cafard**.

▶ Une **brosse à dents** de 18 cm de long a été extraite de l'estomac d'une jeune Néo-Zélandaise de 15 ans qui n'aurait jamais dû se laver les dents tout en montant un escalier.

▶ Après une dispute avec son petit ami, une Chinoise de Foshan a avalé une **vingtaine de cailloux**. Elle a dû être opérée car ils ne voulaient pas sortir par voie naturelle.

▶ En Inde, l'estomac de Kuleshwar Singh contenait **421 pièces de monnaie**, **197 fragments de filet de pêche**, **trois clés** et une **chaîne de vélo**.

▶ Pensant manger des bonbons, Haley Lents, 8 ans, de Huntingburg, dans l'Indiana, a avalé **20 billes en acier et 10 magnets**.

LE RETOUR DES MORTS

▶ Hamdi Hafez al-Nubi, un serveur égyptien, a étonné toute sa famille en se réveillant le jour de ses funérailles, en 2012.

▶ Déclaré mort après un accident survenu sur une autoroute en 2007, le Vénézuélien Carlos Camejo s'est réveillé à la morgue avec d'atroces douleurs, au moment même où les médecins commençaient son autopsie.

▶ Souffrant d'arrêts cardiaques à répétition, Jim McClatchey a été déclaré une centa ine de fois cliniquement mort dans un hôpital d'Atlanta, en Georgie, le 20 novembre 2004, avant de revenir à la vie une bonne fois pour toutes.

▶ Prononcé mort par quatre spécialistes après un accident de la route en 2008, Steven Thorpe, 17 ans, du Warwickshire, en Angleterre, est finalement sorti de l'hôpital après sept semaines de soins.

▶ Dona Ramona, 97 ans, de Sampues, en Colombie, a été prononcée morte quatre fois à tort en 2005, après avoir été plongée puis réveillée d'un coma diabétique.

▶ Velma Thomas de Nitro, en Virginie-Occidentale, a été débranchée de l'assistance respiratoire, son cerveau ne montrant aucun signe d'activité pendant 17 heures, son cœur ayant cessé trois fois de battre, et ses mains et doigts de pieds étant déjà recroquevillés. Elle s'est réveillée dix minutes plus tard.

▶ Feliberto Carrasco, 81 ans, d'Angol, au Chili, s'est réveillé dans son cercueil en 2008, au cours de sa veillée funèbre. Une fois tiré de là, il a demandé un grand verre d'eau.

ÉTRANGES PATHOLOGIES

▶ **Syndrome de la main étrangère:** affection neurologique où la main d'une personne semble possédée et agir toute seule, comme dans un film d'horreur. Dans les cas extrêmes, la main peut attaquer celui à qui elle appartient!

▶ **Syndrome de l'accent étranger:** après une blessure au cerveau, il arrive qu'une personne rentre du bloc opératoire en ayant un accent totalement différent, comme ce fut le cas de Wendy Hasnip, cette Anglaise qui s'est mise à parler avec un accent français après un AVC.

▶ **Syndrome de Cotard:** la personne est persuadée qu'elle est morte ou s'est vidée de son sang, voire qu'elle a perdu tous ses organes, faisant d'elle un zombi.

▶ **Syndrome de Kleine-Levin:** Nicole Delian de North Lafayette, en Pennsylvanie, souffre de ce trouble neurologique qui la pousse à dormir plus de 18 heures par jour. Elle a même dormi pendant 64 jours d'affilée, ne se réveillant que pour se nourrir brièvement, et encore était-elle dans un état de somnambulisme avancé!

▶ **Syndrome de la tête qui explose:** hallucination liée à l'anxiété, au cours de laquelle le sujet entend un bruit fort et soudain dans sa tête, le plus souvent durant son sommeil.

▶ **Syndrome d'Alice au pays des merveilles:** ce trouble neurologique altère la perception de la taille des objets. Ainsi, une personne atteinte de ce syndrome peut très bien voir un cheval de la taille d'une souris ou des coccinelles aussi grosses qu'une maison.

▶ **Syndrome de Capgras:** ce trouble psychiatrique donne l'illusion à une personne que quelqu'un de son entourage, souvent un très proche, a été en fait remplacé par quelqu'un d'autre, mais avec les mêmes traits.

▶ **Syndrome de Stendhal:** des sensations de vertige, de confusion, voire même l'évanouissement peuvent être ressentis par des personnes à la simple vue d'œuvres d'art exceptionnelles, comme des tableaux de maître.

MIRACLE DE LA MÉDECINE

▸ Technically decapitated in a car
Après 19 ans passés dans le coma à la suite d'un accident de voiture, Terry Wallis, de l'Arkansas, a surpris tout le monde en retrouvant la conscience et la parole.

▸ Aveugle pendant dix ans, la Néo-Zélandaise Lisa Reid a retrouvé la vue en se cognant la tête par hasard sur le rebord d'une table de café.

▸ Technically decapitated in a car
Considéré comme décapité à la suite d'un accident de voiture, Jordan Taylor, 9 ans, de Hillsboro, au Texas, a pu repartir de l'hôpital trois mois plus tard. L'opération chirurgicale ayant consisté à ressouder sa tête à son cou avait réussi.

▸ Emma Hassell de Southampton, en Angleterre, est devenue subitement sourde. Neuf mois plus tard, en apprenant qu'elle était enceinte, son audition s'est rétablie comme si elle n'avait jamais disparu.

▸ Technically decapitated in a car
Né avec une tumeur dangereuse à la colonne vertébrale, Brandon Connor, 2 ans, d'Atlanta, en Géorgie, devait subir une opération chirurgicale périlleuse qui aurait pu le laisser paralysé à vie. La veille de l'opération, la tumeur a mystérieusement disparu.

▸ Après un accident de voiture à Curitiba, au Brésil, un homme a perdu la mémoire et la faculté de parler. En dépit d'appels au public, il est resté anonyme pendant six ans, jusqu'au jour où il a retrouvé la parole et prononcé son nom, Amauri Calixto.

FORCE DE LA NATURE

▸ Condamné au peloton d'exécution lors de la révolution mexicaine de 1915, Wenseslao Moguel **a survécu à neuf coups de feu**. Le coup de grâce est venu d'un officier qui l'a exécuté d'une balle dans la tête, pour être sûr qu'il était mort.

▸ Nu à l'exception d'un T-shirt, avec un peu d'eau et de nourriture, le navigateur américain Steven Callahan **a dérivé sur l'océan Atlantique pendant 76 jours** et 3 333 km en 1982 sur un bateau pneumatique gonflable, après que son bateau eut coulé suite à un orage.

▸ Éjectée à 3,2 km de son avion qui venait de **s'écraser dans la forêt péruvienne** suite à un violent orage en 1971, Juliane Koepcke, seule survivante des 92 passagers, a mis neuf jours avant de trouver de l'aide. Elle souffrait d'une clavicule cassée, un de ses yeux était méchamment gonflé, et elle avait diverses coupures et rougeurs sur tout le corps.

▸ Joan Murray a survécu à **une chute de 4 400 mètres au-dessus de la Caroline du Nord, en 1999, aucun de ses deux parachutes ne s'étant ouvert**. Elle a atterri sur une fourmilière dont les quelque 200 piqûres semblent avoir maintenu son cœur en alerte. Après avoir passé deux semaines dans le coma, elle a été autorisée à quitter l'hôpital six semaines plus tard.

▸ En 1993, au cours d'une partie de pêche dans les montagnes du Colorado, Bill Jeracki **s'est retrouvé coincé par un énorme rocher qui a roulé sur sa jambe** et l'a écrasée. Seul au monde, il a survécu en se mutilant la jambe lui-même à l'aide d'un couteau de poche, avant de ramper jusqu'à sa voiture et de se rendre dans la ville la plus proche.

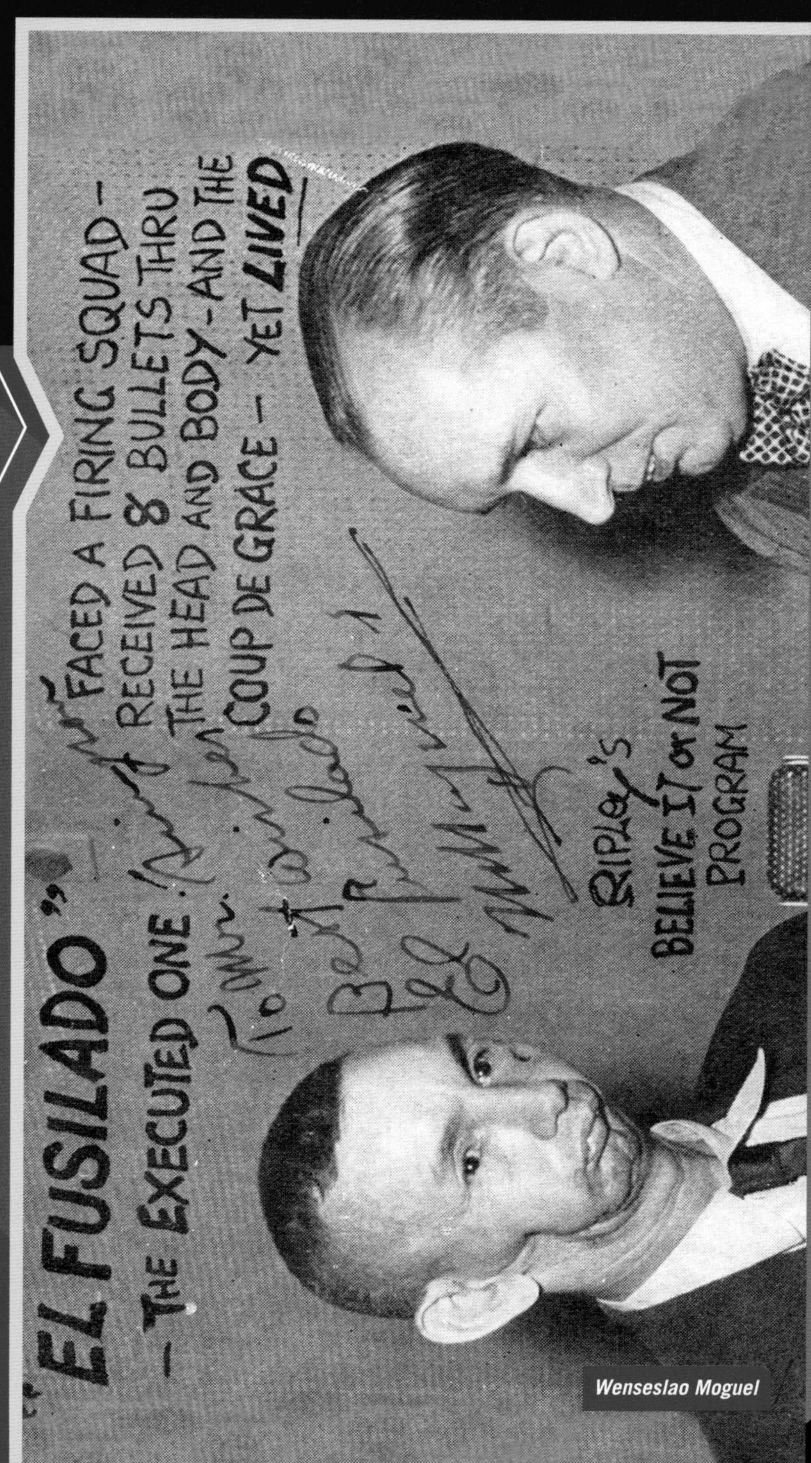

Wenseslao Moguel

POIDS CHICHE▶ Drew Manning, un prof de fitness d'Eagle Mountain, dans l'Utah, a délibérément pris 32 kg en mangeant exagérément et en cessant tout exercice, juste pour ressentir ce que ça fait d'être gros.

SELS DE LARMES▶ À Londres, Hoxton Street Monster Supplies propose des sels récoltés à partir de larmes humaines. La gamme comporte des larmes de tristesse, suscitées par des éternuements, l'épluchage d'oignons, la tristesse et le fou rire.

APPÉTITS D'AIMANTS▶ Lorsque Payton Bushnell, 3 ans, de Portland, dans l'Oregon, s'est plainte d'avoir mal au ventre, ses parents ont pensé qu'elle avait la grippe... jusqu'à ce qu'une radio révèle qu'elle avait avalé 37 aimants Buckyball faisant partie d'un jouet. La force des aimants avait conduit ses intestins à s'emboîter et provoqué quatre perforations dans son estomac et son gros intestin.

IL EST GAI, RIT▶ Depuis son opération de la hanche aux Pays-Bas en 2010, Huug Bosse rit sans arrêt, de tout et de tout le monde. L'anesthésique utilisé pour son opération serait le responsable de cette hilarité incontrôlable.

LA MAIN À LA PATTE▶ Depuis plus de neuf ans, Kenichi Ito, 30 ans, de Tokyo, se déplace principalement à quatre pattes, y compris pour accomplir les tâches ménagères. Ce passionné de singes a modelé sa démarche sur celle des patas d'Afrique. Il parvient même ainsi à courir le 100 mètres en 17,47 secondes. Mais, alors qu'il se promenait en montagne, il a failli se faire tirer dessus par un chasseur qui l'avait pris pour un sanglier.

CASSE-PIEDS▶ Tristan Stadtmuller, de Los Angeles, s'est fracturé les deux pieds lors d'un entraînement des fusiliers marins du corps des Marines des États-Unis, mais il a poursuivi son service pendant sept mois avant de se faire soigner.

GROSSE FATIGUE▶ Reece Williams, un écolier anglais de Birmingham, souffrait d'une narcolepsie si sérieuse qu'il dormait jusqu'à 23 heures par jour. Les médecins ont établi qu'il lui suffisait de 19 secondes pour atteindre le sommeil profond, contre 40 minutes pour une personne normale. De plus, il souffrait de cataplexie, une perte brusque du tonus musculaire provoquée par des émotions telles que l'excitation, le rire et la surprise. Il lui arrivait ainsi de tomber jusqu'à 25 fois par jour. Le plaisir de donner un coup de pied dans un ballon suffisait à le faire chuter et s'endormir.

CASSE-COU▶ Philip Loveday, de Bridgend, au pays de Galles, a vécu pendant plus de quarante ans avec une fracture au cou. Il s'est blessé à 16 ans, en jouant au rugby, mais la fracture n'a été découverte qu'en 2012, lorsqu'il a passé un scanner après s'être luxé l'épaule. Entre-temps, il a servi dans l'armée britannique en Irlande du Nord et dans la région du Golfe, et continué à jouer au rugby.

LA SANTÉ PAR LES LANGUES▶ Les personnes bilingues sont mieux armées pour combattre la démence provoquée par la maladie d'Alzheimer que celles qui ne parlent qu'une seule langue. Elles peuvent repousser jusqu'à cinq ans l'installation des symptômes par rapport à une personne unilingue. Il faut en effet que deux fois plus de neurones soient touchés avant que les symptômes se manifestent.

GUÉRI PAR LE CUIVRE▶ Un mois après avoir collé quatre pièces de cuivre à l'intérieur de ses chaussures, le Londonien Johnny Franks, 85 ans, s'est trouvé guéri de l'arthrite dont il souffrait depuis quinze ans. Certains experts pensent que la présence de cuivre près de la peau peut calmer l'inflammation et les douleurs de l'arthrite.

TUMEUR FŒTALE▶ Les chirurgiens du Jackson Memorial Hospital, en Floride, ont réalisé une première mondiale en retirant, à l'aide d'un laser, une tumeur sur la lèvre d'un fœtus, afin de le sauver. Un scanner prénatal de la mère, Tammy Gonzalez, avait révélé un rarissime tératome buccal, le second observé dans cet hôpital en vingt ans. Leyna est née cinq mois plus tard en bonne santé. De l'opération qui lui a sauvé la vie, elle ne garde qu'une minuscule cicatrice.

DU BOIS DANS L'ESTOMAC▶ Quand les médecins ont opéré Ove Sohlberg, de Lycksele, en Suède, en 2011, ils ont retiré de son ventre un bâtonnet pointu en bois qui le faisait souffrir depuis 25 ans. On pense que le bâtonnet avait été laissé dans son estomac lorsqu'il s'était fait opérer d'un ulcère.

KYSTES EN BOULES

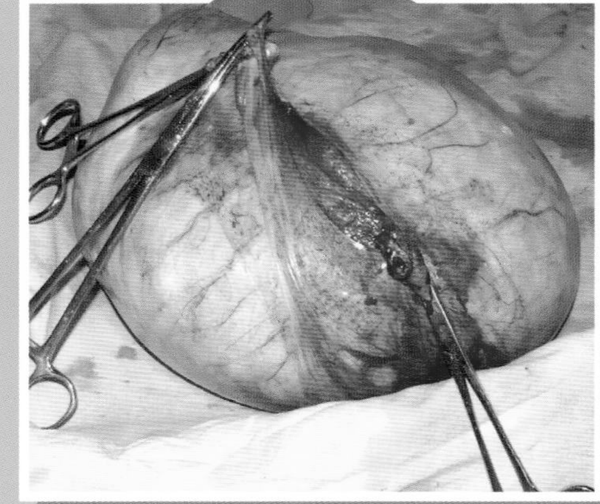

▶ *Ces étranges kystes, parfaitement ronds, étaient eux-mêmes à l'intérieur d'un gros kyste retiré de l'abdomen d'une femme de 54 ans, Wan Jiazhen, à l'hôpital de Chongquing, en Chine.*

TÊTE DE HÉROS

▸ Radames Perez, coiffeur inspiré de Palm Beach, en Floride, dessine d'étonnants portraits de vedettes et de héros de bandes dessinées sur le crâne de ses clients avec son rasoir et sa tondeuse. Parmi ses créations, on peut citer: Diddy, Predator, Mickey et Bob l'éponge.

ULTRA VISION▸ L'aphakie se caractérise par l'absence de cristallin dans l'œil. Elle peut être due à une malformation congénitale ou à une opération chirurgicale. Les personnes qui en sont atteintes voient les rayons ultraviolets, normalement bloqués par le cristallin pour protéger l'œil de la cécité des neiges. Durant la Seconde Guerre mondiale, des observateurs atteints d'aphakie avaient été engagés par l'armée pour guetter les côtes britanniques afin de repérer des sous-marins allemands communiquant avec des espions à terre par l'intermédiaire de lampes UV.

FŒTUS JUMEAU▸ En janvier 2012, Isbac Pacunda, 3 ans, a subi une opération au Pérou pour retirer de son abdomen un fœtus partiellement formé, son jumeau. Le fœtus pesait 680 grammes et mesurait 23 cm. Cette anomalie concerne 1 sur 500 000 bébés nés vivants.

BOMBARDEMENT MOÉCULAIRE▸ À chaque seconde, chaque centimètre de votre corps est bombardé par plus d'un trilliard (1 000 000 000 000 000 000 000) de molécules d'air.

OSSO BEAUCOUP▸ Vos os sont quatre fois plus solides que du béton, mais tandis que les bébés naissent avec 300 os différents, on n'en compte que 206 chez l'adulte.

SUR SON ÉLAN▸ Après la collision de sa voiture avec un gros élan, Michelle Higgins, de Norris Arm, à Terre-Neuve, a conduit 40 km pour se rendre à son travail. Elle avait deux fractures au cou, son visage était tuméfié et saignait, son pare-brise était détruit et le toit de sa voiture était ouvert comme le couvercle d'une boîte de sardine. Cependant, elle n'avait gardé aucun souvenir de l'accident.

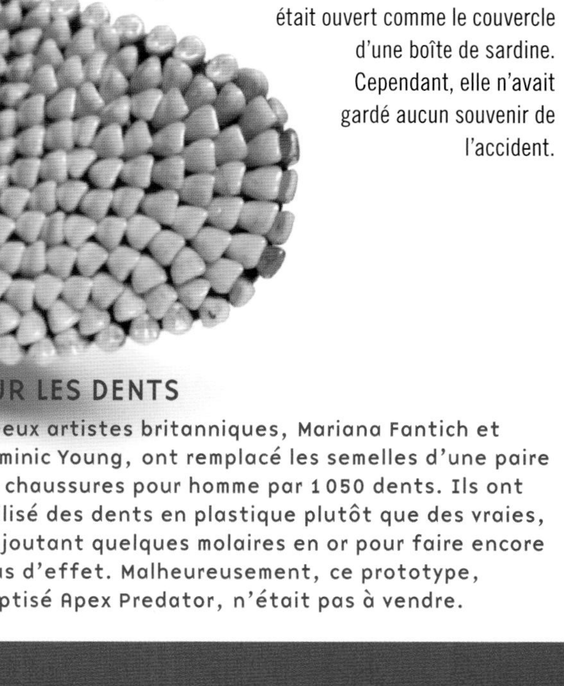

SUR LES DENTS

▸ Deux artistes britanniques, Mariana Fantich et Dominic Young, ont remplacé les semelles d'une paire de chaussures pour homme par 1 050 dents. Ils ont utilisé des dents en plastique plutôt que des vraies, y ajoutant quelques molaires en or pour faire encore plus d'effet. Malheureusement, ce prototype, baptisé Apex Predator, n'était pas à vendre.

L'ENFANT LOUP

JESUS ACEVES, L'ENFANT LOUP

Jesus « Chuy » Aceves, de Loreto au Mexique, est surnommé l'enfant-loup en raison d'une maladie rare à cause de laquelle son visage est entièrement couvert de poils.

Chuy est né avec une forme héréditaire d'hypertrichose, ou « Syndrome du loup-garou », qui provoque une croissance pileuse anormale et ne touche qu'une personne sur un milliard. Seuls 50 cas ont été enregistrés à ce jour.

Quinze des membres de la famille de Chuy souffrent d'hypertrichose. Lui-même en a hérité de son arrière-grand-mère. L'excès de pilosité ne se manifeste que sur son visage. « Les bras sont plus normaux, explique-t-il. Les jambes aussi. Cependant d'autres membres de la famille, mes cousins, ont plus de poils sur le visage, sur les oreilles, la poitrine et le dos. Certains en ont plus sur les jambes, d'autres moins, et d'autres très peu. C'est comme ça. »

Lili, la sœur de Chuy, qui souffre d'une forme moins prononcée de la maladie, travaillait dans un cirque, mais elle a arrêté pour s'engager dans la police mexicaine. Cependant, ses cousins, Larry et Danny Ramos Gomez, qui sont aussi hirsutes que lui, ont fait de belles carrières au cirque et dans les foires. Ils ont actuellement un numéro d'acrobates au trapèze et au trampoline.

Chuy est marié et père de deux filles, dont une à qui il a transmis sa maladie. Lui et sa famille ont beaucoup souffert de préjugés lorsqu'il était petit au Mexique. À 12 ans, sur les conseils d'un ami, avec ses cousins et sa sœur Lili, il est entré dans la troupe d'un cirque à Los Angeles. Leur succès fut immédiat. Les Américains n'avaient encore jamais vu de personne atteinte d'hypertrichose.

Chuy est resté dans la troupe pendant 15 ans avant d'essayer de chercher un travail « normal ». Mais il n'a rien trouvé qui paye aussi bien que le cirque. Alors, en 2012, il a intégré la troupe du Cirque des Horreurs (Circus of Horrors) pour sa tournée au Royaume-Uni.

Chuy considère sa condition comme « un don de Dieu ». Il se coupe les poils deux fois par mois, mais ne s'est rasé le visage que deux fois, parce qu'il a trouvé que ça lui irritait la peau. « Mon visage et mes yeux étaient tout enflés, explique-t-il. Je me sentais bizarre. Ça ne m'a pas plu. Je me sens mieux tel que je suis. »

Pour sa tournée en Grande-Bretagne avec le Cirque des Horreurs, Chuy a appris de nouveaux numéros, comme escalader une échelle faite d'épées ou s'enfiler une cuillère dans le nez.

CRISES CARDIAQUES▸ Deux hommes du Merseyside, en Angleterre, ont chacun sauvé la vie de l'autre en l'espace de dix mois lorsqu'ils ont souffert d'une crise cardiaque en jardinant. Quand Peter Smith s'est écroulé en février 2011, il a reçu les premiers soins de son futur gendre, Tony Hopper, avant d'être opéré en urgence. Puis, en décembre 2011, Peter lui a rendu la pareille quand le cœur de Tony s'est arrêté à deux reprises.

SERMONS NOCTURNES▸ À la suite d'une maladie, en 1880, Hezekiah Perry de Saluda, en Caroline du Nord, a prononcé des sermons religieux dans son sommeil chaque nuit jusqu'à sa mort en 1925.

SAUVÉ PAR SA TOUX▸ Claire Osborn de Coventry, en Angleterre, a sauvé sa propre vie en expectorant une tumeur cancéreuse inopérable. Après avoir senti une irritation dans sa gorge, cette mère de six enfants, âgée de 37 ans, a craché une tumeur de 2 cm de long que les médecins ont reconnue comme une forme agressive de cancer. Elle avait probablement poussé sur un pédoncule dans le fond de sa gorge, avant d'être délogée par la quinte de toux. Si elle ne l'avait pas expulsée, la tumeur aurait grossi et se serait vraisemblablement propagée à d'autres organes.

PAR OÙ IL A PÉCHÉ▸ Des médecins indiens ont retiré un poisson vivant de 9 cm de long des poumons d'Anil Barela, 12 ans. Il avait avalé l'animal en jouant avec ses amis au bord d'une rivière dans l'État de Madhya Pradesh, mais le poisson avait fait fausse route pour se retrouver dans le poumon gauche du garçon.

ACCENT GRAVE▸ Après avoir eu la grippe, Debie Royston de Birmingham, en Angleterre, s'est soudain mise à parler avec l'accent français, bien qu'elle ne soit jamais venue en France. Sa maladie avait provoqué plusieurs crises convulsives qui lui avaient fait temporairement perdre l'usage de la parole. Lorsque sa voix est revenue, un mois plus tard, son accent avait complètement changé.

TOUTE TATOUÉE

▸ Isobel Varley, 75 ans, de Stevenage, dans le Hertfordshire, en Angleterre, est tatouée sur l'ensemble du corps à l'exception du visage, des oreilles et de la plante des pieds. Elle a un groupe de tigres sur le ventre, une paire d'orangs-outans sur le mollet droit, une araignée sur l'aisselle gauche, des fraises sur la partie gauche du cou, et des raisins sur la partie droite. Elle s'est même fait raser pour pouvoir ajouter des tatouages sur son crâne. Elle porte également une cinquantaine de piercings, dont 29 dans les oreilles.

STYLO SOLIDE▸ Une Britannique avait avalé accidentellement un stylo-feutre en 1986, en essayant d'examiner ses amygdales. Quand il fut finalement retiré de son estomac, 25 ans plus tard, le stylo fonctionnait toujours.

CHIRURGIE ESTHÉTIQUE▸ Depuis 1988, alors qu'elle avait 32 ans, Cindy Jackson, du Kentucky, a subi 52 interventions de chirurgie esthétique pour une valeur de 100 000 dollars. Cela comprend 14 opérations complètes, 5 liftings du visage, deux opérations du nez, une de la mâchoire, des implants sur les lèvres et les joues, des liftings des paupières, une réduction du menton, des injections de Botox et une liposuccion.

SUCETTE ANTI-HOQUET▸ À 13 ans, Mallory Kievman de Manchester, dans le Connecticut, a créé une société pour commercialiser un remède contre le hoquet. Elle a inventé les Hiccupops, des sucettes à base de vinaigre de cidre et de sucre, après avoir ainsi guéri ses propres crises de hoquet. Elle affirme que le remède supprime le réflexe du hoquet en stimulant les nerfs de la gorge qui le provoquent.

TÊTE RECONSTRUITE▸ Après une chute de 8 mètres, le Londonien Tim Barter avait un grand trou dans la tête. Son crâne, ses pommettes et ses orbites étaient brisés. Des plaques de titane furent insérées en passant par ses joues, afin de réparer son crâne. On injecta ensuite de la graisse de son ventre dans son front afin de compléter le processus de remodelage.

JUMELLES UNIQUES▸ Sienna et Sierra Bernal de Houston, au Texas, constituent la seule paire au monde de vraies jumelles dont l'une est atteinte de nanisme primordial. À leur naissance, trois mois avant terme, Sienna pesait à peine 500 grammes. Aujourd'hui, à 13 ans, son poids est la moitié de celui de sa sœur et elle ne mesure que 1,20 mètre, la taille normale d'un enfant de 6 ans, alors que sa sœur mesure 1,50 mètre.

▸ *Les femmes Yao de Chine ne coupent leurs cheveux qu'une fois au cours de leur vie. Elles les enroulent autour de leur tête avant de les attacher en chignon.*

UNE PINCE DANS LE DOS

Kathy Vick de Cedar Springs, dans le Michigan, a contacté Ripley pour nous parler de ce que son fils arrive à faire avec ses omoplates. Jean-Paul, 15 ans, parvient à serrer ses omoplates suffisamment pour retenir une pièce de monnaie entre elles pendant au moins deux minutes, et pour écraser des cannettes de soda.

BIEN TOMBÉ Mikee Collins de Sydney, en Australie, a fait une chute de huit étages… et a survécu. Sa tentative pour accéder à une corniche située sous son balcon a mal tourné quand Mikee a glissé sur la rampe humide. La chute de 25 mètres lui a brisé toutes les côtes, le bassin, la base du crâne, le pied gauche, les vertèbres inférieures, et causé une rupture de la rate. Mais il n'avait pas la moindre ecchymose ou égratignure sur le corps.

TIRÉ PAR LES CHEVEUX Xu Huijun, une femme de Dalian, en Chine, qui mesure juste 1,60 mètre et pèse à peine 51 kg, a utilisé ses cheveux afin de tirer deux jeeps pour un poids total de près de 5 tonnes, soit 90 fois le sien.

LA FORCE DE L'ÂGE À 10 ans, Naomi Kutin, de Fairlawn, dans le New Jersey, pèse à peine 44 kg, mais elle est capable de soulever 97,5 kg, soit plus du double de son poids.

PAS DE QUOI RIRE Les membres d'un club de « Yoga du rire » de Bombay, en Inde, ont été priés de modérer leur enthousiasme car les voisins considéraient le son de leur hilarité thérapeutique comme une agression sonore.

ACCOUCHEMENT MARATHON À Chicago, Amber Miller a donné naissance à une petite fille juste quelques heures après avoir terminé l'édition 2011 du marathon de la ville. Elle était enceinte de pratiquement 39 semaines lorsqu'elle a couru les 42 km du parcours.

LE VILLAGE DES CHEVEUX

Les cheveux des cent vingt femmes Yao du village de Huangluo, en Chine, mesurent en moyenne 1,70 mètre de long. Convaincues que les longs cheveux sont un signe de chance et de bonne santé, les villageoises ne peuvent couper leurs cheveux qu'une fois au cours de leur vie, à l'âge de 16 ans. Les cheveux coupés sont utilisés pour fabriquer un chapeau qu'elles offrent à leur époux le jour du mariage. Jusqu'à récemment, seuls le mari et les enfants d'une femme étaient autorisés à voir ses cheveux détachés. Si un passant venait à contempler ce spectacle, il devait passer trois ans dans la famille en tant que gendre.

06

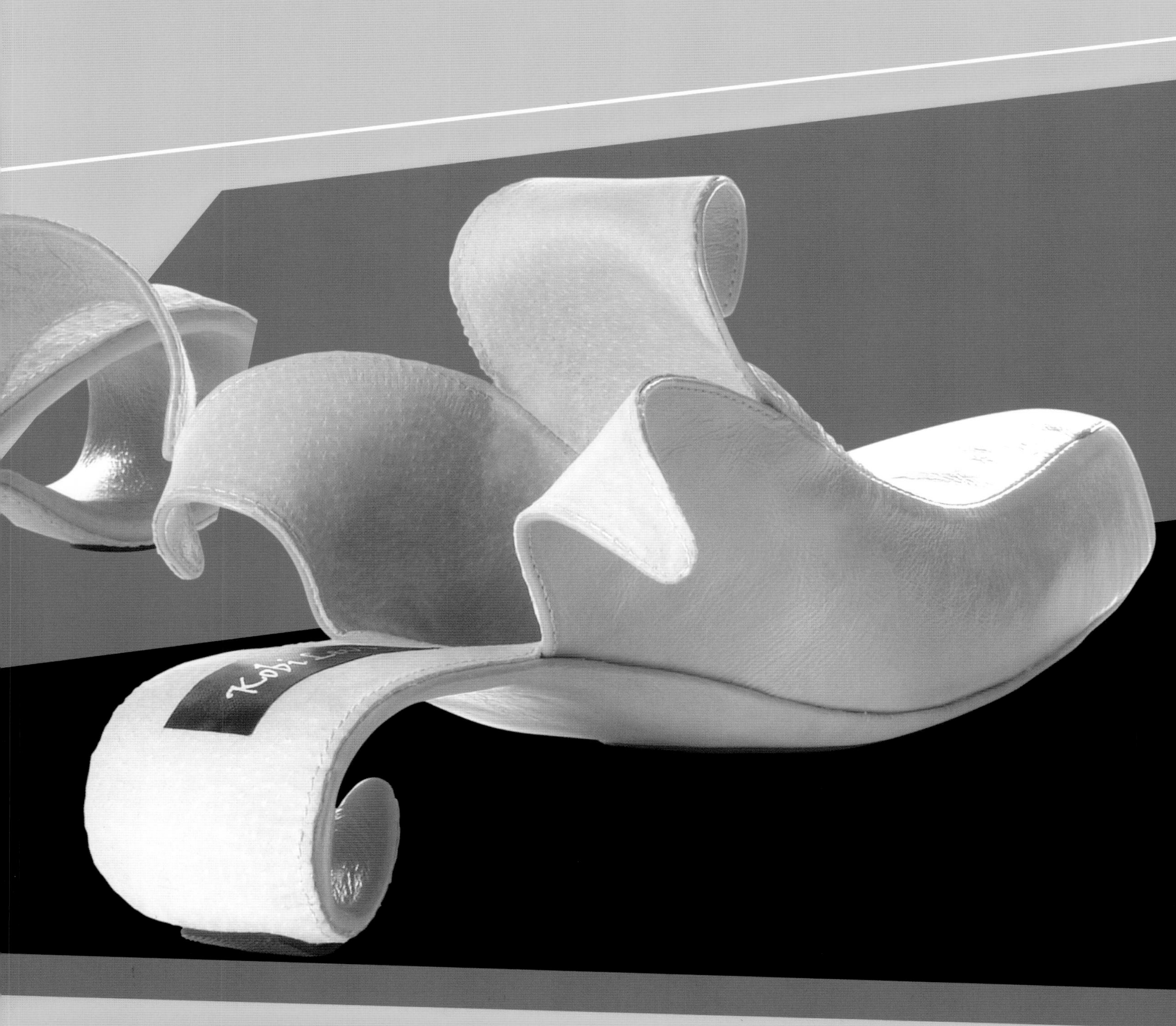

POP CULTURE

HOBBIT HOME

Jeremy Telford, grand fan du *Seigneur des anneaux*, s'est construit une réplique du « trou du Hobbit » tout en ballons. Car Jeremy est un artiste plasticien qui ne crée qu'à partir de ballons. S'aidant d'une pompe, il a mis 40 heures à gonfler le nombre impressionnant de ballons (2600) qui lui ont permis de réaliser chez lui, à Pleasant Grove (Utah), la réplique du Cul-de-Sac de Bilbon Sacquet, le fameux personnage de la saga *fantasy* de J.R.R. Tolkien.

ENCORE PLUS DE TRUCS À DÉCOUVRIR !

Télécharge l'appli et utilise ODDSCAN™

Découvre la vidéo du trou tout en ballons !

LE HOBBIT, LE FILM

Inspiré de Tolkien et réalisé par Peter Jackson, *Le Hobbit : un voyage inattendu*, premier volet de la trilogie du *Hobbit*, a coûté environ 200 millions d'euros.

C'est le premier film à avoir été tourné puis projeté en 48 images par seconde, soit deux fois plus que d'ordinaire. Ce nouveau procédé facilite la vision synchronisée du film en 3D.

Chacun des 13 personnages de nains figurant à l'image a nécessité plus de 80 kg de vêtements et d'accessoires : costume rembourré, prothèses, poils artificiels…

Les perruques et les barbes des nains ont été réalisée à partir de laine de yak. Durant les 18 mois de tournage, la production aurait consommé l'équivalent de 720 km de ces poils, mis bout à bout.

Il a fallu 6 perruques et 8 barbes pour chaque personnage de nain, tricotées poil par poil – en comptant les rechanges et celles des doublures.

5 000 déguisements ont été fabriqués pour le film, ce qui a nécessité 4 tonnes de silicone.

Pour faire le cri d'un gobelin, les bruiteurs ont dû superposer jusqu'à 16 sons différents.

3 000 personnes se sont présentées pour un casting à Wellington (Nouvelle-Zélande), où le film a été tourné. La foule était telle que la police a contraint les organisateurs à l'annuler, pour raisons de sécurité.

Imprimé à 1 500 exemplaires seulement à sa parution en 1937, *Le Hobbit* s'est depuis lors vendu à plus de 100 millions d'exemplaires. Il a été traduit en plus de 50 langues. En 2008, un exemplaire dédicacé de l'édition originale a atteint l'équivalent de 65 000 euros aux enchères.

Tolkien, qui était professeur à Pembroke College (Oxford), a écrit la toute première ligne du roman (« Dans un trou vivait un hobbit… ») vers 1930, pour se distraire d'une corvée de correction de copies.

SEINS QUI PINCENT

TAILLE XXL▸ Les enfants d'une école de Stockport (Angleterre) ont participé à la réalisation d'une veste assez grande pour couvrir plus de la moitié d'un terrain de tennis. Constituée de 8 832 carreaux tricotés, elle mesure 13 x 5,5 mètres.

SONS DE POISSONS▸ « Quintetto », installation musicale artistique créée par l'atelier Quiet Ensemble, regroupe cinq aquariums fonctionnant comme cinq instruments numériques, chacun jouant différemment selon la position des poissons.

CHAUSSURES CHOU▸ L'artiste canadienne Nicole Dextras, de Vancouver, a conçu « Weedrobes », une ligne de vêtements dont les créations sont fabriquées à partir de fleurs, de mauvaises herbes, de feuilles et même d'épines. Elle a d'abord eu l'idée d'un manteau en feuilles de laurier, puis a étendu ce principe, fabriquant par exemple des chaussures en feuilles de chou ou une robe de soirée ornée de fleurs de camélia.

FILM INVISIBLE▸ Jay Chung a produit, écrit et réalisé un film en 35 mm, mobilisant une équipe de 20 personnes sur une période de 2 ans... mais sans mettre de pellicule dans la caméra ! Volontairement, il n'a pas confié à l'équipe le secret de son projet : produire un effort dont le fruit ne serait jamais visible.

L'HOMME NIKON▸ Tyler Card, photographe à Grand Rapids (Michigan), cherchait un costume pour une fête d'Halloween : il a eu l'idée de se transformer en appareil photo Nikon. Il a collé un flash et un déclencheur en état de fonctionnement sur son costume, consistant en un grand carton peint en noir pour le corps de l'appareil, et un seau pour l'objectif.

ZAPPA HONORÉ▸ À Vilnius (Lituanie), on peut voir un buste en bronze de Frank Zappa, installé par d'anciens militants pour l'indépendance du pays (1990), afin de célébrer l'influence du musicien américain sur leur mouvement, même s'il n'a jamais mis les pieds en Lituanie.

POUSSIÈRES DE VIE▸ Cesar Kuriyama, de New York, a filmé chaque jour 1 seconde de sa vie pendant un an, avant de mettre ces micro-clips bout à bout pour créer une vidéo de 6 minutes. Cette série de « clichés », qu'il a cessé de prendre lors de son 31e anniversaire, inclut même un mariage et un enterrement.

▸ Laura Ann Jacobs, artiste californienne, a conçu en forme de crabe ce soutien-gorge qui pince. Elle crée des dizaines de soutiens-gorge farfelus, aux couleurs vives, y intégrant des tas de choses bizarres, des têtes de poisson aux fruits...

CAPE OU PAS CAP ?▸ D'après les conclusions d'une étude scientifique anglaise (université de Leicester) sur la capacité de Batman à voler en utilisant sa cape rigide, celui-ci pourrait planer sur une certaine distance au-dessus de Gotham City, mais subirait de graves blessures à l'atterrissage. Si les 4,7 mètres d'envergure de sa cape – environ la moitié d'un deltaplane – porteraient Batman un certain temps, celui-ci risquerait de toucher le sol à 80 km/h, ce qui entraînerait sa mort, tout super héros qu'il soit.

THÉ COUTURIÈRE▸ En 3 mois, Suraya Mohd Zairin, 16 ans, de Shah Alam (Malaisie), a créé une robe à motif floral à partir de 4 000 sachets de thé utilisés.

CANAL CHIEN▸ En février 2012, à San Diego (Californie), a été lancée une chaîne de télévision par câble destinée... aux chiens. DOGTV vise à les divertir quand leurs maîtres sont absents ou occupés. Le son, les couleurs, les angles de prise de vues des émissions de DOGTV – pour l'essentiel animalières – sont étudiés pour plaire au public canin.

CACO PUNK▸ Le groupe punk croate Fon Biskich a sorti en 2012 un *single* en chocolat. Fait de chocolat dur et amer à haute teneur en cacao, ce disque peut être mangé quand on en a marre de l'écouter.

CACA CUISINE▸ Saiyuud Diwong a publié en 2012 un livre de recettes dont le titre pourrait se traduire par *Cuisiner avec du caca*. Mais ce n'est pas tout à fait ça : poo, s'il *signifie* bien « caca » en anglais, veut dire « crabe » en thaïlandais... C'est aussi le surnom de Saiyuud Diwong.

GROS PUBLIC▸ À l'occasion de son 50e anniversaire, l'Anglais Paul Barton a hissé un piano en haut d'une montagne, dans la province de Kanchanabun, en Thaïlande, où il a joué du Beethoven pour un public d'éléphants aveugles. En fait, cela fait des années qu'il travaille avec ces animaux dans cette réserve, et il voulait leur faire un cadeau, ainsi qu'à lui-même.

ROI DES TARTES▸ Le comédien américain Soupy Sales (1926-2009) compte environ 20 000 tartes à son actif, lancées dans les années 1950 et 1960 sur le public ou sur lui-même.

ROBE EN SCOTCH▸ Brooke Wallace, de Salomon (Kansas), s'est fabriqué une robe de bal en ruban adhésif. Elle a utilisé 42 rouleaux de ruban pour la réaliser ainsi que le costume de son cavalier, Mark Aylward, et il lui en est resté assez pour ajouter un sac à main et des boucles d'oreilles. Il a fallu plus de 200 heures de travail, et des milliers de pliages à la main.

TAILLE SERRÉE▸ Andy Coyne, de Greenville (Caroline du Sud), a enfilé 249 T-shirts les uns sur les autres. Leur poids total dépassait les 90 kg.

VELOURS CLUB▸ Fondée par Miles Rohan, la société new-yorkaise des Amateurs de velours côtelé compte plus de 250 membres. Ils se réunissent deux fois l'an, le 1er janvier et le 11 novembre (1/1 et 11/11) – solennelle occasion pour laquelle chaque membre doit porter au moins deux vêtements en velours côtelé.

LOLOS AU FRAIS▸ Le fabricant de lingerie Triumph a créé un soutien-gorge pouvant contenir des poches de glace, afin d'aider les dames à rester fraîches en été.

À Fort Mitchell (Kentucky), les marionnettes peuvent prendre leur retraite...

Vent Haven

Le Vent Haven Museum est entièrement consacré à l'art du ventriloque. Il conserve des milliers d'accessoires, et plus de 800 marionnettes.

Cecil Wigglenose

Créé aux alentours de 1938, Cecil Wigglenose peut froncer le nez, loucher, agiter les oreilles, lever les sourcils, tirer la langue, et il porte une perruque de théâtre, qui se dresse sur la tête. Il est la seule des marionnettes des frères McElroy conservées à la Vent Haven Collection à être encore régulièrement montrée en action.

CHAMPAGNE CHARLIE

Créé par Frank Marshall pour W.S. Berger

Avec son 1,60 mètre, Champagne Charlie peut marcher et se servir d'une canne. Au fil du temps, Berger fit perfectionner son mécanisme par les frères McElroy.

JACKO

Créé vers 1940 par les McElroy pour W.S. Berger

Berger paya une belle somme (125 dollars) pour Jacko le petit singe, qui peut remuer les lèvres, tirer la langue, renifler, bouger les yeux et agiter les oreilles.

ROSITA

Créée en 1943 par Bill Hume pour lui-même

Rosita fut sculptée au Panama, dans du bois récupéré sur un cargo torpillé durant la guerre. Elle passe avec aisance de l'espagnol à l'anglais. À l'origine, son propriétaire la transportait dans un sac à parachute.

ɗdgar Bergen

dgar Bergen reçut un Oscar
'honneur (en bois !) en tant
ue père de l'inimitable Charlie
ɪcCarthy. L'une des marionnettes
riginales qu'il utilisait pour
nimer ce personnage est exposée
n permanence à la Smithsonian
ıstitution, à Washington.

À Vent Haven, on peut voir des marionnettes représentant Jimmy Carter, Ronald Reagan, ou bien Mary Lou, seule survivante, avec trois autres marionnettes, du naufrage dans lequel périt en 1908 son propriétaire, Will Wood, avec tous les autres êtres humains embarqués. Le musée aligne une impressionnante quantité de marionnettes, tirées à quatre épingles. On peut aussi y consulter des livres sur le sujet qui remontent au XVIIIe siècle, et plus de 10 000 photographies et affiches de théâtre.

ꞩkinny Hamilton

ɒn voit ici W.S. Berger avec sa
ıarionnette préférée, Skinny
ɪamilton. Berger disait que
i son musée devait un jour
ermer, il voulait que toutes
es collections soient vendues
u profit d'œuvres caritatives,
xcepté Skinny. « Ne vous en
éparez jamais, parce que c'est
omme une part de moi-même »,
crivit-il dans son testament.
ˌ la fin de sa vie, il demanda à
e que Skinny le rejoigne dans
a maison de retraite. Il put
insi distraire le personnel et les
utres pensionnaires.

Quand un ventriloque sauve le monde !

Pendant près de 20 ans, **Edgar Bergen** (1903-1978) fit les beaux jours de la radio avec sa marionnette **Charlie McCarthy**. Ignorant qu'il s'agissait d'un mannequin et que Bergen lui prêtait sa voix, beaucoup prenaient Charlie pour une vraie personne…

L'homme qui allait devenir le ventriloque le plus célèbre au monde grandit à Decatur (Michigan), où il apprit seul l'art de la ventriloquie, à l'âge de 11 ans, grâce à un opuscule sur le sujet. Quelques années plus tard, le jeune Edgar demanda à un menuisier de Chicago, Theodore Mack, de lui fabriquer sa première marionnette, inspirée d'un gamin des rues, un vendeur de journaux d'origine irlandaise : ainsi naquit Charlie McCarthy. Charlie devint une pièce essentielle du numéro de Bergen. Dès 1936, Charlie porta chapeau haut-de-forme, monocle et smoking, sa tenue distinctive, même si son personnage était celui d'un jeune galopin, plein de repartie.

Edgar et Charlie firent leurs débuts à la radio en 1936, dans « The Chase and Sanborn Hour », sur NBC. L'année suivante, Charlie fut rejoint par un autre personnage, Mortimer Snerd, dans le rôle du bêta.

Et le 30 octobre 1938, Bergen et Charlie sauvèrent le monde ! C'est en effet ce soir-là que CBS diffusa la fameuse émission d'Orson Welles inspirée du livre de H. G. Wells, La Guerre des Mondes, faux reportage en direct racontant une invasion de Martiens, qui aurait déjà exterminé plus de 7 000 soldats américains. Malgré la diffusion d'un avertissement, beaucoup d'auditeurs y crurent et fuirent en masse la ville New Jersey City, où était censée avoir lieu l'attaque. Les restaurants se vidèrent, les gens s'enterrèrent dans leurs caves et se mirent à prier… La panique aurait été encore pire si une grande part des auditeurs n'avaient pas plutôt écouté, sur une station concurrente, l'émission de Bergen ! Le critique Alexander Woollcott écrivit à Welles : « Cela prouve que les gens intelligents écoutaient tous les marionnettes, pendant que les marionnettes, elles, vous écoutaient. »

Welles fut ensuite plusieurs fois invité dans l'émission dont Charlie était la vedette, comme Frank Sinatra, Henry Fonda, Roy Rogers, Groucho Marx… La fille d'Edgar, la comédienne Candice Bergen, débuta dans l'émission de son père. Bergen et Charlie, amis de Robert Ripley, passèrent plusieurs fois dans sa propre émission de radio.

JOE FLIP

Créé dans les années 1940 par Frank Marshall

Considéré par Marshall comme son chef-d'œuvre, Joe a d'abord porté le nom de Brewster, mais fut ensuite rebaptisé en hommage au saxophoniste

OSCAR

Créé par Mack & Son

Oscar était la marionnette du magicien et ventriloque Howard Kingsley (Herman Schanbacher de son vrai nom), né en 1885 et mort en 1939, auteur d'un livre sur l'art de la ventriloquie.

MAX

Créé par Ramme pour Charlotte Bern-Keller

Max pleure, rit, hoche la tête, cligne de l'œil, roule des yeux, lève les sourcils, bouge son bras droit et sa jambe droite, fume une cigarette. Il porte du

Le monde de Vent Haven

Le Vent Haven Museum abrite la plus grande collection de marionnettes de ventriloque – autour de 800 pièces, des miniatures de 10 cm jusqu'aux pantins hauts de 1,70 mètre, capables de marcher. La plus ancienne date de 1820, et certains des premiers modèles sont dotés d'yeux de verre, de cheveux humains et de véritables dents.

Vent Haven a été fondé par W.S. (abréviation de « William Shakespeare ») Berger, grand amateur du vaudeville, sorte de music-hall américain. C'est lors d'un passage à New York, en 1910, qu'il acheta son premier modèle, Tommy Baloney, pour ses propres loisirs. Mais il s'en désintéressa peu à peu et Tommy resta au fond d'un tiroir pendant 20 ans. Jusqu'à ce que Berger l'en retire, pour une petite démonstration lors d'une fête d'entreprise, à Noël, là où il travaillait, à Cincinnati.

Berger eut un tel succès avec son numéro de ventriloque qu'il se mit alors à recueillir objets et souvenirs autour du même thème. Sa maison en fut bientôt remplie – il dut même construire un nouveau bâtiment. Berger devint président de l'Union internationale de ventriloquie à la fin des années 1940, et quand il mourut, en 1972, âgé de 94 ans, sa collection devint un musée, ouvert en 1974.

W.S. Berger, tenant Tommy Baloney. Cette marionnette créée en 1910 par Louis Grannat fut la première des centaines que possédera Berger, et celle qui lui donna l'idée de fonder la Vent Haven Collection.

Les premières années

La ventriloquie est devenue populaire à la fin du XIXe siècle. Les premiers mannequins étaient souvent faits de papier mâché, avec un système rudimentaire de ficelle pour actionner la bouche et faire bouger la tête, tandis que les sourcils ne changeaient de position qu'à la main. Plus tard, ils purent bouger grâce à un système de contrepoids (en inclinant la tête), et différents mécanismes apparurent, souvent bricolés à partir de simples ustensiles ménagers.

Les grands ventriloques, parmi lesquels l'Anglais **Jules Vernon** (1867-1937), ont toujours aimé passer d'une voix à l'autre, faisant dialoguer parfois pas moins de sept personnages différents. **Fred Russell** (1862-1957), autre Anglais, fut le premier à avoir l'idée de caler sur son genou une seule et unique marionnette. L'idée fut reprise par le **Grand Lester** (1878-1956), à qui l'on doit d'avoir beaucoup perfectionné les mannequins de bois.
Il eut pour élève **Edgar Bergen**, qui avec sa marionnette **Charlie McCarthy** s'illustra durant l'âge d'or de la ventriloquie, les années 1930-1940. À cette époque, on compte aussi **Max Terhune** et sa marionnette **Elmer**, ou encore **Dick Bruno**, qui s'exprimait avec un accent français très distingué, tandis que sa marionnette, **Joe Flip**, préférait l'argot de Brooklyn.

Jules Vernon devint aveugle à l'âge de 53 ans, mai jamais il ne le révéla publiquement. Ses marionnette étaient alignées sur un banc, en bord de scène ; pour le atteindre, il suivait depuis les coulisses un fil avec leque sa femme le guidait. Il se servait à tâtons du mécanism de chaque marionnette, qu'il connaissait par cœu

Cette photo du Grand Lester (1937) est dédicacée à W.S. Berger, en qui il salue « le véritable ami de tous les ventriloques, et un homme qui a étudié à fond l'art de la ventriloquie ».

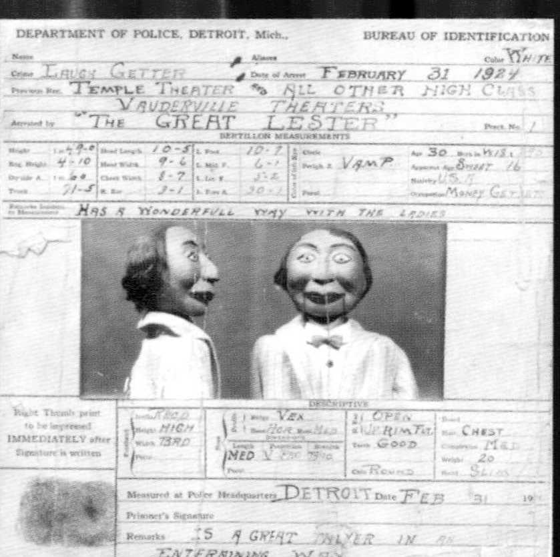

DEPARTMENT OF POLICE, DETROIT, Mich., BUREAU OF IDENTIFICATION

Name — Aliases — Color WHITE
Crime LAUGH GETTER — Date of Arrest FEBRUARY 31 1924
Previous Rec. TEMPLE THEATER AND ALL OTHER HIGH CLASS VAUDERVILLE THEATERS
Arrested by "THE GREAT LESTER"

BERTILLON MEASUREMENTS

Remarks Incident to Measurement: HAS A WONDERFULL WAY WITH THE LADIES

Right Thumb print to be impressed IMMEDIATELY after Signature is written

DESCRIPTIVE

Measured at Police Headquarters DETROIT Date FEB 31 19
Prisoner's Signature
Remarks IS A GREAT TALKER IN AN ENTERNAINING WAY

Fausse fiche d'identité policière de la marionnette Frank Byron Jr., « voleur de rires », qui « sait merveilleusement s'y prendre avec les femmes ».

Le Grand Lester et Frank Byron Jr.

Lester, né Maryan Czajkowski, aimait boire ostensiblement un verre d'eau pendant que sa marionnette parlait… Un jour, les musiciens du show lui firent une blague : ils remplacèrent l'eau par du whisky. Lester l'avala sans se troubler – tandis que Frank, lui, se mit à tousser et trembler comme s'il était ivre ! Lester avait un autre truc encore : il faisait mine d'allumer une cigarette, et Frank l'en empêchait, lui soufflant toutes ses allumettes l'une après l'autre…

Derrière le décor

La création des mannequins, dont certains atteignaient la célébrité avec leur partenaire, demandait un travail considérable. Grâce à leur ingéniosité et leur talent, certains fabricants de marionnettes pour ventriloques furent très demandés.

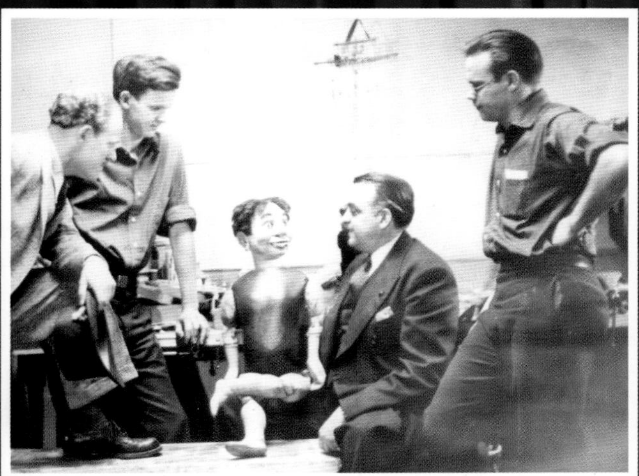

George et Glenn McElroy travaillaient en binôme : l'aîné des deux frères, Glenn, s'occupait de la mécanique, tandis que George, qui était dessinateur professionnel, se concentrait sur la partie artistique – c'est lui qui sculptait les têtes, peignait les visages et fabriquait, cheveu par cheveu, les perruques.

Oscar, une autre marionnette créée par les McElroy, fut utilisé par le ventriloque Harry Tunk, colonel dans l'armée de l'air qui fit la Seconde Guerre mondiale et, à la retraite, se produisit en spectacle.

Les frères McElroy

George et Glenn McElroy, de Harrison (Ohio), ont créé les meilleures marionnettes jamais fabriquées, avec leur système unique de contrôle type machine à écrire actionnant jusqu'à 16 mouvements différents du visage.

Ces marionnettes pouvaient remuer la mâchoire, froncer leur nez, faire la moue, bouger les yeux de gauche à droite, regarder vers le bas, loucher, hausser les sourcils, cligner de l'œil, tirer la langue, agiter les oreilles et même dresser les cheveux sur la tête. Leurs expressions faciales étaient exagérées, afin que même les spectateurs assis au dernier rang du théâtre puissent les voir.

Les McElroy ont sculpté moins de 50 marionnettes durant toute leur carrière, dont **Cecil Wigglenose**, **Skinny Dugan** et **Oscar**. Ils ont aussi créé un « crâne parlant » : un crâne humain grandeur nature, monté sur un socle de bois, dont la mâchoire était actionnée par le ventriloque. Pour **W.S. Berger**, ils ont fabriqué **Jacko**, singe de 90 cm de haut, au corps recouvert de poil de lapin teint. Jacko pouvait bouger sa lèvre supérieure, qui était en chevreau, taillée dans un gant pour dame.

Frank Marshall

Frank Marshall fut le plus célèbre et le plus prolifique fabricant de marionnettes. Il en sculpta des centaines, dont certaines devinrent célèbres, tels **Danny O'Day**, **Jerry Mahoney** ou **Farfel**.

Frank Marshall doit son succès à Mack & fils, un atelier de menuiserie de Chicago spécialisé à l'origine dans l'huisserie de porte, jusqu'à ce qu'un ventriloque, **le Grand Lester**, demande aux Mack de lui fabriquer un nouveau personnage. Se passant le mot, d'autres ventriloques firent ensuite appel aux Mack, dont l'atelier devint florissant.

Puis un modéliste industriel, Alex Cameron, racheta l'entreprise. Il n'avait pas les mêmes compétences, aussi embaucha-t-il en 1925 Frank Marshall. Après quelques années, Cameron contracta la tuberculose. Réalisant qu'il devait à Marshall beaucoup d'argent pour la fabrication des marionnettes, Cameron lui donna tout simplement l'affaire en paiement.

L'un des modèles les plus ingénieux de Marshall fut **Champagne Charlie**, marionnette grandeur nature capable de marcher, fabriquée pour **W.S. Berger** en 1938. Charlie a les yeux mobiles, il peut fumer et tenir une canne.

Durant toute sa carrière, Frank Marshall améliora sans relâche ses créations. Aujourd'hui encore, ses marionnettes sont très recherchées, à la fois par les professionnels et les collectionneurs. On les reconnaît à leurs sourcils prononcés, leurs grosses joues et leurs pommettes saillantes.

Le ventriloque Jimmy Nelson en compagnie de plusieurs marionnettes créées par Frank Marshall. De gauche à droite : Humphrey Higsbye, Danny O'Day, Farfel le chien et Ftatateeta le chat.

Marshall adaptait ses mannequins à la personnalité de chaque ventriloque. Quand **Jimmy Nelson** lui demanda de lui fabriquer un personnage, Marshall vint voir son spectacle et conçut une marionnette que Nelson baptisa **Danny O'Day** parce que ce nom, contrairement à « McCarthy » et « Mahoney », ne contenait aucune de ces consonnes que les ventriloques ont du mal à prononcer sans bouger les lèvres.

Marshall fabriqua plus tard pour Nelson un autre personnage, **Farfel le chien**, capable de dresser les oreilles. Pendant dix ans, à partir de 1955, Farfel figura dans les publicités pour les boissons chocolatées de la marque Nestlé, même si, au départ, Nelson crut avoir raté son audition. En prononçant le dernier mot de la réclame, « chocolat », sa main lui échappa et il referma sèchement la mâchoire du chien. Mais les dirigeants de Nestlé adorèrent ; ils demandèrent à Nelson de continuer comme ça, et cela devint le tic de Farfel.

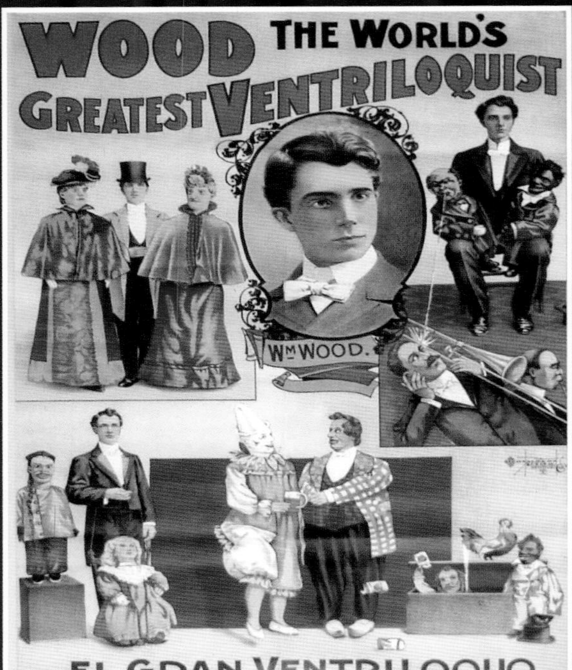

Seuls survivants

Lorsqu'en 1908, dans le golfe du Mexique, fit naufrage le remorqueur à bord duquel se trouvait Will Wood, qui écumait les planches avec son numéro de « plus grand ventriloque au monde », seules survécurent quatre de ses marionnettes : Woo Woo, Clown, Mary Lou et Mike (ci-dessous). Wood et sa fille de 20 ans périrent dans cette tragédie, mais ses chères marionnettes, rangées dans une malle, s'échouèrent sur la côte du Texas et furent rapportées à sa veuve. Elles finirent plus tard par rejoindre le Vent Haven Museum.

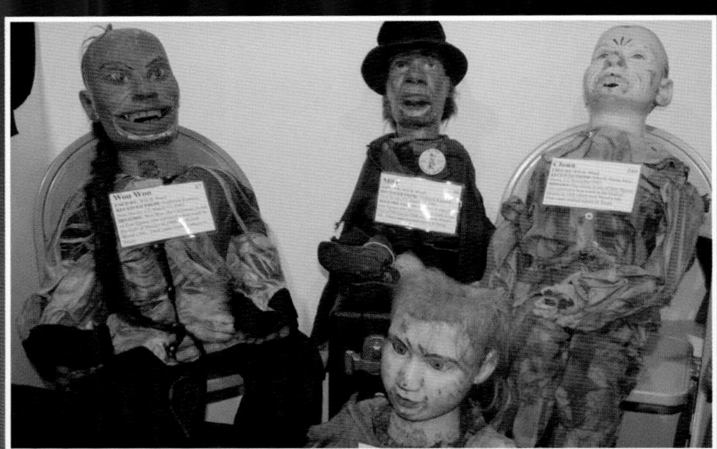

Fait en prison

Cette marionnette baptisée Ruland a été sculptée par un prisonnier allemand dans un camp russe durant la Seconde Guerre mondiale. La tête est faite à partir d'une bûche, les yeux marqués par du goudron, et le corps était habillé de vieux journaux. Grâce à elle, Erich Everty pouvait obtenir un peu de rab de la part des cuistots.

Belle comtoise

Cela paraît incroyable, mais cette magnifique infirmière, fabriquée vers 1900 et utilisée par le ventriloque canadien (et siffleur professionnel) John A. Kelly, fait aussi office d'horloge comtoise une fois retournée !

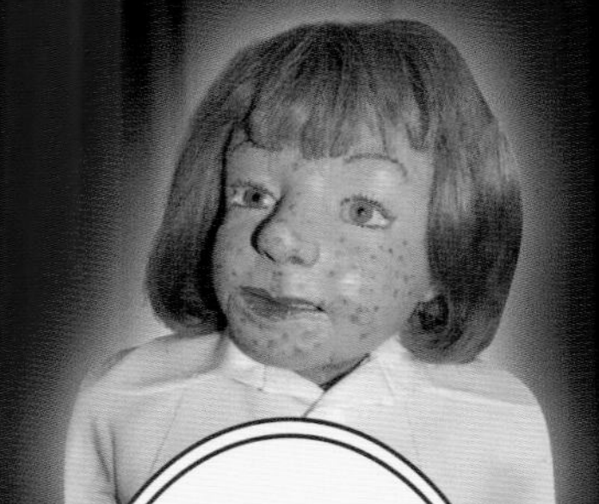

JOHNNY

Créé dans les années 1930 par les McElroy pour George Pullin

Johnny a les yeux mobiles, il hausse les sourcils, tire la langue, bouge son nez rond équipé d'une ampoule rouge, bat des oreilles. Il porte une perruque de théâtre.

ELMER

Créé par Frank Marshall pour Max Terhune

Elmer adopta le nom de « Elmer Sneezeweed » après son premier western. Il est apparu dans plus de 20 westerns au cinéma durant les années 1930 et 1940.

MAISIE

Créé par Leonardo (Horatio M. Ortega) pour lui-même

Maisie a dans la bouche un petit ballon rose qui se gonfle par l'arrière grâce à une seringue, pour donner l'illusion qu'elle fait des bulles de chewing-gum.

PROFESSOR I.Q.

Créé par Frank Marshall

Ce « professeur Q.I. » est équipé d'un mécanisme en haut du front, qui lui permet de « transpirer » en cas de stress ou d'intense réflexion. Il peut aussi lever les bras, comme s'il saluait.

SKINNY DUGAN

Créé par Fred et Madeleine Maher dans les années 1930

Skinny peut agiter les oreilles, cracher ou pleurer. Il fut le premier modèle professionnel fabriqué par les Maher. Fred Maher l'utilisa durant les années 1940.

SKINNY HAMILTON

Créé par Frank Marshall pour W.S. Berger

Ce Skinny-là porte une perruque, il est capable de pleurer, et ses mains sont sculptées de façon à pouvoir porter des gants. C'était le personnage préféré de W.S. Berger.

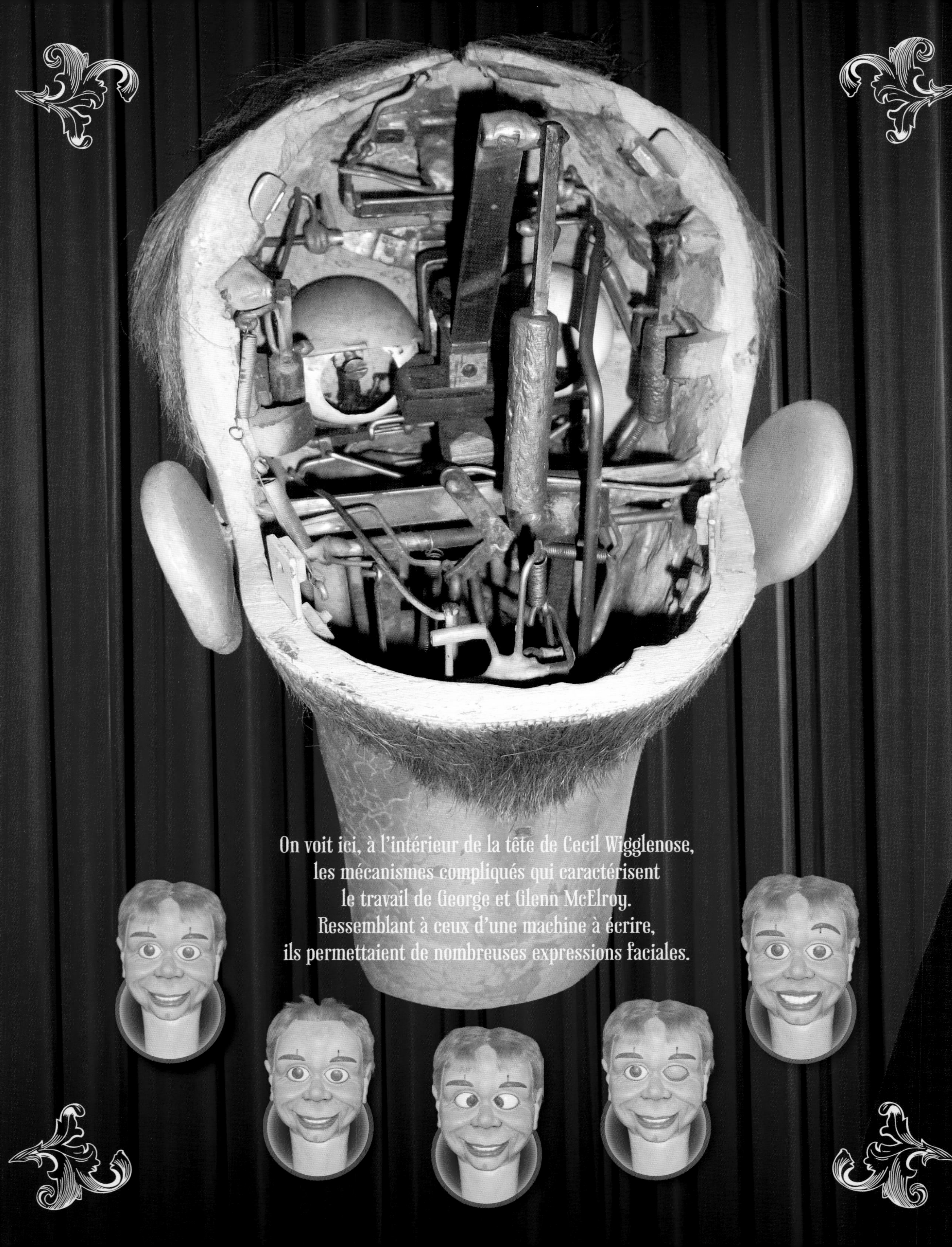

On voit ici, à l'intérieur de la tête de Cecil Wigglenose,
les mécanismes compliqués qui caractérisent
le travail de George et Glenn McElroy.
Ressemblant à ceux d'une machine à écrire,
ils permettaient de nombreuses expressions faciales.

M'AS-TU VUE ▸ Pour la cérémonie de remise de son diplôme, Kara Koskowich, 17 ans, élève au Lethbridge Collegiate Institute (Canada), s'est fabriqué une robe à partir de vieilles copies de maths ! Elle comprend 75 formules d'algèbres et est décorée d'une foule de Post-it.

CORPS À CORPS ▸ Percy Lau, créateur de bijoux fantaisie installé à Londres, en propose toute une ligne inspirée de parties du corps humain. Ces bijoux moulés dans de l'argile comprennent des boucles d'oreilles en forme d'oreille humaine, des bagues en forme de bouche fermée, ou encore un collier avec un nez humain en pendentif.

SERIAL SIGNATAIRE ▸ L'auteur américain John Green a signé les 152 000 exemplaires du premier tirage de son roman *The Fault in Our Stars* (2012), durant un mois, à raison de 12 heures par jour.

KISS ASSURÉ ▸ Lorsque le succès de Kiss fut au plus haut, son leader Gene Simmons fit assurer l'emblème du groupe, sa propre langue, pour 1 million de dollars.

TU LE CROATE ? ▸ La fille de Beyoncé et Jay-Z a été élue citoyenne d'honneur de la ville croate de Hvar, car elle a été baptisée par ses parents « Blue Ivy », d'après un arbre qui pousse là-bas. Le couple avait été fortement impressionné par cet arbre, enveloppé de lierre bleu, lors de sa visite à Hvar en 2011.

ONGLES MIROITANTS

▸ Proposé au prix de 200 000 euros le flacon, Azature Black Diamond est le vernis à ongles le plus cher au monde. Créé par le bijoutier Azature, de Los Angeles, ce vernis contient 267 carats de diamants noirs. Il est si précieux qu'un seul flacon en a été produit.

ROBE EN PQ ▸
En juin 2012, Susan Brennan, d'Orchard Lake (Michigan), a remporté pour la deuxième année consécutive le concours annuel de la robe de mariage en papier hygiénique, grâce à une splendide robe faite de dix rouleaux de PQ fixé par de la colle, du ruban adhésif et du fil. Une création baptisée « Gâteau de Bohême », les plis de la jupe évoquant un délicieux glaçage.

BONNES VIBRATIONS ▸ Le Royal Philharmonic Orchestra a donné un concert de 3 heures au Cadogan Hall de Londres, pour un public constitué de plus de 100 plantes et bulbes. Il s'agissait de vérifier si les vibrations musicales stimulent la croissance des plantes.

RIRE SUR COMMANDE ▸ Outre nourriture et boissons, en avril 2012, le service de chambre de l'hôtel Indigo d'Édimbourg, en Écosse, proposait à ses clients une séance privée de 10 minutes de sketchs par Janey Godley. La jeune femme venait dans les chambres pour raconter des blagues.

MARIÉE GONFLÉE ▸ Thelma Levett, du Leicestershire (Angleterre), a créé une réplique de la robe de mariée de Kate Middleton à partir de plus de 5 000 ballons. L'artiste, également responsable d'une Cadillac rose et d'un vélo tout en ballons, s'est servie à la fois de ballons gonflés et dégonflés pour cette robe de mariage spéciale dont la fabrication a duré quatre jours.

VOIX PROFONDE ▸ La voix du chanteur américain Tim Storms peut descendre si bas que l'oreille humaine est incapable de l'entendre. Grâce à ses cordes vocales, qui ont deux fois la longueur habituelle, sa voix s'étend sur 10 octaves et peut atteindre le sol majeur septième (0,189 Hz).

ÉBOURIFFANT

▸ *Les étudiants et six employés du South Gloucestershire and Stroud College (Angleterre) ont créé l'extension capillaire la plus longue au monde : elle mesure 361,40 mètres, soit l'équivalent de quatre terrains de football ! Cette extension record, portée ici par Jade Bryer, n'a nécessité que 7 heures de travail.*

CHAUSSURES QUI MÂCHENT

▸ *Le créateur israélien de chaussures Kobi Levi s'est spécialisé dans la création de prototypes uniques, à mi-chemin entre l'art contemporain, la haute couture et l'humour décalé. En témoignent ces escarpins bananes réalisés en chewing-gum.*

SOSIEMANIA ▸ Chaque année, la ville de Liverpool accueille une « Semaine Beatles » qui attire plus de 200 groupes sosies des Beatles, venus du monde entier.

HABITS LAIT ▸ Un jeune designer allemand passionné de mode, également diplômé en biologie, a créé une gamme de vêtements fabriqués à partir de lait. Anke Domaske a découvert comment mélanger le lait en poudre à d'autres ingrédients pour en tirer le « tissu » spécial de sa ligne de vêtements, baptisée Qmilch.

DENT POURRIE ▸ Le Dr Michael Zuk, dentiste à Red Deer (Canada), a déboursé plus de 30 000 euros en 2011 pour une molaire pourrie de l'ancien Beatles John Lennon, extraite par un confrère dans les années 1960.

TAIS-TOI, BOSS ! ▸ Peu après le passage de Paul McCartney sur scène au festival Hard Rock Calling 2012, à Hyde Park (Londres), Bruce Springsteen et ses 80 000 fans ont été réduits au silence : le concert a été interrompu par les organisateurs, pour violation du couvre-feu municipal. Springsteen, qui n'était pas censé jouer au-delà de 22 h 15, a dû s'arrêter à 22 h 38 : le « Boss » a tout simplement été débranché.

ROMAN FANTÔME ▸ Trish Vickers, romancière anglaise aveugle, a passé des mois à écrire un livre à la main, pour finalement réaliser que 26 pages de son manuscrit étaient restées blanches : son stylo ne contenait plus d'encre. La police a pu l'aider à retrouver les mots manquants grâce à une technologie de pointe qui déchiffre les plus infimes traces laissées par une plume sur le papier.

MAÎTRE BROWN ▸ Malgré sa dyslexie, Jonathan Brown, de Milton Keynes (Angleterre), 50 ans et fan de *Star Trek*, a consacré 12 ans de sa vie à apprendre à parler le klingon. Il a si bien réussi qu'il est aujourd'hui l'auteur d'un CD mettant à la portée du grand public cette étrange langue.

LE HURLEMENT DE CHEWBACCA DANS STAR WARS EST DÉRIVÉ DU CRI D'UN CHAMEAU EN COLÈRE.

TÉLÉ INTERDITE ▸ Jusque tout récemment, le Bhoutan était le dernier pays au monde sans télévision. Elle était interdite, mais le gouvernement a enfin décidé de l'autoriser en 1999, pour éviter que la population ne se sente trop isolée.

ÇA CHATOUILLE ▸ Une marque de chaussures australienne, KUSA, a lancé une gamme de claquettes avec du faux gazon cousu sur les semelles pour donner l'impression de marcher pieds nus dans l'herbe.

VIEUX CLOWN ▸ Floyd Creekmore, de Billings (Montana), fait encore le clown à 95 ans. Il faisait déjà rire le public dans les foires et les rodéos à l'âge de 10 ans, mais ce n'est que depuis 1981 que Floyd est devenu clown à temps plein. Il se produit souvent sur scène avec son petit-fils, Tom McCraw.

BAGUETTES GÉANTES ▸ À l'occasion d'un concert, la ville de Warren (Ohio) a dévoilé deux baguettes géantes pesant 408 kg, taillées dans du bois de peuplier, hommage à un enfant du pays, Dave Grohl, chanteur des Foo Fighters et ancien batteur de Nirvana. Elles ont été gravées de motifs de plumes évoquant les tatouages de Grohl.

SLIP ROYAL ▸ Une culotte bouffante en soie portée par la reine Victoria, voici plus de 100 ans, a été adjugée aux enchères à Édimbourg (Écosse) en 2011, pour près de 11 000 euros.

ABBA LES DIFFÉRENCES ▸ Le 17 novembre 2011, à l'école primaire de Kew, en Australie, 368 enfants se sont déguisés en « rois et reines de la danse » pour établir le nouveau record du plus grand rassemblement de sosies d'ABBA.

SON PIED À LUI ▸ Dans son magasin de Bangalore (Inde), K. B. Shivshankar présente plus de 170 paires de chaussures miniatures, allant des talons aiguilles aux bottes en caoutchouc. Cordonnier de profession, il a commencé par fabriquer ces chaussures miniatures avec des restes de cuir. Il est aujourd'hui capable d'en confectionner une paire en une heure. La plus petite ne mesure que 1,75 cm, et la plus grande 5 cm.

JUSTIN BRIE-BER

▸ Faye Halliday, artiste culinaire britannique, est l'auteure de ce portrait de Justin Bieber en fromage à tartiner. Il lui faut environ trois pots de fromage pour chacune de ses œuvres, parmi lesquelles figurent un Barack Edam-a et une Marilyn Mon-zzarella. Elle les agrémente parfois d'aïoli, de crème fermentée et de sauce ciboulette.

DÉLIRES À LIRE▸ *Un siècle de sable de dragage dans le canal de Bristol. Le champignon dans l'art chrétien. Modèles de chaussettes estoniennes du monde entier...* Ces trois livres ont concouru en 2012 pour le prix du Titre le plus bizarre.

RENGAINE▸ Alan St. Louis, de Nashua (New Hampshire), a chanté 217 fois l'hymne national américain en 1 an, devant des publics très divers, allant des 5 participants à un match de base-ball universitaire aux 12 000 spectateurs d'un match de football.

LEUR NOM EST BOND▸ L'écrivain britannique Ian Fleming, père de James Bond, était un passionné d'ornithologie. Il a baptisé son héros d'après un autre James Bond, vrai ornithologue américain, auteur de *Birds of the West Indies* (1936).

STAR À POIL (DOUX)▸ En décembre 2011, Danny, un terrier à poil doux couleur des blés, a pris sa retraite après avoir joué pendant 10 ans le rôle de Sandy, compagnon d'Annie l'Orpheline dans la comédie musicale *Annie*. Danny, qui a rejoint la troupe alors qu'il n'était encore qu'un chiot de 7 mois, a sillonné le Royaume-Uni avec son maître et dresseur Rita Manse et s'est produit 1 400 fois sur scène. Son salaire : une assiette de fromage et des saucisses.

BD SANGLANTE▸ Une bande dessinée de 1977 mettant en vedette le groupe Kiss a été imprimée avec de l'encre rouge mélangée au sang des musiciens.

POMPES DE BÊTE▸ Iris Schieferstein, designer allemande, crée des chaussures à partir de restes d'animaux. Elle utilise des sabots pour fabriquer des chaussures à talons hauts, des plumes de pigeon pour des sandales, de la peau de serpent pour garnir un talon en forme de pistolet... C'est son boucher, à Berlin, qui lui fournit les carcasses ; elle les vide, ne conservant souvent que la peau, qu'elle plaque sur une armature. Ses créations se vendent près de 4 000 euros. Elle a conçu pour Lady Gaga une paire de talons à partir de sabots de chevaux.

ÇA TOURNE SEC▸ Haroon Rashid, réalisateur indien, a tourné un thriller de 140 minutes façon Bollywood intitulé *Du premier coup*, avec une équipe de 17 personnes et une seule caméra, en une seule prise, sans aucune coupure. Il a répété 5 mois avant de commencer.

PEAU DE VIN

▸ Des scientifiques de l'Université d'Australie occidentale, associés à Donna Franklin, designer, ont créé la première robe à base de vin rouge. Additionné de bactéries, le vin tourne au vinaigre et se couvre peu à peu d'une mince peau cotonneuse. Une fois récoltée, cette peau est mise à sécher sur un mannequin gonflable dont elle épouse les formes, puis le mannequin est dégonflé. Le vêtement sans couture ainsi obtenu conserve ses formes et peut être porté telle une seconde peau.

MORT D'UN PRÉSIDENT

Le vendredi 22 novembre 1963, à l'âge de 46 ans, a été assassiné John Fitzgerald Kennedy, 35e président des États-Unis, alors qu'il se trouvait en voiture au côté de son épouse Jacqueline, dans un cortège traversant le centre-ville de Dallas.

Il a été abattu à l'arme à feu, d'une fenêtre du 6e étage, apparemment par un tireur isolé, un ancien Marine du nom de Lee Harvey Oswald. Oswald a été arrêté dans les 40 minutes, mais a été lui-même abattu deux jours plus tard par le propriétaire d'une boîte de nuit, Jack Ruby, lors de son transfert à la prison du comté de Dallas.

Depuis la mort de Kennedy ont fleuri de nombreuses « théories du complot », la plupart des Américains refusant de croire qu'Oswald ait agi seul. Les événements de cette journée restent un moment déterminant dans l'histoire du XXe siècle, et d'étonnants détails s'y attachent.

ÉDITION SPÉCIALE▸ Dans les 30 minutes qui ont suivi la fusillade, la télévision et la radio ont relayé la nouvelle auprès de plus de 75 millions d'Américains, mais les 12 jurés d'un procès d'assises, à Milwaukee (Wisconsin), ne l'ont apprise que le soir du 23 novembre. Ils venaient de passer quatre jours à huis clos, et ce n'est qu'après avoir rendu leur verdict, le samedi soir, que le juge leur a révélé l'assassinat de Kennedy.

LETTRES DE CONDOLÉANCE▸ La veuve de JFK, Jackie, a reçu plus de 1,5 million de lettres de condoléances après l'assassinat de son mari ; 45 000 sont arrivées à la Maison Blanche en une seule journée. Environ 200 000 feuillets de ces lettres ont ensuite été stockés à la Bibliothèque John F. Kennedy de Boston, où ils représentent 52 mètres linéaires d'archives.

LOI DU SILENCE ?▸ Un sondage d'opinion l'a révélé en 2009 : seuls 10 % des Américains croient que Lee Harvey Oswald a agi seul. 64 % sont persuadés qu'il existe une omerta de la part des autorités officielles, pour garder le silence sur la mort du président.

L'INCROYABLE FILM▸ Abraham Zapruder, un fabricant de vêtements, a capté l'assassinat de JFK sur sa caméra amateur. Il était arrivé sans elle à son bureau ce matin-là, mais sa secrétaire, Lillian Rogers, l'a persuadé de retourner chez lui la prendre. « Combien de fois, lui a-t-elle dit, aurez-vous l'occasion de filmer le président, et en couleurs, en plus ? » Zapruder a vendu deux jours plus tard son film au magazine *Life* pour 150 000 dollars, l'équivalent de près d'1 million d'euros d'aujourd'hui.

LE COSTUME ROSE▸ Le costume rose que Jackie Kennedy portait le jour de l'assassinat est conservé à l'intérieur d'un coffre-fort dans les bâtiments de la National Archives and Records Administration (Maryland), où la température est maintenue entre 18 et 20 °C, le taux d'humidité à 40 %, l'air changé 6 fois par heure. Ce costume éclaboussé de sang n'a jamais été nettoyé. Seule une poignée de personnes ont été autorisées à le voir depuis 1963.

TUEURS▶ Le futur président américain Ronald Reagan tournait son dernier film en tant qu'acteur, *The Killers* (*Les Tueurs*) avec Lee Marvin et Angie Dickinson, à Universal City (Californie), lorsque la production a été interrompue par l'assassinat de JFK. En tant que président, Reagan survivra lui-même à une tentative de meurtre en 1981. Il sera le premier président américain à échapper aux balles d'un agresseur.

REPOS ÉTERNEL▶ Le cercueil provisoire où reposait le corps de Kennedy dans l'avion qui le conduisit à Washington, lieu de son inhumation, a ensuite été lesté et largué par un jet de l'US Air Force dans l'océan Atlantique, à un endroit où les Américains se débarrassaient d'une grande quantité de munitions d'essai, zone jugée trop dangereuse pour que quiconque tente de le récupérer.

INNOCENT SOUTIEN▶ Jane Dryden, 11 ans, d'Austin (Texas), fut si bouleversée par la mort du président qu'elle envoya une lettre de condoléances par semaine à la Maison Blanche pendant les 6 mois suivants.

MUSÉE KENNEDY▶ Situé dans l'ancien bâtiment de dépôt de livres scolaires, à l'étage depuis lequel Oswald a tiré, le Sixth Floor Museum (Musée du Sixième étage) contient plus de 40 000 objets relatifs à l'assassinat de Kennedy.

MORBIDE SOUVENIR▶ Le feutre gris porté par Jack Ruby lorsqu'il a tiré sur Lee Harvey Oswald a été adjugé en 2009 aux enchères à un acheteur anonyme, pour l'équivalent de près de 40 000 euros.

THÉORIES DU COMPLOT▶ Bien des élucubrations se sont greffées sur l'assassinat de JFK. Elles accusent tantôt la CIA, les Cubains, les Russes, le vice-président Lyndon Johnson ou un gang de truands américains… L'une d'elles suggère même que Kennedy aurait été tué par la décharge accidentelle de l'arme d'un agent des services secrets présent dans la voiture qui suivait la limousine du président.

SÉRIE NOIRE ▶ L'Américain Perry Gum, de Virginie-Occidentale, aurait vécu l'assassinat de 4 présidents américains. Fêtant son 99e anniversaire le jour où Kennedy a été abattu, il a envoyé à la Maison Blanche une lettre dans laquelle il affirmait avoir également vécu l'assassinat d'Abraham Lincoln (1865), James Garfield (1881) et William McKinley (1901).

KENNEDY ET LINCOLN

Une série de coïncidences très étranges lie l'assassinat du président Kennedy à celui du président Abraham Lincoln, près de 100 ans plus tôt.

- **Lincoln a été élu au Congrès en 1846, Kennedy en 1946.**
- **Lincoln a été élu président en 1860, Kennedy en 1960.**
- **Tous deux ont été assassinés un vendredi, devant leur épouse.**
- **Lincoln a été abattu au théâtre Ford, Kennedy dans une Lincoln, un modèle fabriqué par Ford.**
- **Les épouses des deux présidents ont toutes deux perdu un enfant alors qu'elles vivaient à la Maison Blanche.**
- **Les deux assassins – John Wilkes Booth et Lee Harvey Oswald – ont été tués avant de pouvoir être jugés.**
- **Le nom de chacun des deux présidents comprend 7 lettres.**
- **Le nom de chacun des deux assassins comprend 15 lettres.**
- **Leurs successeurs à la Maison Blanche ont tous les deux pour nom Johnson.**
- **Andrew Johnson est né en 1808, Lyndon Johnson en 1908.**
- **Les deux présidents ont été tués d'une balle dans la tête.**
- **Lincoln et Kennedy ont tous les deux défendu les droits des Noirs.**

Body Identification
Date 11/24 Time 1307 Service Surg
Pronounced dead by Dr. Tom Shires
Admitting Office Notified 1310
Signature of Nurses L. Buckett RN
Address: 3267 Beckley Dallas
Lee Harvey Oswald
EOR # 25260
PARKLAND HOSPITAL, DALLAS TEXAS
Use Addressograph Plate

▶ *Parmi les objets liés à JFK de la collection Ripley, figurent une mèche de cheveux de Lee Harvey Oswald et l'étiquette d'identification de son cadavre, celle qui fut fixée à son orteil. Ripley possède aussi la voiture empruntée par Oswald pour aller commettre le meurtre.*

TWILIGHT ZONE

▸ Cathy Ward, du Berkshire (Angleterre), est tellement fan de la saga *Twilight*, déclinée en livres et en films, qu'elle s'est fait tatouer le portrait des acteurs sur la totalité du dos. Elle a consacré environ 2400 euros et 22 heures de séances de tatouage à ces effigies de Robert Pattinson, Kristen Stewart et Taylor Lautner – et avant cela, elle ne s'était jamais fait tatouer!

VRAIS FANATIQUES

- **Peter Hygate, du Kent (Angleterre),** a vu plus de 300 fois la trilogie *Star Wars*. Son mariage eut pour thème Star Wars, et il baptisa ses filles Emily Rose Princess Leia et Bethany Violet Skywalker.
- **Robert et Patricia Leffler, du Wisconsin (États-Unis),** depuis les années 1970, ont rassemblé plus de 4670 objets-souvenirs sur le thème du film *Conan le Barbare*.
- **Steve Petrick, de Pittsburgh (États-Unis),** a lu et relu plus de 100 fois chaque tome de la série *Harry Potter* et dépensé l'équivalent de 9500 euros pour transformer sa maison en sanctuaire Potter. Il s'enorgueillit de quatre tatouages Harry Potter, dont le blason de Poudlard sur l'épaule et les numéros de prison de Sirius Black sur le cou.
- **L'acteur Nicolas Cage** est fan de Superman au point d'avoir baptisé son fils Kal-El, nom de naissance du super héros.

TOUR DE LONDRES▸ Leo Ihenacho, ex-membre du groupe de hip hop anglais The Streets, a donné 24 concerts en 24 heures à Londres, à partir des 11 et 12 juillet 2012 : l'un dans une cellule de prison, et un autre au marché de la viande.

GRATTOUILLEURS▸ Logan (Ohio) accueille un festival de *washboard* consacré à la musique produite à l'aide de planches à laver et autres ustensiles.

PIANISTE PRODIGE▸ À 9 ans, le pianiste Ethan Bortnick, de Pembroke Pines (Floride), est devenu le plus jeune musicien à se produire en vedette d'une tournée solo. Après avoir supplié ses parents de lui apprendre le piano, il a commencé à en jouer à l'âge de 3 ans. Il s'est mis dès 5 ans à composer. En juillet 2011, il fut la vedette d'un show à Las Vegas. À 10 ans, il avait déjà partagé la scène avec une pléiade de stars, d'Elton John à Beyoncé.

GROUPE MOBILE▸ Les Musiciens de Brême, un trio russe, a donné un concert tout en roulant sur une moto équipée d'un kit de batterie et d'un ampli. L'un conduisait, tandis que les deux autres jouaient de la batterie et de la guitare.

TOUR DE GRATTES▸ L'Experience Music Project de Seattle (État de Washington) comprend une tour de 18 mètres composée de plus de 500 guitares.

ÇA CHAUFFE AU RED▸ Le 14 mai 2012, David DiDonato a joué un solo de guitare dantesque qui a duré 24 heures et 55 minutes au Red 7 Club d'Austin (Texas).

MAXHYMNE ET MINHYMNE▸ Avec ses 105 mesures, l'hymne national de l'Uruguay dure 6'30'', tandis que l'hymne national de l'Ouganda n'en compte que 9 et ne dure que 18 secondes.

ELLE JOUE COMME SON PIED▸ L'Écossaise Evelyn Glennie est devenue la première femme percussionniste professionnelle, bien que sourde depuis l'âge de 12 ans. Elle a appris à « entendre » par ses pieds et joue souvent pieds nus afin de mieux ressentir la musique.

BONNET BARBE

▸ Une entreprise canadienne a conçu l'accessoire ultime pour éviter d'avoir froid en hiver: un bonnet avec barbe incorporée. Baptisé Beardo, ce modèle est ajustable. Selon la marque Beardowear, il s'adapte à n'importe quel visage. La partie barbe peut même être cachée sous le bonnet au cas où la sortir serait trop ridicule... On doit à Jeff Phillips, un Canadien fou de snowboard, l'idée originale du bonnet-barbe.

ROCK FOUDROYANT

▸ *Wang Zengxiang est un guitariste électrique hors du commun. Quand il joue, 1 million de volts jaillissent de son corps, qui génèrent des éclairs de plus de 4 mètres. Il porte évidemment des vêtements de protection spéciaux, en soie métallique, qui l'isolent du courant. Wang et son groupe, Thunderbolt Fan, originaires de la province du Fujian (Chine), sont équipés d'une bobine Tesla, transformateur qui agit comme un paratonnerre géant. Cela produit une énorme tension électrique, à haute fréquence, et crée de spectaculaires arcs électriques.*

07

TRANSPORT

MINI EN FOLIE

L'artiste Ian Cook passe ses journées à s'amuser avec de petites voitures et des pots de peinture. Au lieu d'utiliser des pinceaux comme tout le monde, il compose ses toiles en actionnant des voitures télécommandées. Pour des tableaux plus importants, il utilise de véritables voitures, motos, karts, et même un camion de 6 tonnes !

Ce résident de Birmingham (Angleterre) a découvert sa passion et son style unique au retour d'un voyage en Lettonie, où il a été fortement impressionné par la diversité des modèles de voitures. Sa fiancée de l'époque lui a ensuite offert une voiture télécommandée en exigeant qu'il ne débarque pas dans son atelier. C'est bien évidemment ce qu'il a fait !

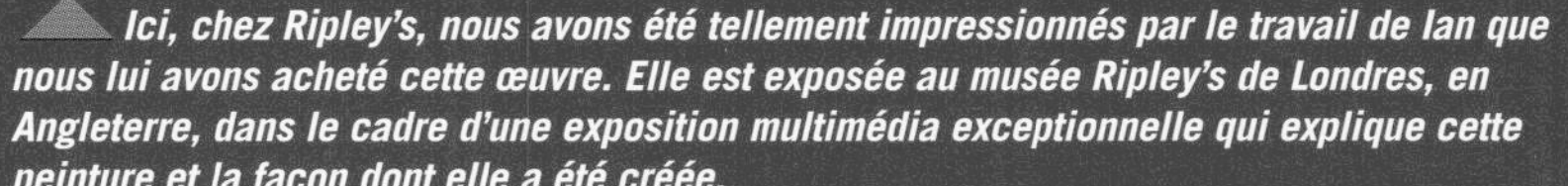

Ici, chez Ripley's, nous avons été tellement impressionnés par le travail de Ian que nous lui avons acheté cette œuvre. Elle est exposée au musée Ripley's de Londres, en Angleterre, dans le cadre d'une exposition multimédia exceptionnelle qui explique cette peinture et la façon dont elle a été créée.

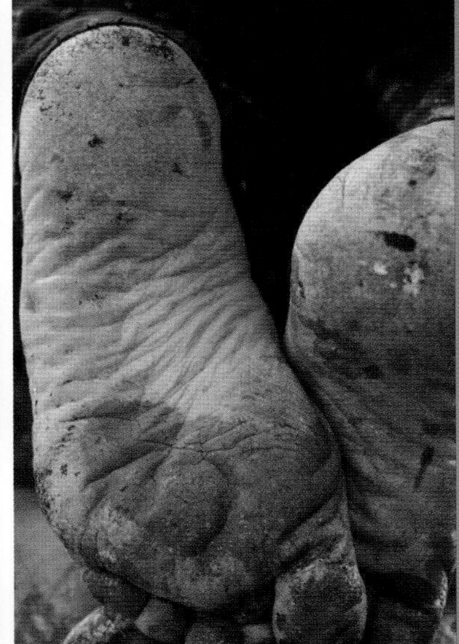

ENCORE PLUS DE DÉLIRE !!

Télécharge l'appli et utilise ODD SCAN™

Regarde les voitures télécommandées de Ian déraper dans la peinture.

MISSILE GUIDÉ▸ Paul Stender, d'Indianapolis, dans l'Indiana, a attaché le moteur d'un missile de croisière sur le toit de sa Chevrolet 1967. Cette voiture de folie pouvait atteindre les 480 km/h tout en crachant des flammes de 9 mètres à l'arrière. La puissance au frein de son Impala 67 transformée est équivalente à dix Veyron, la voiture de sport ultrapuissante de Bugatti. Paul Stender avait fait pareil avec des toilettes et un bus de transport scolaire, propulsés tous deux par des réacteurs, et déjà montrés dans de précédentes éditions de Ripley's.

VIEILLE CAISSE▸ Rachel Veitch, d'Orlando, en Floride, a parcouru 912 500 km en 48 ans au volant de la même voiture. Achetée en 1964, sa Mercury Comet Caliente a connu trois mariages et 18 changements de batteries. Devenue aveugle, la grand-mère de 93 ans a cessé de conduire en mars 2012.

AU MILLIMÈTRE▸ Le 21 mai 2012, à Pékin, le cascadeur chinois Han Yue a réussi à garer sa Mini dans un espace d'à peine plus de 15 cm de long que sa voiture, en moins de deux secondes !

TRAINS FANTÔMES▸ Des Anglais fanas de trains se retrouvent souvent à voyager sur des Parliamentary Trains, aussi appelés trains fantômes, qui empruntent de vieilles lignes désaffectées. Il est moins coûteux de les utiliser de temps en temps, plutôt que de fermer définitivement ces lignes.

À LA FRAÎCHE▸ Le brise-glace russe NS *Yamal* ne pourra jamais naviguer hors de l'océan Arctique. Les réacteurs nucléaires qui le propulsent nécessitent d'être refroidis en permanence par l'eau glacée.

NAVIRE AMIRAL▸ Le 3 juin 2012, dans le cadre de son jubilé de diamant, le paquebot *Queen Elizabeth II* a pris la tête d'une flottille de 1 000 embarcations sur la Tamise, à Londres, battant le record absolu du genre.

BULLES EXPLOSIVES▸ Fritz Grobe et Stephen Voltz de Buckfield, dans le Maine, ont fabriqué un dragster à un seul siège, propulsé par du soda et des bonbons. En mélangeant 54 bouteilles de Coca Zero avec 324 Mentos, ils ont réussi à faire avancer la voiture sur 73 mètres grâce au principe physique de nucléation.

PONT DE FEU

▸ Composé de 100 wagons, le train Union Pacific transportant du charbon reliait Denver dans le Colorado à Chicago dans l'Illinois, quand un roulement à billes se mit à chauffer, provoquant la fonte d'un métal en fusion sur les rails. Remarquant la fumée qui s'échappait du 57e wagon, la sécurité stoppa immédiatement le convoi qui se trouvait malheureusement juste au-dessus du pont Turkey Creek, près de Sharon Springs, au Kansas. La structure en bois prit feu, tout comme les wagons, mais le personnel réussit à sauver une grande partie du train en détachant les voitures qui n'étaient pas sur le pont. L'incident a causé pour 2 M$ de dégâts.

LES BOULES !▶ Pour empêcher les resquilleurs de voyager gratuitement sur le toit des trains, une pratique visiblement répandue, l'Indonésie a mis en place un système de boules lestées et suspendues au-dessus des rails, depuis janvier 2012.

DÉCHETS ACTIFS▶ Le 22 mars 2012, le zoo de Denver, dans le Colorado, a fait fonctionner un pousse-pousse à trois roues, aussi baptisé tuk tuk, alimenté par un mélange de déchets des visiteurs, employés et animaux du lieu !

VOITURE EN KIT▶ Après l'accident de sa 2CV en plein milieu du désert marocain, le Français Émile Leray a réussi à trouver du secours dans un village distant de 32 km en construisant une moto de fortune à partir de son épave. Avec les outils du bord, cet électricien de 43 ans a utilisé la carrosserie de la Citroën pour s'abriter et dormir. Ensuite, il a raccourci le châssis de la voiture, remis les essieux et deux roues, avant d'installer le moteur et la boîte de vitesse au milieu de la structure (il lui a fallu douze jours pour la construire). Au moment de rejoindre le village, il n'avait plus qu'un demi-litre d'eau en réserve. Il ne manqua pas non plus de tomber de son siège, constitué à partir du pare-choc de la voiture !

PASSAGER ENCOMBRANT

▶ Ce pêcheur très chanceux a rapporté sa prise monstrueuse sur le porte-bagage de son scooter, à Jinja, en Ouganda.

SUR LES RAILS▶ Un chauffeur ivre mort a immobilisé les voies ferrées de Wuhan, en Chine, pendant cinq heures : il voulait rentrer chez lui en voiture… en empruntant les rails. Il a déclaré à la police qu'il ne connaissait pas l'endroit et que son GPS l'avait mal orienté. Moins de 100 mètres après avoir entamé son périple, les roues de sa voiture se sont coincées entre les rails. Heureusement pour lui, il a été aperçu avant que la circulation des trains ne reprenne le lendemain matin.

LE MÉTRO DE N.Y.▶ La superficie de la ville de New York est de 784 km^2, et le métro new-yorkais compte 1 355 km de rails.

LEÇON DE CONDUITE▶ Un conducteur étourdi a réussi à faire dévaler sa voiture dans l'escalier du métro parisien, confondant celui-ci avec l'entrée d'un parking. Il a eu beau freiner sur les marches de la station Chaussée d'Antin-La Fayette, ses roues arrière sont restées collées au trottoir !

EN PLEIN VOL▶ En juin 2012, Yves Rossy, le trompe-la-mort suisse, s'est jeté d'un hélicoptère, a déployé sa combinaison Jetwing à quatre moteurs, puis a volé le long d'un avion Breitling de collection à une altitude de 1 370 mètres au-dessus du lac des Quatre-Cantons. Après un vol de 7 minutes à une vitesse de 205 km/h, sans plus aucune goutte d'essence, il a ouvert son parachute et s'est posé au sol.

UNE RANGE ARRANGÉE▶ Zhang Lianshi de Tianin, en Chine, a recouvert une Range Rover toute neuve avec 10 000 morceaux de porcelaine ancienne. Il a passé vingt ans à récolter ces petits morceaux à travers la Chine, avant de les coller sur la voiture. Même cassée, toute cette porcelaine vaut environ 157 000 $.

▲ *À cet instant précis, le pont en bois prit feu et s'écroula, entraînant avec lui six wagons de 127 000 tonnes chacun qui s'écrasèrent en contrebas.*

TRONC HUMAIN

▸ *Phil Boxall a parcouru plus de 51 000 km sur sa Yamaha V-Max de 1 200 cm³ à travers le Royaume-Uni, avec pour unique passager un véritable squelette humain ! Acheté sur eBay, Sid Jones, comme Phil l'a surnommé, a accompagné le motard pendant quatre ans. Les deux compagnons ont même poussé une pointe à 193 km/h en juste douze secondes sur une piste d'accélération.*

PAS VU, PAS PRIX ▸ David Dopp de Santaquin, chauffeur de camion, a réussi à planter une Lamborghini de 300 000 $ 6 heures après l'avoir remportée lors d'un concours en novembre 2011.

NAGUÈRE LA GUERRE ▸ Le MV Liemba est un ferry qui navigue en Afrique sur le lac Tanganyika. À l'origine, en 1913, il avait été construit pour être un bateau de guerre allemand.

JEUNE CYCLISTE ▸ En avril 2012, le petit Noah Joel, âgé de 2 ans, a parcouru 4,8 km sur son vélo à travers sa ville d'Hamelin, en Allemagne, pour rendre visite à sa grand-mère à l'hôpital. La mère du bambin le pensait en train de jouer dans sa chambre.

VOITURE À L'AVEUGLE ▸ Aveugle, Peter Golsby, du Suffolk (Angleterre), a mis cinq ans à construire une voiture de sport à partir de rien. Il a utilisé le moteur d'une vieille moto, la tuyauterie d'une douche et des pièces détachées données par des amis.

POUSSE-TOI D'LÀ▸ En octobre 2011, 66 personnes venues de 12 pays ont rallié Jakarta (en Indonésie) à Bangkok (en Thaïlande) en pousse-pousse équipés de moteur de tondeuse à gazon. Ils ont couvert 3 000 km en deux semaines.

MOTO INVISIBLE▸ L'artiste et designer Joey Ruiter, de Grand Rapids dans le Michigan, a créé une moto tout à fait légale qui donne l'illusion que le pilote est invisible et flotte au-dessus de la route. Baptisé « Moto inachevée », le véhicule possède un moteur électrique caché dans une boîte en métal brillante sans aucun autre signe distinctif. Le compteur kilométrique et autres jauges sont disponibles sur une application pour Smartphone.

HÉLICO BRICOLO▸ Imaginé par des étudiants de l'Université du Maryland, le Gamera II est un hélicoptère qui fonctionne en pédalant. En juin 2012, il a décollé pendant 50 secondes. Large de 32 mètres avec des rotors de 13 mètres d'envergure chacun, l'engin pèse 32,2 kg.

DÉCO VOYANTE▸ Les fans de Dekotora, forme d'art japonais, décorent leurs camions sans limites avec du métal brillant, des peintures onéreuses et tellement de néons que les poids lourds ne pourraient pas rouler dans la rue sans se faire arrêter.

VOLE VOLONS▸ Sur le circuit du New Hampshire Motor, à Loudon, le 17 juin 2012, Myles Bratter a poussé sa moto à 125 km/h, accompagné de Rainbow, son perroquet posé sur son épaule. Il a ainsi battu le record du monde de vitesse sur une moto avec un oiseau non attaché. Bratter et Rainbow se connaissent depuis 17 ans : « Je suis la première personne que l'oiseau a vue en naissant », dit Myles.

REPTILE SUBTIL

▸ Un motard brésilien a eu la trouille de sa vie quand un serpent a surgi de la poignée droite de l'engin, alors qu'il était lancé à 262 km/h sur la route ! Gardant tout son calme, le motard a ralenti et s'est garé sur le bord de la route. Le serpent était probablement caché sur le moteur du véhicule pour rester au chaud.

HEURES DE VOL▸ Ron Akana de Boulder, dans le Colorado, a été steward pendant 63 ans, parcourant environ 32 millions de km, soit 800 fois le tour du monde. En 2012, il est parti à la retraite à l'âge de 83 ans, après un dernier vol entre Denver dans le Colorado et Kauai à Hawaii.

PORTE MAL FERMÉE▸ Juste après son décollage de l'aéroport d'Opa-Locka, en Floride, un avion a perdu sa porte qui est allée s'écraser sur un parcours de golf heureusement désert au moment de l'accident. L'avion a pu rejoindre l'aéroport de Fort Lauderdale-Hollywood en toute sécurité.

VOITURE DE LUXE▸ En 2011, le constructeur indien Tata a créé une voiture Nano couverte d'or, d'argent et de bijoux pour une valeur de 4,6 M$ – l'équivalent de 1 500 modèles Nano de base. Trente artisans ont travaillé sur ce modèle unique qui a nécessité 80 kg d'or 22 carats, 15 kg d'argent et 10 000 pierres précieuses variées.

VOITURE FANTÔME▸ Paul Harborne, fan de science-fiction, a dépensé 50 000 £ pour construire, à partir d'une Cadillac de 1959, la copie conforme de Ecto-1, la voiture du film *Ghostbusters* de 1984. Disponible à la location, ses gyrophares et barres lumineuses font toujours sensation.

HAUT LE VÉLO▸ Félix Guirola s'est construit un vélo haut de 4 mètres, qu'il conduit à travers les rues de La Havane, à Cuba. Quand il pédale, il est à la même hauteur que le deuxième étage d'un immeuble, dépassant les camions et les bus. Et le tout sans porter ni casque ni vêtements de protection !

WC À MOTEUR▸ La cascadeuse et ancienne championne de motocross Jolene Van Vugt, de Toronto dans l'Ontario, a battu un nouveau record du monde le 2 mai 2012, à Sydney en Australie, lors d'un spectacle : ses toilettes motorisées ont atteint les 74 km/h ! L'engin était composé de toilettes en porcelaine en guise de siège, montées sur un karting.

CHASSE À L'ABEILLE▸ L'autoroute 15, dans l'Utah, a fermé pendant plusieurs heures après l'accident d'un camion transportant 25 millions d'abeilles. Les apiculteurs ont travaillé toute la nuit pour récupérer les insectes dont la valeur était estimée à 100 000 $.

PILE POIL

▸ Les flics chargés de la circulation à Laian, en Chine, pensaient avoir tout vu quand ils ont intercepté ces trois camions empilés les uns sur les autres. Sun Lin, patron d'une société de transports, venait juste d'acheter les camions et avait décidé d'économiser sur les chauffeurs et les péages. Il a donc demandé au vendeur d'empiler les véhicules avec une grue pour parcourir les 160 km jusque chez lui. Il a reçu une amende de 750 $ pour cette idée stupide.

COUP DE MAIN▸ Cette main verte géante sortant d'une bouche d'égout a surpris les automobilistes de Tianjin, en Chine. Comme la plaque de l'égout manquait depuis un mois, les gens du quartier ont trouvé ce moyen pour avertir les conducteurs du danger: un vieux canapé en forme de main qu'ils ont glissé dans le trou.

GRAND VOLÉ▸ Zhang Yali de Jilin City, en Chine, a construit un immense vélo haut de 3 mètres et long de 5,5 mètres pour son fils, fan de bande dessinée. Il a dépensé plus de 2 000 € pour fabriquer ce vélo monochrome dont les deux énormes roues viennent d'une pelleteuse, et le siège est un sofa pouvant accueillir huit personnes !

JEUNE DOCTEUR▸ Au matin du 9 avril 2012, Jeremy Wuitschick, de Milton dans l'État de Washington, a eu un réflexe hallucinant. Voyant le chauffeur de son bus scolaire s'effondrer en raison d'une crise cardiaque, ce garçon de 13 ans a aussitôt sauté sur le volant, conduit le bus dans une courbe et stoppé le contact en tournant la clé. Il a ensuite prodigué un massage cardiaque sur l'adulte encore totalement inconscient.

CHAUFFAGE D'APPOINT▸ Quand le chauffage de sa Volvo est tombé en rade, Pascal Prokop, de Mettmenstetten en Suisse, a trouvé une solution : il a démonté le siège passager pour y installer à la place un four à bois, ainsi qu'une cheminée pour évacuer la fumée et le monoxyde de carbone. Les autorités locales n'ont rien trouvé d'anormal à ces modifications.

TAXI DE LUXE▸ Paul Archer, Johno Ellison et Leigh Purnell, tous du Royaume-Uni, ont parcouru 69 716 km en 15 mois dans un taxi londonien noir typique dont le compteur affichait l'équivalent de 85 000 € au bout du périple à travers 4 continents et 50 pays. Arrêtés à Moscou, presque kidnappés au Pakistan, les aventuriers détiennent le record de la course en taxi la plus haute du monde, en ralliant le camp de base de l'Everest, situé à 5 225 mètres d'altitude.

PASSAGER CLANDESTIN▸ Liam Corcoran-Fort, 11 ans, a réussi à semer sa mère dans un magasin et à prendre un avion depuis Manchester (Angleterre) jusqu'à Rome (Italie), sans avoir sur lui de ticket, de carte d'embarquement, ni même de passeport !

VITESSE DE GLISSAGE▸ Un motard suisse s'est fait flasher par la police alors qu'il glissait sur la route, après être tombé de son engin. Boris Maier, de Berne, a été photographié à 108 km/h sur une portion limitée à 80 km/h. La vitesse de la moto, elle, n'a pas été enregistrée.

CHAUFFEUR, À L.A. !▸ Mohammed Alam, chauffeur de taxi new-yorkais, a conduit John Belitsky et Dan Wuebben jusqu'à Los Angeles, en Californie, moyennant la somme de 5 000 $ (3 600 €). Au cours du voyage, d'une durée de 6 jours pour parcourir 4 500 km, ils se sont arrêtés une nuit à Las Vegas où les deux compères ont gagné 2 000 $ au jeu. Un aller-retour première classe en avion ne coûte que 4 000 $, mais Belitsky voulait prouver à son père, ancien chauffeur de taxi à New York, qu'il se trompait en affirmant que personne ne l'emmènerait à Los Angeles depuis NY en taxi !

COURSE EN F1▸ Russ Bost, ingénieur du Sussex, en Angleterre, a construit une réplique de Formule 1 à partir de pièces détachées… et homologuée par les autorités. Son véhicule fonctionne avec un moteur de moto pouvant monter jusqu'à 274 km/h. Il a coûté environ 10 000 € et permet de parcourir 10,6 km avec un seul litre d'essence, ce qui est nettement plus économique que le 1,3 km/litre d'une vraie F1. Le bolide a également un siège arrière pour rapporter les courses du supermarché : la grande classe !

CORBILLARD LUMINEUX▸ Biemme Special Cars, constructeur italien sur mesure, a élaboré un corbillard de 7 mètres de long et composé entièrement d'aluminium à partir de 600 pièces détachées et 200 mètres de soudure. À l'arrière de cette Rolls Royce Phantom Hearse B12, des diodes illuminent le cercueil.

FIÈVRE COLLECTIVE

BENTLEY PEINTE

L'artiste anglais Paul Karslake a entièrement repeint une Bentley Mulsanne avec des épisodes clés de l'Histoire de l'Empire britannique. Baptisée *Empire*, l'œuvre inclut des portraits de l'ancien Premier ministre Winston Churchill, de la reine Elizabeth II, ainsi que les batailles victorieuses de Trafalgar et Waterloo. La voiture a été exposée devant le musée Ripley's de Londres en juin 2012, à l'occasion du jubilé de diamant de la Reine.

BATMOBILE Vu Tung Lam, de Lang Son (Vietnam), un fan de Batman, a construit son propre Batcycle à partir de métal et du moteur d'une vieille Suzuki. Il a dépensé 325 € et mis deux mois pour construire l'engin dont la vitesse maximale est de 90 km/h. Les autorités vietnamiennes ne l'ont toutefois pas autorisé à rouler.

AILE DU DÉSIR Le 1er août 2012, un vol entre Pittsburgh (Pennsylvanie) et New York a été retardé après que des milliers d'abeilles se furent posées sur une aile de l'appareil.

L'AFFAIRE EST DANS LE SAC Keith Wright, du Queensland en Australie, voyage dans le monde entier sac à dos sur les épaules, malgré ses 95 ans. Il s'y est mis à l'âge de 85 ans et a déjà visité plus de 20 pays et 100 villes étrangères.

AILE VOLANTE Le 31 août 2012, un voilier a atteint la vitesse ahurissante de 69,5 km/h sur tout un mile nautique dans la baie de San Francisco. Construit par le Français Alain Thébault, *L'Hydroptère* s'élève au-dessus du niveau de la mer et repose sur ses ailes immergées, à mesure que la vitesse augmente.

SUR LE CÔTÉ Le cascadeur anglais Terry Grant a piloté un Nissan Juke sur 1,6 km en 2 minutes et 55 secondes en 2011 au festival de vitesse de Goodwood, uniquement sur deux roues, la voiture penchée ! Sa vitesse moyenne était de 32 km/h.

OVNI MAISON Shu Mansheng, un paysan intrépide, a réussi à faire voler sa soucoupe volante plus de 30 secondes sur 1,80 mètre dans le Wuhan, en Chine. Il a dépensé près de 3 000 € pour fabriquer l'engin de 5,5 mètres de diamètre, propulsé par huit moteurs de moto.

VOL SANS FIN Patrice Christine Ahmed, une Française sur un vol reliant le Pakistan à Paris, ne s'est pas réveillée à l'aéroport Charles de Gaulle, mais sur le vol du retour vers Lahore !

VOL MAISON Patrick Elliott, pilote à la retraite, et son épouse Linda, originaires du Surrey en Angleterre, ont voyagé autour du monde à bord d'un avion qu'ils ont mis 16 ans à construire. Le couple a décollé en septembre 2010 à bord d'un Rutan Long-EZ de 5 mètres de long et parcouru 60 186 km avant de rentrer chez eux un an et un jour plus tard. En tout, ils auront décollé 99 fois, visité 23 pays et dépensé 13 000 € en kérosène.

FERRARI AU RALENTI La Fahrradi Farfalla FFX, qui ressemble à une Ferrari neuve, n'est en fait qu'un quad ne dépassant pas la vitesse d'un piéton. L'artiste autrichien Hannes Langeder a créé ce vélo unique à partir de plastique et d'acier léger, qui reprend l'esthétique de la Ferrari FFX, mais pour un poids de 100 kg. Le véhicule fonctionne avec des pédales et possède onze vitesses.

Le festival Summernats 26 de Canberra est le plus grand rendez-vous australien de surchauffe de pneus. Soixante-neuf bolides y font rugir leurs moteurs durant 30 secondes, provoquant une intense chaleur qui dégage des nuages de fumée rouge et blanche. Un nouveau record du monde de chauffe collective simultanée.

PRESQUE LOUPÉ

EN ÉQUILIBRE

▼ À quelques centimètres près, Shan Dan a évité le pire en confondant la pédale d'accélérateur avec celle du frein au moment de se garer en arrière. Sa BMW est restée en équilibre précaire sur le bord d'un parking surélevé de Changchun, en Chine. Elle est descendue de voiture dans le calme et a déclaré: « J'ai été terrifiée en voyant la voiture ainsi perchée. »

SAUVÉ PAR MIRACLE

▼ Yang Junsheng a survécu presque sans égratignure à un accident où des dizaines de barres en acier ont traversé le pare-brise de sa voiture à Taizhou, en Chine. En tamponnant un camion qui transportait les barres métalliques, il a eu le réflexe de se baisser, évitant ainsi de se faire transpercer.

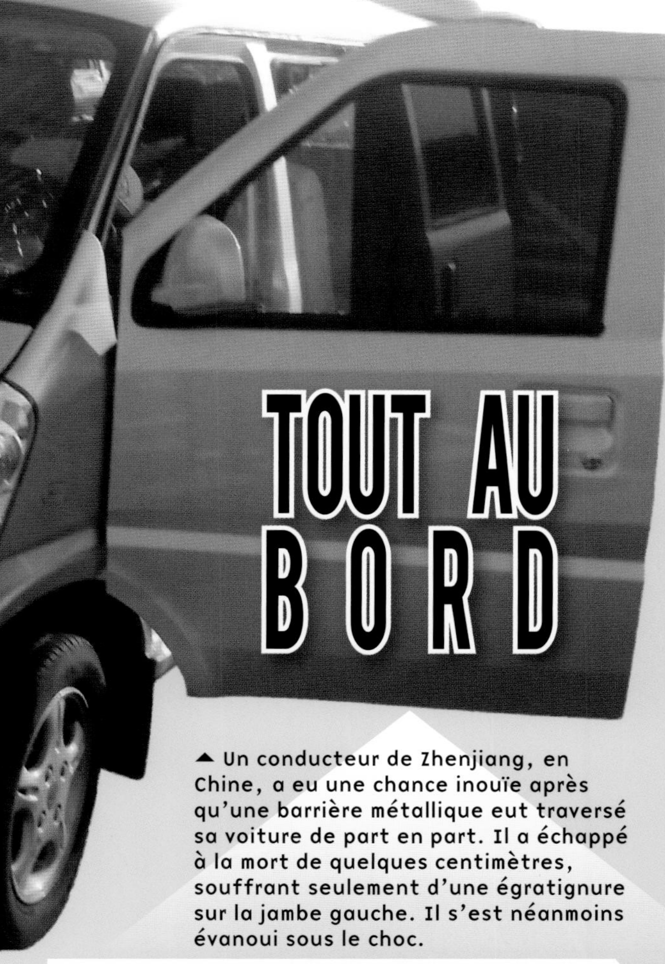

TOUT AU BORD

▲ Un conducteur de Zhenjiang, en Chine, a eu une chance inouïe après qu'une barrière métallique eut traversé sa voiture de part en part. Il a échappé à la mort de quelques centimètres, souffrant seulement d'une égratignure sur la jambe gauche. Il s'est néanmoins évanoui sous le choc.

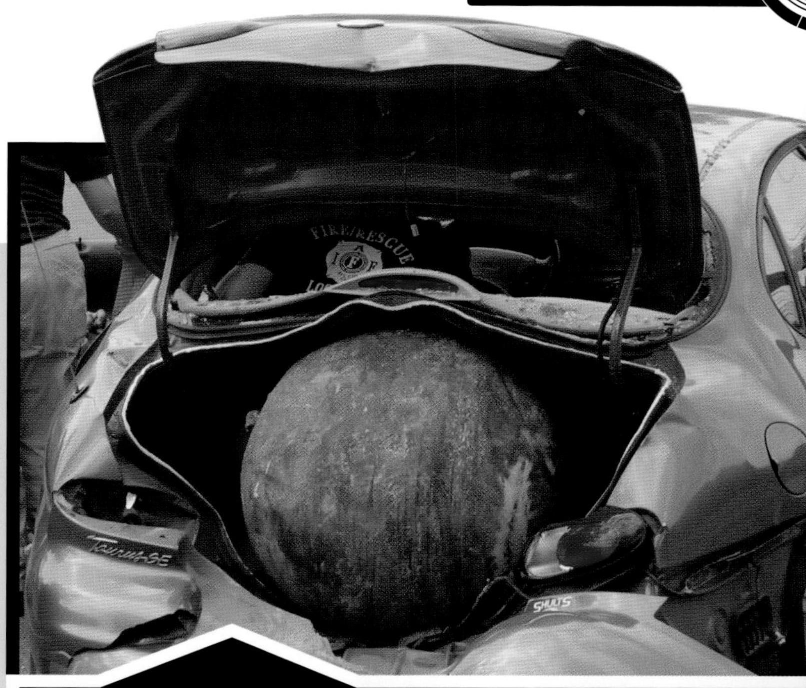

BOULET DE CANON

▲ Alex Habay était tranquillement assis au volant de sa voiture à un feu tricolore, à Meadville en Pennsylvanie, quand un boulet de démolition de 680 kg a explosé son coffre, faisant bondir son véhicule sous l'impact. Le boulet s'était détaché accidentellement d'une grue de démolition et avait dévalé la rue, touchant neuf voitures garées avant de s'écraser dans celle de Habay. La présence de huit ballons de foot dans son coffre a probablement ralenti l'impact du boulet, et lui a sauvé la vie.

LA FALAISE DE LA PEUR

◀ Cette BMW a terminé sa course à quelques centimètres de l'à-pic d'une falaise, avec la mer à 30 mètres en contrebas, après avoir glissé sur l'herbe de Flamborough Head, dans le Yorkshire (Angleterre). Le conducteur a été récupéré grâce à un hélicoptère.

CROISEMENT DINGO

▶ Le conducteur de cette voiture a réussi à s'extirper *in extremis* de son véhicule au moment où un train s'apprêtait à le percuter à un passage à niveau. L'inconscient, dont la femme et le jeune fils étaient présents dans l'habitacle, a reconnu avoir fait n'importe quoi. Il a dit ne pas avoir vu le clignotant annonçant l'arrivée du train.

08

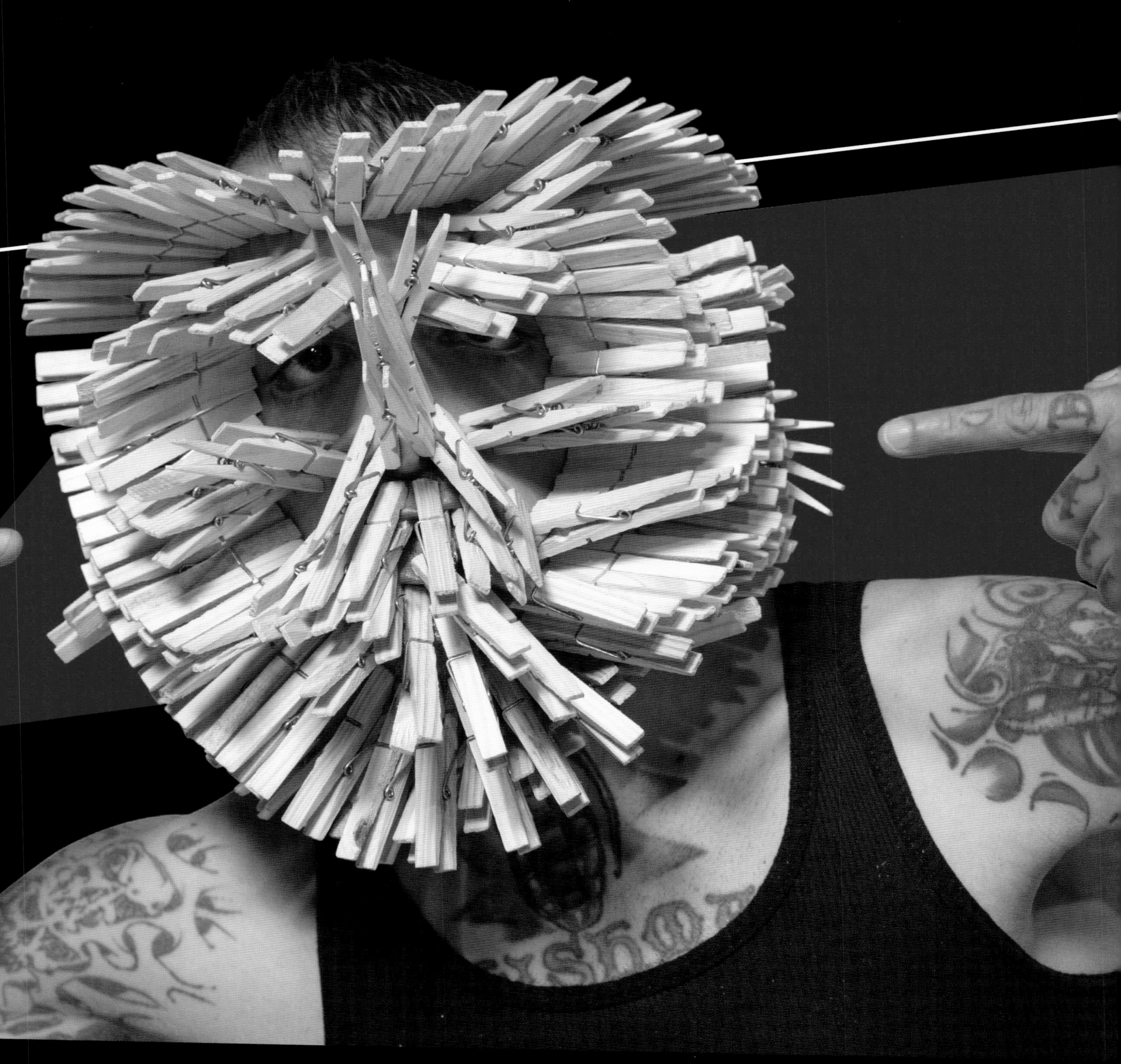

DINGUE

BRÛLANTE PASSION

Geoff Mackley, photographe et amateur de sensations fortes, se tient sur cette photo en un lieu où personne n'a osé aller avant lui : à l'extrême bord d'un lac de lave, à moins de 30 mètres de roches en fusion atteignant 1 150 °C. Même vêtu de sa combinaison spéciale et équipé de bouteilles d'air comprimé, il était à la merci de la moindre éruption soudaine, ce volcan étant très actif.

Geoff, originaire de Christchurch (Nouvelle-Zélande), s'est spécialisé dans la photo de phénomènes naturels aussi spectaculaires que dangereux : ouragans, cyclones, tornades, mais cette séance de photos au bord du volcan Marum, sur l'île de Vanuatu, en Mélanésie, au nord-est de l'Australie, était pour lui un objectif ultime, qu'il poursuivait depuis 15 ans.

ENCORE PLUS DE DÉLIRE !!

Télécharge l'appli et utilise ODDSCAN™

Ressens la chaleur du volcan dans la vidéo de Geoff

« Des rochers en feu jaillissent toutes les 2 ou 3 minutes, il faut savoir esquiver ! »

Geoff a passé la première journée à gravir les pentes du volcan. Parvenu au-dessus du cratère, il a voulu contempler la lave sans combinaison spéciale mais a dû s'écarter très vite tant la chaleur était intense, au bout de quelques secondes seulement. Et il pouvait à tout moment être tué par une soudaine éruption volcanique (comme 200 000 personnes au cours des 5 derniers siècles). Une simple bouffée ardente montant du cratère aurait suffi…

Avec son lac de lave grand comme deux terrains de football et demi, le Marum émet une chaleur supérieure à celle d'un lance-flammes, qui est aussi près de 5 fois plus importante que celle d'un four de cuisine, ou 20 fois plus forte que la température maximale enregistrée dans la Vallée de la Mort, en Californie. Et la lave se conserve si bien au chaud dans ses canaux d'écoulement qu'à 10 km du cœur du volcan elle n'a perdu que 10 °C.

Pour rejoindre le lac de lave, Geoff a descendu 366 mètres en rappel, presque à la verticale – c'est à peu près la hauteur de l'Empire State Building. Revêtu de sa combinaison ignifugée et équipé d'un masque ainsi que de bouteilles d'air comprimé, il est ensuite resté près de 40 minutes au bord du lac de lave, une performance inédite. Il était tellement absorbé par ce spectacle dantesque que son équipe a dû l'enjoindre de remonter s'il ne voulait pas manquer d'air.

LÈCHE-DIEU

Suite à un pari, Lawrence Edmond, jeune Londonien, a fait un tour d'Angleterre dans le seul but de lécher chacune des 42 cathédrales anglicanes. En 17 mois, il a parcouru 8 000 km pour aller promener sa langue sur les piliers des cathédrales de Durham, York, Cantorbéry, Winchester et bien d'autres.

SOURIS SAUT Robert Souris, cascadeur à Hollywood, est l'auteur du plus beau salto avant jamais réussi : 6,08 mètres, à Davie, en Floride, le 4 juillet 2012. Fou de joie, il y a ajouté quatre saltos arrière.

C'EST GONFLÉ Ralf Esslinger, Thomas Hinte et Guido Verhoef ont créé 2 335 fleurs de ballons en 8 heures le 13 mai 2012, lors d'une fête des plantes à Nagold (Allemagne). Chacune de leurs fleurs était composée d'au moins 2 ballons.

QUI A BU ÇA ? Les élèves de l'Ambrosoli International School à Bugolobi (Ouganda) ont enfilé 34 149 capsules de bouteille pour former un collier de 155 mètres.

GUERRE DE PAPIER Le 26 février 2012, Joe Ayoob, ancien joueur de football américain, a fait voler un avion en papier sur la distance record de 69,1 mètres ! Cet exploit a été réalisé dans un hangar de l'armée de l'air américaine près de Sacramento, en Californie, et l'avion, quoique formé d'une simple feuille A4 savamment pliée et d'un morceau de ruban adhésif, a été dessiné par John Collins, ingénieur en aéronautique.

MINI-COWBOY Royce Gill participe régulièrement à des démonstrations de rodéo en Australie… même s'il n'a que 2 ans et demi ! Royce, issu d'une famille où l'on est cow-boy depuis 7 générations, est la plus jeune star du rodéo au monde. Il monte un poney miniature de 6 ans baptisé Maybelline.

DRÔLE DE GUSE Gus Martinez a tourné pendant 25 heures consécutives sur la grande roue du Pier's Pacific Park, à Santa Monica, en Californie, avec juste une pause de 5 min toutes les heures. Pourtant il a le vertige, et elle fait 40 mètres de haut !

ENVOLE-MOI

Le 28 juillet 2011, les enfants de Gaza ont fait voler simultanément un nombre record de 12 350 cerfs-volants, sur près de 2 km de plage, un événement organisé par l'Office de secours et de travaux des Nations unies pour les réfugiés de Palestine dans le Proche-Orient. C'était le septième record du monde que battaient les enfants de Gaza en 2 ans.

FEMME BIONIQUE▶ Claire Lomas, une Anglaise de 32 ans, paralysée sous la ceinture depuis un accident de cheval en 2007, a été la première personne à courir le marathon équipée d'une combinaison bionique : elle a terminé, en 16 jours, le marathon de Londres 2012. Des centaines de personnes se sont alignées sur les derniers mètres de son parcours pour saluer cet exploit.

CHEZ LE VIEUX▶ Après 78 années passées derrière le comptoir de sa mercerie, Jack Yaffe, le plus vieux commerçant de Grande-Bretagne, a pris sa retraite en 2012, à l'âge de 103 ans.

CHAUD LES BALLONS▶ Lors de l'édition 2011 du Festival international des ballons d'Albuquerque (États-Unis), un nombre record de 345 ballons gonflés à l'air chaud a été lâché en 1 heure.

LA SCIENCE CHAUVE▶ Une équipe du Centre de recherches en nanotechnologies et nanosciences de l'université de Nottingham (Angleterre) a réussi, à l'aide d'un microscope électronique et d'une sonde ionique, à graver le tableau périodique des éléments sur un cheveu – prélevé sur la tête de Martyn Poliakoff, professeur de chimie. Ce tableau des éléments, le plus petit au monde, ne mesurait que 46,39 microns. On aurait pu le recopier 1 million de fois sur un Post-It.

COSTAUD DU DOS !

▶ Cet homme démontre l'incroyable force de ses muscles dorsaux lors d'un spectacle à Nanning, en Chine. Il tire un char sur lequel 10 filles sont perchées et serre une lourde pièce d'acier entre ses omoplates.

CHANCE ŒUFS▶ 4 247 œufs ont été mis debout en même temps lors du Dragon Boat Festival de Hsinchu City, à Taiwan, en 2012. Cette tradition consistant à maintenir un maximum d'œufs en équilibre simultanément, à midi, est censée porter bonheur pour l'année à venir.

TOUTES NUES▶ En janvier 2012, un équipage féminin de 5 Britanniques – Debbie Beadle, Julia Immonen, Katie Pattison-Hart, Kate Richardson et Helen Leigh – a traversé l'océan Atlantique à la rame en 45 jours et, pour éviter une trop longue friction des vêtements sur leur peau, elles ont ramé nues sur l'essentiel du parcours. Leur périple (4 184 km) les a menées des îles Canaries à La Barbade.

C'EST CON, ILS GÈRENT▶ 138 adeptes du saut en chute libre ont battu le record du plus grand nombre de sauts simultanés la tête la première – soit 30 de plus que le précédent – en plongeant dans une congère de neige à Ottawa, dans l'Illinois, à une vitesse atteignant pour certains 354 km/h.

KRAAYATIFS▶ Les Kraay, des fermiers canadiens, ont cultivé sur leurs terres de Lacombe un champ de maïs-labyrinthe géant de 29 000 m^2. Vu du ciel, il dessine un immense *flashcode*. Un test a été réalisé : à 4 260 m d'altitude, un aviateur a réussi à scanner ce code « maïs » avec son smartphone et s'est ainsi retrouvé sur le site web de la ferme Kraay !

FAUTEUIL PLONGEANT▶ Christine Rougoor fait du saut à l'élastique. Particularité : elle est paraplégique. Elle a réalisé un saut de 46 m dans un ravin à Whistler, au Canada, attachée à son fauteuil. Sa chaise roulante donne une stabilité à ses sauts, ce qui n'agite pas trop son système sanguin et lui évite de tomber… dans les pommes.

UN PAS DE GÉANT

« Assis là-haut, sur le rebord du monde, on se sent tout petit. »

La mission Red Bull Stratos a fourni les premières données scientifiques éclairant les effets de la chute libre à vitesse supersonique sur le corps humain.

ENCORE PLUS DE TRUCS À DÉCOUVRIR !

Télécharge l'appli et essaye ODDSCAN™

Regarde l'incroyable chute libre de Felix !

L'Autrichien Felix Baumgartner, roi des casse-cou et champion du saut en chute libre, a dévalé 39 km à une vitesse folle, frôlant les 1 358 km/h – plus vite que le son – depuis la limite de l'espace jusqu'au plancher des vaches, pour atterrir tranquillement sur ses pieds…

Grâce à cet exploit, Baumgartner, 43 ans, vétéran du saut en parachute (il en avait déjà 2 500 à son actif), est devenu le premier homme à franchir le mur du son en chute libre. Et des records, il en battu d'autres encore… Plus haute ascension d'un homme en ballon… Plus haut saut en parachute jamais réalisé, depuis l'incroyable altitude de 38 969,4 mètres – soit plus de quatre fois la hauteur de l'Everest.

Felix était en contact permanent avec sa base. Les équipes de la mission Red Bull Stratos lui fournissaient instructions et conseils, en particulier son mentor, le colonel Joe Kittinger, 84 ans, son principal interlocuteur lors de l'ascension.

Le plongeon de Felix, qui a nécessité plusieurs années de préparation, s'est déroulé le 14 octobre 2012, dans le ciel du Nouveau-Mexique. Vêtu d'une combinaison pressurisée capable de le protéger de températures avoisinant les – 70 °C, il a d'abord effectué une ascension de 2 heures et 36 minutes à bord d'une minuscule capsule entraînée vers les cieux par un monstrueux dirigeable de 850 000 m³ gonflé à l'hélium, trois fois plus gros que le plus gros des ballons à nacelle jamais lancés.

Après une frayeur de dernière minute – le viseur de son casque a commencé à se couvrir de buée, ce qui a presque conduit l'équipe au sol à annuler la mission –, Felix a décidé de poursuivre et, s'extirpant de sa capsule, s'est hissé sur une toute petite plate-forme, à peine plus large qu'un skate-board. Puis il s'est jeté dans le vide ! Il a fendu tout d'abord la stratosphère, les pieds devant pour ne pas partir en vrille et risquer que le sang lui tourne la tête.

Au bout de 4 minutes et 20 secondes de chute libre, Felix a ouvert son parachute. Sa descente a duré 9 minutes et 18 secondes en tout, et s'est achevée par un atterrissage modèle. Quant à la capsule, elle s'est écrasée à 19 km du point de chute de Felix.

Felix est parti de zéro pour atteindre une vitesse supersonique (c'est-à-dire supérieure à 1 115 km/h, dans ce milieu) en seulement 34 secondes, et 16 secondes plus tard il a enregistré sa vitesse maximale. Il est alors parti en vrille et a senti la pression du sang dans sa tête, mais toutefois pas au point de tomber dans les pommes. Il lui suffisait de presser un bouton pour ouvrir un parachute de stabilisation qui l'aurait instantanément remis d'aplomb, mais cela l'aurait ralenti… alors que son objectif était de descendre le plus vite possible ! Il s'est donc démené, a agité les bras pour se rétablir, ce que seul un homme de son expérience pouvait réussir. Et il a réussi…

Felix sautant dans le vide, à 39 km d'altitude…

QUESTION D'ALTITUDE

➤ Le mont Everest	8 848 mètres
➤ Un vol en Airbus	10 700 mètres
➤ Un vol en Concorde	17 000 mètres
➤ Felix Baumgartner	38 969 mètres

SUPER ROLLERMAN

▸ *Vêtu de sa combinaison spéciale à 31 roues, Jean-Yves dévale à toute vitesse (il frôle parfois les 112 km/h) la voie montagnarde de Tianmen, en Chine, un long chemin de bois qui comporte 99 virages en épingle à cheveux. Sur les 10,77 km de parcours, il effectue même plusieurs sauts pour éviter de dangereux clous saillants.*

LE + DE Ripley's

Son nom est Blondeau, Jean-Yves Blondeau. Et pour ce Français, ça roule ! Dès 1995, étudiant dans une école de design industriel à Paris, il a inventé cette incroyable combinaison à roues, la Buggy Rollin'. Objectif : créer une sorte de véhicule que l'on puisse porter comme un vêtement, pour se mouvoir dans toutes les directions. Résultat : une combinaison équipée de 31 roues de roller, au niveau du torse, du dos et des principales articulations, qui permettent de rouler dans toutes les positions, debout, à quatre pattes, sur le dos ou à plat ventre, le nez à 10 cm du sol.

TALENT ATOMIQUE▸ À 17 ans, Taylor Wilson, de Reno (Nevada), a été embauché par le ministère de l'Énergie américain pour travailler sur la fusion nucléaire, ce qui a fait de lui le plus jeune chercheur au monde dans cette discipline. Il a également à son actif la conception d'un appareil permettant de détecter la présence dans un container d'armes atomiques passées en contrebande. À 7 ans, il connaissait par cœur la liste complète des fusées lancées par la Nasa ou l'URSS depuis les années 1930, et à 14 ans, il avait déjà construit son propre petit réacteur nucléaire.

TIGRE DE COMPÈTE▸ Paul Goldstein, de Londres, a couru les marathons de Londres et de Brighton vêtu d'une fausse peau de tigre, et il a gravi le Kilimandjaro, plus haute montagne d'Afrique, sous le même déguisement.

TOUT UN CIRQUE▸ Dextre Tripp, artiste forain originaire de Minneapolis (Minnesota), étonne les touristes en faisant du monocycle sur le bord du Grand Canyon, à l'aplomb d'un gouffre de 1 800 mètres. Performer aux talents variés, il peut aussi marcher sur une corde en feu à 6 mètres de hauteur, jongler avec des torches enflammées, debout sur les épaules d'une autre personne, ou couper en tranches à la tronçonneuse une pomme entre ses dents.

SHISHIR DIT RIHSIHS▸
Shishir Hathwar, en Inde, peut épeler à l'envers 30 mots pris au hasard, en 1 seule minute. Il est aussi capable de les réciter à l'envers.

T'AS VU MA BELLE PAIRE ?

▸ Plus de 150 moustachus ont participé en 2012 au Championnat de barbes et de moustaches de Wittersdorf, en Alsace, exhibant leurs magnifiques attributs pileux. Ils étaient répartis en 18 catégories, dont « Moustaches impériales », « Moustaches à la Dali », « Barbiches tous styles ».

GARDIENS DU TEMPS▸ Roy et Pauline West, qui collectionnent les pendules depuis plus d'un quart de siècle, en ont entassé 4 000 dans leur appartement situé près de Southampton, en Angleterre. Elles recouvrent entièrement les murs de leur trois pièces. Il leur faut 3 jours pour les faire passer à l'heure d'été, une par une.

ARMÉE DE PLOMB▸ Le Museo de los Soldaditos de Plomo, à Valence, en Espagne, présente une collection de plus de 85 000 figurines et soldats de plomb. C'est en 1941 que le père d'Alejandro Noguera, l'actuel directeur, recevant quelques soldats de plomb pour ses 2 ans, a débuté cette collection.

DOMINOS DE CHAIR▸ En juillet 2012, en dix minutes, 1 001 personnes se sont écroulées les unes sur les autres à Shanghai, en Chine, lors d'un gigantesque jeu de dominos humains.

POING TOUJOURS VERT▸ En 2012, Paul N. Soucy, un grand-père du Michigan, est devenu pour la 4e fois champion du monde de boxe à l'âge de 73 ans, une incroyable performance si l'on songe qu'il a subi un pontage cardiaque, qu'on lui a posé des plaques de métal au niveau des chevilles et du cou, et qu'il est diabétique. Paul, qui pratique la boxe depuis l'âge de 19 ans, a remporté le titre senior dans la catégorie des moins de 75 kg à Kansas City (Missouri), battant Bill Cruze, âgé de 73 ans lui aussi, au 3e round. Ses précédents titres dataient de 2005, 2006 et 2008.

SŒURETTES▸ En 2012, Marjorie Ruddle et sa sœur Dorothy Richards formaient l'une des plus vieilles paires de sœurs au monde. Originaires de Northampton (Angleterre), elles avaient respectivement 105 et 108 ans.

VÉLO VÉLOCE▸ Ian Drummond, du Tyne and Wear (Angleterre), cascadeur professionnel depuis de nombreuses années, a avalé 100 mètres en « roue arrière » sur son vélo le 27 août 2012, en un temps stupéfiant de 13 secondes 6 dixièmes.

JACKIE BISOUNOURS▸ La ville de Hill City (Dakota du Sud) compte plus d'ours en peluche que d'êtres humains. Tout simplement du fait que l'un des 1 000 habitants de cette bourgade, Jackie Miley, possède une collection de plus de 7 800 nounours. Sa maison en regorge, de la cave au grenier : bisounours, ours en porcelaine, ours garnis de paille ou de plastique…

INTERPRÈTE AVEUGLE▸ Alexia Sloane, une petite fille aveugle qui vit à Cambridge (Angleterre), s'exprimait déjà couramment en quatre langues à l'âge de 10 ans, avant de devenir la plus jeune interprète à travailler au Parlement européen. Alexia, qui a perdu la vue à 2 ans, à cause d'une tumeur cérébrale, parle l'anglais, le français, l'espagnol et le mandarin, et elle apprend l'allemand. Son père est anglais, sa mère moitié française, moitié espagnole.

CHINOIS PERCHÉ▸ En août 2011, Saimaiti Aishan, un funambule chinois, a marché en équilibre sur un câble métallique de 15 mètres tendu entre deux ballons gonflés à l'air chaud, à 30 mètres du sol, dans le Hunan.

SUPERBE CONNERY▸Le 23 mai 2012, Gary Connery, un cascadeur britannique, est devenu le premier homme à sauter d'un hélicoptère sans parachute qui ne soit pas mort écrasé au sol. Grâce à une combinaison en forme d'aile dessinée par ses soins, il a pu planer et réduire considérablement sa vitesse de chute. Car il a tout de même sauté d'une altitude de 732 mètres… Un énorme amas de 18 000 cartons lui a servi de point d'atterrissage.

TALENT RENVERSANT

▸ Ce talentueux guitariste de rue chinois a trouvé un moyen pour qu'on s'arrête devant lui: il joue en faisant le poirier!

MÉMÉ ÉLASTIQUE▸ Frances Gabe, de Fresno (Californie), a célébré son 91e anniversaire par un petit saut à l'élastique lors de la kermesse locale – une habitude qu'elle a prise à 82 ans, à l'issue d'une grave maladie.

JOUR DU PONT▸ Chaque année, pour fêter le jour du Pont, 400 adeptes du Base jump, ou saut extrême, se jettent du Gorge Bridge de Fayetteville, en Virgine-Occidentale, vers la New River, située 267 mètres plus bas, un parachute dans le dos. C'est le seul jour où le Base jump y est autorisé.

MARCHE À VÉLO▸ Le 30 juin 2012, à Dubaï, le Polonais Krystian Herba a gravi en 1 heure 13 minutes et 40 secondes les 2 040 marches de l'escalier du Rose Rayhaan Rotana Hotel (68 étages)… à vélo. Un record mondial.

PLAISIR PATIENT▸ Après des semaines passées à les ranger un par un et l'un derrière l'autre pour former des constructions élaborées, les Sinners Domino ont renversé 127 141 dominos à Büdingen (Allemagne), en août 2012. Cela n'a duré que 7 minutes.

IL EST CAP▸ Benjamin Pilon, employé d'une brasserie à Blanco (Texas), peut décapsuler 110 canettes en 1 minute, soit près de 2 à la seconde.

PRENDS ÇA

▸ *Ce soldat biélorusse se fait casser un bloc de béton sur la poitrine par un acolyte équipé d'un marteau en feu… Ce délicat petit jeu fait partie de la Maslenitsa, une semaine de fêtes consacrée aux démonstrations de force physique qui a lieu chaque année à Minsk, capitale de la Biélorussie.*

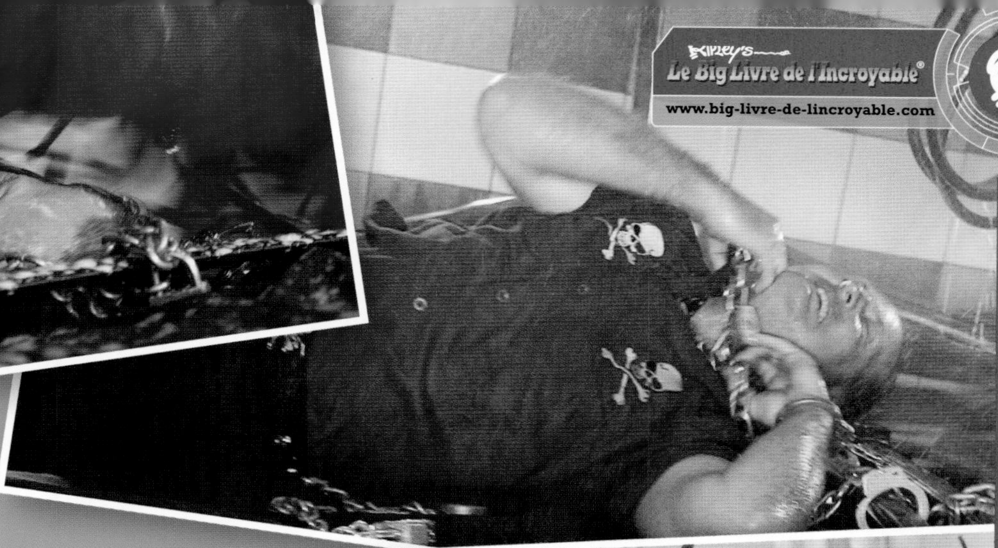

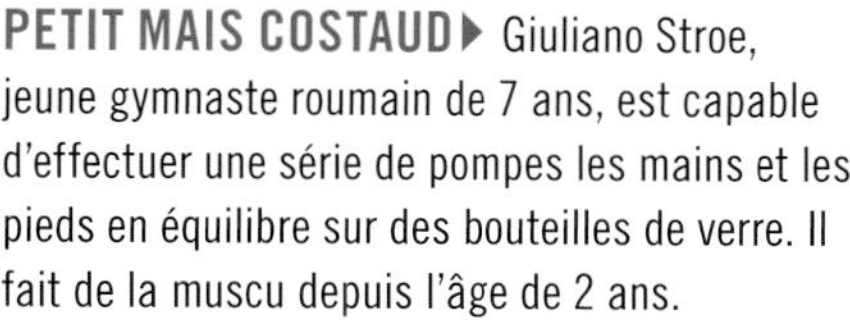

PETIT MAIS COSTAUD▸ Giuliano Stroe, jeune gymnaste roumain de 7 ans, est capable d'effectuer une série de pompes les mains et les pieds en équilibre sur des bouteilles de verre. Il fait de la muscu depuis l'âge de 2 ans.

PYRAMIDE VIVANTE▸ Les Castellers de Vilafranca, troupe d'acrobates catalans forte de 150 membres, ont réalisé le 20 juin 2012 la première pyramide humaine à 8 niveaux, sur le toit d'un gratte-ciel de la 5e Avenue, à New York.

ÇA COUPE UN BRAS !▸ En 2011, dans le comté de Hants (Canada), Ian Stewart, de Nova Scotia, a jonglé avec trois tronçonneuses, les faisant passer 94 fois d'une main à l'autre. Moteurs allumés, avec les chaînes qui tournaient... Ian s'adonne à ce jeu d'adresse depuis 15 ans.

TORCHE HUMAINE▸ En 2011, à Hambourg, Denni Duesterhoeft a couru 120 mètres... en feu ! Il portait une combinaison de protection contre les flammes.

LE GRAND SCHLEU▸ Un autre Allemand, Tom Sietas, inspiré par Jacques Mayol et *Le Grand Bleu*, a établi le 30 mai 2012 un nouveau record du monde de plongée en apnée, à Changsha (Chine), restant 22 minutes et 22 secondes sous l'eau sans respirer. Sa capacité pulmonaire est de 20 % supérieure à celle d'un individu moyen. Il s'est rempli les poumons d'oxygène pur auparavant, ce qui lui a permis de tenir plus longtemps.

SUCRÉE BATAILLE !▸ Le 2 décembre 2011, 473 élèves et adultes du lycée Eisenhower de Taylorsville, dans l'Utah, ont pris part à la plus grande bataille de *marshmallows* au monde, se jetant à la figure pas moins de 140 000 de ces gros cubes de guimauve.

JONGLE EN JOGGING▸ Le 27 juin 2012, Matthew Feldman, étudiant de 20 ans de l'université de Floride, a battu un record vieux de 23 ans, trottinant sur 1,6 km sans cesser de jongler avec 5 balles, en 6 minutes et 33 secondes.

PROPREMENT ÉVADÉ

▸ À Winnipeg (Manitoba), Dean Gunnarson est passé au lave-auto, enchaîné pieds et poings au toit d'un 4 X 4. Le déluge d'eau, de savon et de coups de brosse qu'il a subi n'a pas empêché ce roi de l'évasion de se libérer de ses chaînes. Il s'en est sorti avant que le véhicule ne passe sous les monstrueux rouleaux de fin de cycle.

CITÉ

GRIMPEUR

▸ Certains jeunes, à Moscou, se sont inventé un passe-temps plus dangereux encore que la roulette russe. Ça s'appelle de l'escalade urbaine de l'extrême et peut les mener jusqu'à des hauteurs avoisinant les 300 mètres, celles des plus grands gratte-ciel moscovites. Et bien sûr, sans équipement d'escalade ou protection d'aucune sorte... Ces ados fous de grimpe, qui se surnomment les « Ninjas urbains », parfois masqués pour échapper à la police, sont plus de 200 à se lancer le défi de la photo la plus spectaculaire, défiant la mort. Évidemment, ne les imitez pas !

TRIATHLON JONGLÉ

EXPLOIT EN SANITAIRE▶ Rob Knott, du Somerset, a pagayé sur la rivière Avon, de Bath à Bristol… dans une baignoire. Il a effectué les 27 km du parcours en 13 heures et 45 minutes.

DRÔLE D'OISEAU▶ Lawrence Cobbold a accumulé chez lui dans le Devon (Angleterre) plus de 20 000 bibelots sur le thème des oiseaux. Cela fait 25 ans qu'il les collectionne et, désormais, il n'a absolument plus aucun endroit où les mettre, à tel point qu'il est obligé de stocker ses vêtements chez ses parents, où il prend même ses repas.

PYRAMIDE À PETIT PRIX▶ Tom Haffey, de Denver, Colorado, a bâti une pyramide de 1 814 kg, tout en petites pièces de monnaie équivalent à nos centimes. Il en a utilisé 626 780.

SERIALPINISTE▶ Depuis 1989 – il avait alors 29 ans –, le Népalais Apa Sherpa a gravi 21 fois l'Everest, toit du monde.

ROBOT-GUÉPARD▶ Cheetah a établi le 5 mars 2012 un nouveau record de vitesse dans la catégorie des robots à 4 pattes, atteignant 18 km/h sur un tapis de jogging, dans un laboratoire du Massachusetts. Conçu par les spécialistes en robotique du Boston Dynamics, il s'inspire des techniques motrices du guépard (*cheetah* en anglais) : il s'étire, ploie et déploie son dos pour gagner en vitesse à chaque foulée.

VIEILLE CAFETIÈRE▶ En avril 2012, Angie McLean est devenue à l'âge de 97 ans la plus vieille tenancière de bar au monde. Elle tient depuis 20 ans le Panama Joe's Café, à Bridgeport, Connecticut.

MANIQUE DU VOL▶ Tom Stuker, un ingénieur commercial de Bloomingdale, Illinois, a accumulé 10 millions de *miles*, **ces points accumulés par un passager qui utilise fréquemment l'avion.** Tom totalise 6 000 vols en 30 ans, l'équivalent de 20 allers-retours Terre-Lune. United Airlines a même donné son nom à l'un de ses avions.

TÊTE À CHIFFRES▶ Le 8 décembre 2011, lors des championnats du monde de mémorisation, le Chinois Wang Feng a retenu en 5 minutes puis récité sans erreur un nombre à 500 chiffres.

CHARLIE ET SA CHEVROLETERIE▶ Charlie Mallon, de Downingtown (Pennsylvanie), possède plus de 2 100 objets les plus divers autour de la marque Chevrolet, qu'il a mis 40 ans à rassembler : panneaux, fanions, cannettes, livres, casquettes, ceinturons, gobelets, modèles réduits, cartes à jouer…

MARATHON D'EAU DOUCE▶ Le 9 septembre 2012, Mike Studer a couru un marathon sous l'eau, sur un tapis de jogging, au fond d'une piscine de Salem (Oregon), en 3 h 44' et 52''.

CONCERT AU SOMMET

▶ Oz Bayldon, musicien londonien, a donné un concert la tête dans les nuages, au sommet du pic Mera (6 654 mètres), dans l'Himalaya. Son groupe et lui ont d'abord dû hisser tout là-haut leur lourd matériel : trois guitares, un iPad et un ampli fonctionnant sur batterie. Ils se sont produits devant les 14 autres alpinistes qui les accompagnaient.

Joe Salter, de Pensacola, Floride, a effectué un triathlon sans cesser de jongler avec plusieurs balles. Il a nagé 400 mètres sur le dos en jonglant avec trois balles, fait 26 km de vélo en jonglant à une main avec deux balles et couru 6,4 km, toujours en jonglant. Cependant il a terminé en 2 heures, battant 99 concurrents qui, eux, n'avaient pas à jongler! Il n'a pas lâché une seule fois la balle durant son triathlon, ce qui représente plus de 15000 passes. Pionnier du « joggling » (mélange de course et de jonglerie), il fut en particulier le premier athlète à réussir à bien nager tout en jonglant. « J'ai inventé toutes ces techniques. Personne n'avait encore exploré cette voie, c'est pourquoi je me suis mis au triathlon jonglé. Le plus dur était la partie natation, parce qu'on ne peut s'aider de ses bras pour nager. Le vélo aussi représentait un vrai défi. J'étais entouré d'autres concurrents, et quand je devais changer de vitesse, c'était d'une seule main… »

CROIZON LE POISSON

Quoique privé de bras et de jambes, le Français Philippe Croizon est devenu le premier plongeur handicapé à descendre sous la barre des 33 mètres, dans une piscine, à Bruxelles, le 10 janvier 2013. Amputé des bras et des jambes après s'être électrocuté en 1994, Philippe Croizon a utilisé pour cet exploit des prothèses spéciales, équipées de palmes.

PAS SANS VOLONTÉ!

- En 2010, Philippe fut le premier amputé des quatre membres à traverser la Manche à la nage, couvrant 34 km en moins de 14 heures.
- Au cours de l'année 2012, Philippe Croizon a traversé à la nage quatre détroits intercontinentaux: entre Papouasie-Nouvelle Guinée et Indonésie (Océanie-Asie), Égypte et Jordanie (Afrique-Asie), Espagne et Maroc (Europe-Afrique), Alaska et Russie (Amérique-Asie), pour un total de 57,3 km.

PINCE-PEAU

Kelvin Mercado, de Puerto Rico, a surmonté la douleur pour établir un record homologué par Ripley : il s'est fixé 161 pinces à linge sur le visage – et dans le noir, en plus !

Kevin a fait un saut au musée Ripley d'Orlando (Floride) pour y réaliser sa tentative. C'était en 2013. Il a commencé avec 173 pinces à linge, mais cette première performance a été disqualifiée parce qu'il en avait fixé quelques-unes dans son cou. Puis, il a fait une deuxième tentative avec 157 pinces à linge. Nouvel échec, car souffrant trop, il a dû arrêter. Enfin, le troisième essai (dans la même journée) fut le bon : il s'est posé 161 pinces à linge vertes phosphorescentes sur le visage !

Ses trucs ? Il a une peau très élastique, et il place toujours les pinces dans un ordre bien précis. Il sait qu'à partir d'une certaine quantité de pinces il n'y verra plus rien. Il commence sous ses oreilles, puis suit sa mâchoire jusqu'au menton, passe aux pommettes et au front, et termine par le tour des yeux, de la bouche, et le nez. Il ne peut ni sourire ni grimacer.

Son prochain objectif est de s'attacher des milliers de pinces à linge sur tout le corps. Puisqu'on vous dit que ce gars est pincé !

Ce que fait Kelvin est très douloureux. « Ça me fait mal à la peau, et après, j'ai des marques sur le visage, comme des petites contusions. Il me faut en général un à deux jours pour récupérer. Donc, je ne fais pas ça très souvent ! »

RECORD BATTU

161 PINCES !

ENCORE PLUS DE TRUCS À DÉCOUVRIR !!

Télécharge l'appli et essaye ODDSCAN™

En vidéo : le record de Kelvin.

Rathakrishnan Velu

FORCE PURE

- **Kevin Shelley, de Carmel (Indiana)**, a défoncé 46 lunettes de WC en bois en 60 secondes – avec ses dents.
- **Steve Carrier, de Dallas (Texas)**, s'est brisé 30 battes de baseball sur la jambe, en 60 secondes lui aussi.
- **Kevin Taylor, de Clinton Township (Michigan)**, a fait mieux : il ne lui a fallu que 57'5" pour casser à main nue 584 briques de ciment.
- **Manoj Chopra (Inde)** a chopé le coup de main pour déchirer 50 annuaires téléphoniques de 2000 pages en 3 min.
- **Larry Fields, de Kansas City (Kansas)**, a démoli à coups de coudes 354 parpaings en 1 min.
- **Le Révérend Les Davis, d'Headland (Alabama)**, est capable de plier des barres de fer avec ses dents.
- **John Wooten, de West Palm Beach (Floride)**, a soulevé sur son dos un éléphant de 3178 kg.
- **Enfin, le Germano-Iranien Patrik Baboumian** peut porter un tonnelet de bière de 50 litres pesant 150 kg (soit environ 7 kg de plus que son propre poids) sur sa tête.

VELU, FU & Cie

- **Rathakrishnan Velu (Malaysie)** *(ci-dessus)* a tiré un train de 327 tonnes avec les dents.
- **Wang Ying, du Jiangsu (Chine)**, a soulevé 14 briques avec une corde attachée à une tumeur de 5 cm apparue sur son front.
- **Zhang Xingquan, de Jilin (Chine)**, a tiré la voiture familiale avec ses oreilles, tout en marchant sur des œufs, sans en casser un seul.
- **Shailendra Roy (Inde)** a tiré 1 locomotive et 4 wagons – 44 tonnes en tout – avec sa chevelure rassemblée en queue de cheval.
- **Ashok Verma, d'Agra (Inde)**, a soulevé une bouteille de cola d'1,5 litre attachée par un fil à ses cils.
- **Fu Yingjie (Chine)** a tiré une camionnette d'1,7 tonne et son conducteur sur 12 mètres. Avec son nez.
- **Siba Prasad Mallick, de Balasore (Inde)**, a tiré deux motos avec sa moustache – sur 2 km, quand même !

HORS CATÉGORIE !

Paul Blair

- **John Cassidy, de Philadelphie (Pennsylvanie)**, a gonflé et sculpté 747 ballons en 1 heure.
- **Claude Breton** a cueilli 30240 pommes en 8 heures dans un verger de Dunham, au Québec.
- **Mike Campbell, de Denver (Colorado)**, fana de basket, a réalisé 1338 lancers francs en 1 heure – soit plus d'un toutes les 3 secondes – avec un taux de réussite de près de 90 %.
- **Gary Hebberman, de Jamestown (Australie)**, a tondu 1054 moutons en 40 h, c'est-à-dire à la moyenne de 2'17" secondes pour chaque bête.
- **Paul Blair, de San Francisco (Californie)** *(ci-contre)*, peut courir 1 *mile* (1609,33 mètres) en 8 min tout en faisant du hula hoop.
- **Christopher Irmscher (Allemagne)** a couru le 100 m haies en 14'82" – avec des palmes.
- **Ashrita Furman, de New York**, a parcouru 1 *mile* à cloche-pied en 27'51".
- **Jill Stamison, de Grand Haven (Michigan)**, a mis 21'95" pour un sprint de 137 m avec des chaussures à hauts talons de 7,6 cm.

Milan Roskopf

JONGLEURS EXPERTS

- Kyle Petersen a jonglé pendant 1 minute et 2 secondes avec 3 couteaux, sur son monocycle, dans la rue, à New York.
- Sans reprendre une seule fois son souffle, Merlin Cadogan, du Devon (Grande-Bretagne), a jonglé 1 minute et 20 secondes avec trois objets – sous l'eau.
- L'Espagnol Francisco Tebar Honrubia est capable de jongler avec 5 balles de ping-pong en n'utilisant que sa bouche – et il les envoie jusqu'à une hauteur de 15 mètres.
- Suspendu à un échafaudage et chaussé de bottes spéciales, Erik Kloeker, de Cincinnati (Ohio), a jonglé la tête en bas avec trois balles pendant plus de 4 minutes.
- Le Slovaque Milan Roskopf *(ci-contre)* est capable de jongler avec 3 boules de bowling pesant chacune 5 kg pendant 28 secondes.
- Aaron Gregg, de Victoria (Canada), a jonglé le 28 juillet 2008 avec 3 tronçonneuses en les faisant passer 88 fois entre ses mains.
- L'Australien Marty Coffey, artiste de rue, fait un numéro avec une pomme, une boule de bowling et un œuf. Tout en jonglant avec ces 3 objets, il mange la pomme.
- David Slick a jonglé avec 3 balles pendant 12 h et 5 min à North Richland Hills (Texas) en 2009.

MARATHONS INSOLITES

- **Anthony Thornton a marché à reculons pendant 24 heures dans les rues de Minneapolis (Minnesota), couvrant une distance de 154 km.**
- **Josef Resnik a enchaîné 240 heures de descente sur la même piste de ski, en Autriche, pendant 10 jours, ne prenant que de courtes pauses-pipi ou déjeuner.**
- **Adrian Wigley, des West Midlands (Angleterre), a joué de l'orgue électrique non-stop pendant 2 h – avec sa langue.**
- **Tony Wright, des Cornouailles (Grande-Bretagne), est resté éveillé pendant 11 jours et 11 nuits en 2007, soit un total de 264 heures.**
- **L'Indien Jayasimha Ravirala a ravi son auditoire avec un discours qui a duré 111 heures.**
- **Joseph Odhiambo a dribblé à travers les rues de Houston (Texas) avec son ballon de basket durant 26 h et 40 min, ce qui représente environ 140 000 rebonds.**
- **Rafael Mittenzwei a fait 208,4 km de rollers en marche arrière, pendant 24 heures, sur une piste, en Allemagne, soit 685 tours de piste.**

RÉFRIGÉRÉS▸ Vêtus seulement d'un short et bravant une température de -5 °C, Cui Deyi et Wang Baoyu ont passé 24 heures à l'intérieur de glaçons géants spécialement construits pour eux à Changsha (Chine), sans nourriture, ni eau, ni sommeil. Wang n'a fait que s'accroupir pour reposer ses jambes et effectuer des séries de mouvements avec une lenteur exagérée.

MÉMORABLE, MÉMÉ !▸ Pour célébrer son 101e anniversaire, Mary Allen Hardison, une grand-mère d'Ogden (Utah), est allée faire du parapente… Elle ne voulait pas être en reste : son fils de 75 ans, Allen, venait tout juste de s'y mettre. La journée fut mémorable.

▸FORT DE LA PEAU Le Chinois Huang Yao, 63 ans, maître de kung fu, peut porter de lourds objets – comme deux seaux d'eau – suspendus à des aiguilles passées à travers la peau de son cou ou de ses bras. Il peut aussi avaler des billes d'acier et se tenir debout pieds nus sur deux lames de couteau acérées. Enfant, Yea était incapable de marcher jusqu'à l'âge de 6 ans, et de parler avant l'âge de 8 ans. Ses parents l'ont alors envoyé au monastère de Wenshu, où les moines lui apprirent ces incroyables tours.

PARADE DES NOMS▸ Alex Nunn, d'Ipswich (Angleterre), a passé plus de 10 ans à faire le tour de sept autres endroits également baptisés Ipswich à travers le monde. Son odyssée de 98 000 km l'a conduit vers le Massachusetts, le Dakota du Sud, le New Hampshire, la Jamaïque, le Queensland (Australie) et le Manitoba (Canada), et même à Ipswitch, dans le Wisconsin.

PARADE DES NONNES▸ En juin 2012, 1 436 hommes et femmes habillés en religieuses ont défilé à travers la ville de Listowel, dans le comté de Kerry, en Irlande.

BUS BONDÉ▸ Le 20 avril 2012, 246 élèves d'une école de Kielce, en Pologne, entassés dans un autobus à impériale, ont établi le nouveau record du monde de remplissage de bus.

OMELETTE DE DRAGON▸ Dragon Jetlee a cassé 150 œufs avec son menton en 1 minute, un par un, à Tiruchirappalli (Inde).

SUPER SAUTEUSE▸ Leticia Walpole, major dans l'armée américaine, a sauté 9 335 fois à la corde en 1 heure à Fort Leavenworth (Kansas), le 10 mai 2012 – soit 155 sauts par minute !

VIEUX GRIMPEUR▸ Après une randonnée de 6 jours, Richard Byerley, 84 ans, de Walla Walla (État de Washington), est devenu l'homme le plus âgé à gravir les 5 895 mètres du mont Kilimandjaro, en Tanzanie. Il a atteint le sommet le 6 octobre 2011.

KUNG FOU-FOU ▸ Aaron Evans, de Milwaukee (Wisconsin), effectue d'incroyables culbutes au-dessus de voitures lancées à près de 50 km/h. Dès l'âge de 5 ans, il a commencé la gym acrobatique et, aujourd'hui, il saute par-dessus des voitures fonçant vers lui… Il prend un peu d'élan, bondit avant que le pare-chocs ne soit sur le point de le percuter, puis effectue un salto dans les airs et atterrit loin derrière la voiture. En 2011, il a sauté par-dessus trois voitures en moins d'1 minute.

GÉANT À ROULETTES▶ Au bout de 300 heures de travail, une équipe de six ingénieurs britanniques a réalisé un skateboard géant de 6,7 mètres de long et 2,4 mètres de large, pesant 254 kg – assez gros pour supporter le poids de 30 enfants.

CONCOMBRE MASQUÉ▶ Ye Tongxin, de Nanjing (Chine), peut couper en tranches 12 concombres en 47 secondes, en lançant dessus des cartes à jouer, façon ninja.

ROBOT À RUBIK▶ Un robot fait de blocs de Lego et relié à un smartphone a battu le record de vitesse de résolution du Rubik's Cube. CubeStormer II, inventé par David Gilday et Mike Dobson, a réalisé cette performance le 11 novembre 2011, à Londres, en seulement 5 secondes et 27''. Ce robot utilise la caméra du téléphone pour prendre des images de chaque face du cube, puis les analyse et envoie des instructions via Bluetooth à ses bras en Lego, qui manipulent le cube à grande vitesse.

PÔLE POSITION▶ En décembre 2011, Amelia Hempleman-Adams, 16 ans, fille de l'aventurier britannique David Hempleman-Adams, est devenue la plus jeune personne à skier jusqu'au pôle Sud. Elle a skié 156 km sur la banquise, où son père et elle ont passé 17 jours sous un blizzard blanc.

KAYAK SUR GLACE▶ Ben Stookesberry, Californien amateur de sensations fortes, est devenu la première personne à dévaler en kayak une chute d'eau glaciaire quand il a plongé de plus de 20 mètres du glacier de Braswell, situé au Svalbard, au-delà du cercle polaire arctique.

ZOMBIES PRIDE

▶ Près de 10 000 personnes couvertes d'un maquillage macabre et vêtues de vêtements en lambeaux éclaboussés de sang ont titubé dans les rues de Mexico, le 26 novembre 2011, pour ce qui fut la plus grande parade de zombies au monde. Depuis le premier défilé de zombies « officiel » organisé à Sacramento (Californie) en 2001, d'autres événements similaires ont eu lieu un peu partout, y compris en Australie, au Canada et en Argentine.

09

DIGITAL

VISAGES CHANGEANTS

Afin de créer une série d'autoportraits farfelus, Dominick Reed, un directeur artistique de Cambridge, en Angleterre, a transformé chaque jour son visage durant deux ans en utilisant un mélange de magie informatique, de maquillage, de perruques et d'accessoires.

Plus célèbre auprès de ses fans en ligne pour son alter ego, Mr Flibble, Dominick a finalement mis 3 650 heures pour réaliser son portfolio visuel. Il avait généralement besoin de deux à trois heures par jour pour préparer chaque image, même si, une fois, il lui a fallu une journée entière, lorsqu'il a dû s'enterrer lui-même dans du compost, dans sa salle de séjour. Mr Flibble se retrouve souvent en fâcheuse posture : par exemple, il déverrouille les secrets de sa tête, fait pousser des moustaches dans ses yeux, ou devient accro aux comprimés hilarants dans une école de clowns. Tant de gens suivent Mr Flibble/Dominick sur Internet que, parfois, malgré ses déguisements délirants, on le reconnaît dans la rue !

Daily, for 27 years
Only £67
9 0123456789
438 PHOTOS
Matron's RAUNCHY
LAUGHTER
DO NOT SWALLOW
MAY CONTAIN NUTS

MANGEOIRE INTELLIGENTE▸ Les propriétaires d'animaux domestiques peuvent aujourd'hui nourrir leurs animaux à distance, grâce à un smartphone. Carlos Herrera, de Los Angeles (Californie), a inventé le Pintofeed, une mangeoire automatique qui se connecte à une appli. Il suffit de presser le bouton de nourriture sur son téléphone, de n'importe où dans le monde, pour s'assurer que son animal ne manque jamais un repas. Ensuite, la mangeoire informe même le propriétaire de la quantité mangée par l'animal.

INSTINCT FÉLIN▸ Little Hiccup, une entreprise américaine, a développé une série d'applis pour les chats. La première appli montre une souris virtuelle se déplaçant très vite pour provoquer l'instinct de chasseur des chats qui essaient de l'attraper. Elle a obtenu tant de succès qu'une suite a été lancée, dans laquelle le chat laisse une empreinte de patte chaque fois qu'il touche l'écran.

CHIEN ÉQUILIBRISTE▸ Nick Johnson, du Norfolk (Angleterre), a passé 5 heures par jour à apprendre à Ozzy, son chien, à se tenir en équilibre sur une fine chaîne de métal attachée à deux poteaux, d'abord à quatre pattes, puis sur les deux de derrière, sans tomber. Un passant sidéré l'a filmé et a mis la vidéo sur YouTube, où plus de 80 000 personnes l'ont regardée le premier jour.

UN CURÉ À LA CONFESSE▸ Le père Massimo Donghi, un curé de Besana in Brianza (Italie), a dû expliquer à ses paroissiens qu'il il avait été secouru du naufrage du paquebot *Costa Concordia* en janvier 2012, alors qu'il leur avait d'abord raconté qu'il partait en retraite spirituelle. Son mensonge avait été éventé par sa nièce lorsqu'elle avait posté sur Facebook qu'elle et sa famille, « y compris oncle Massimo », étaient sains et saufs.

JEU RECORD▸ Lors d'un événement qui se tenait simultanément à New York et Londres le 26 juin 2012, Kathleen Henkel d'Oakland (New Jersey) et Laura Rich de Cardiff (pays de Galles) ont joué au Solitaire Blitz, un jeu de cartes vidéo sur Facebook, pendant 30 heures d'affilée, pour un total de 1 500 manches.

PLEIN DE MONSTRES▸ En mars 2012, la pop star américaine Lady Gaga est devenue la première personne à rassembler 20 millions d'abonnés sur Twitter. Elle appelle ses fans « petits monstres ».

EN CONVERSATION AVEC LUI-MÊME▸ Le cinéaste Jeremiah McDonald, de Portland (Maine), a publié sur YouTube une vidéo – qu'il a mis 20 ans à réaliser – dans laquelle il s'interviewe lui-même à l'âge de 12 ans. Réunissant des séquences qu'il a tournées à 12 ans et, en 2012, à 32 ans, il fait en sorte qu'on ait l'impression qu'il se parle à lui-même enfant, sur des sujets tels que *La Guerre des étoiles* et *Doctor Who*, ou encore des animaux domestiques morts.

VOITURE VOLÉE▸ En 2012 – 42 ans après le vol –, Bob Russell, de Dallas (Texas), a retrouvé son Austin Healey de 1967 à Los Angeles, lorsque la voiture a été mise en vente sur eBay.

DE VRAIS « BELIEBERS »▸ Le 1er mars 2012, l'opération caritative organisée par la pop star canadienne Justin Bieber à l'occasion de son 18e anniversaire a suscité 322 224 tweets et retweets de la part de ses fans, un record mondial.

MODIFIÉS DIGITALEMENT

▸ Un artiste de Bologne (Italie) qui utilise le pseudonyme Dito Von Tease (dito signifie « doigt » en italien) a transformé le bout de son index en visages célèbres, en créant différentes couleurs de peau et en ajoutant des coupes de cheveux et du maquillage. Chaque visage lui a demandé 16 heures de travail, et son portfolio comprend des personnages très différents, tels que M. Spock de Star Trek, une femme-girafe de Birmanie, Steve Jobs, Sherlock Holmes, le dalaï-lama et Mickey Mouse. L'idée lui est venue alors qu'il cherchait un avatar original pour son image de profil sur Facebook, et il a choisi ses portraits de doigt pour conserver son anonymat.

M. Spock

Femme-girafe

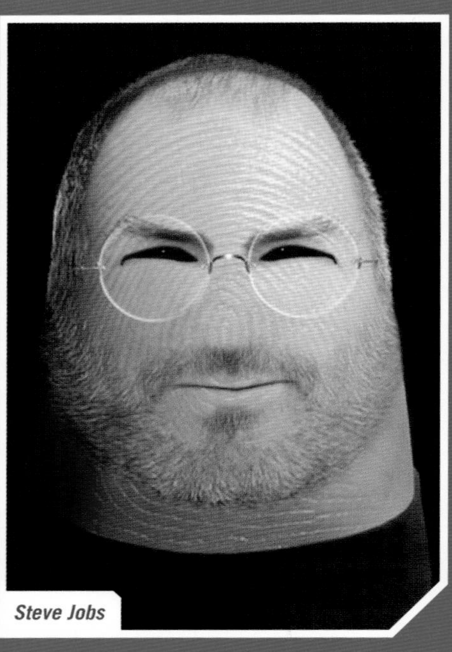

Steve Jobs

SOUS LE CHOC

Maia, une poule en deuil appartenant à Ashley Wood, du Somerset (Angleterre), s'est remise à pondre en regardant des vidéos d'autres volailles sur un iPad. Elle avait cessé de pondre depuis que son compagnon, Baba, avait été dévoré par un renard. Mais, grâce à l'iPad, elle en a bientôt pondu cinq par semaine.

NOUVEAU TOUR Lee Wei Chen, de Londres, un étudiant en design et fan de jeux, a combiné un lave-linge avec une console de jeux vidéo, l'avancée du cycle de lavage dépendant de la réussite du joueur.

ACTUALISATION DE STATUT Le 19 mai 2012, quand Mark Zuckerberg, l'inventeur de Facebook, a épousé Priscilla Chan, sa fiancée de longue date, l'actualisation de son statut Facebook Timeline a été « likée » 1 045 272 fois, établissant avec à propos un nouveau record de « likes » sur Facebook.

LES GENS POSSÉDANT UN TÉLÉPHONE PORTABLE SONT PLUS NOMBREUX QUE CEUX AYANT UNE BROSSE À DENTS.

MAUVAISE CARTE Des écoliers normands, qui faisaient un voyage d'échange dans la ville d'Ipswich, dans le Suffolk (Angleterre), étaient désespérément perdus jusqu'à ce qu'on leur dise à l'office de tourisme local que la carte qu'ils avaient téléchargée sur Internet était celle d'Ipswich dans le Queensland (Australie), à 16 000 kilomètres de là.

SECOURU PAR FACEBOOK Se réveillant paralysé et la batterie de son téléphone à plat, Peter Casaru, de Brecon (pays de Galles), a pu recevoir rapidement un traitement médical grâce à ses amis sur Facebook. Il a réussi à ramper jusqu'à son ordinateur et a posté qu'il était incapable de bouger les jambes ou d'appeler une ambulance. Des amis habitant aussi loin que New York ou Vancouver ont proposé de l'aider, mais c'est Juliet McFarlane, vivant à moins de 10 km de chez lui, qui a été la première à contacter les secours.

UNE CABANE RECYCLÉE Joel Allen a construit une cabane dans les bois près de Whistler (Canada) à partir de matériaux recyclés, pour un montant de plusieurs milliers de dollars, que lui ont donnés des utilisateurs de Craiglist pendant plusieurs mois.

EXCEL-LENTE ADO À 15 ans, Rebecca Rickwood, du Cambridgeshire (Angleterre), a dû battre 228 000 concurrents pour être couronnée championne du monde des utilisateurs du tableur Microsoft Excel 2007 dans un concours chronométré à San Diego (Californie).

ORDINATEUR PORTABLE

Les spécialistes en informatique néerlandais Erik de Nijs et Tim Smit ont conçu un jean avec un clavier Bluetooth intégré dans la partie supérieure des jambes de l'utilisateur. Ce jean, qui coûte 375 dollars et permet à celui qui le porte de se déplacer librement dans une pièce tout en conservant le contrôle de son ordinateur, fonctionne via un dispositif USB branché à l'ordinateur.

MARIÉS EN DANGER Les jeunes mariés Lee Su et Ming avaient trouvé ce qu'ils croyaient être une clairière tranquille à Nankin (Chine) pour leurs photos de mariage romantiques – mais quelques secondes plus tard celle-ci a été envahie par des centaines de fans de jeu vidéo jouant à une reconstitution en grandeur réelle de Counter Strike.

TECHNO-CHAT Un chat nommé Tiger Lily joue régulièrement sur son propre iPad pendant 15 minutes environ à la fois. Il est si fasciné par la technologie que sa maîtresse, Anne Druais, de Sydney (Australie), doit recouvrir l'écran d'un plastique de protection pour le protéger de ses griffes.

VISAGE FANTÔME

▸ En janvier 2012, Charlotte Howell, une employée de Ripley dans l'Essex (Angleterre), a pris une photographie apparemment banale dans le cimetière de Highgate, dans le nord de Londres. Quand elle a téléchargé cette image sur Facebook, le logiciel de reconnaissance automatique a trouvé quelque chose que personne n'avait remarqué : un visage fantomatique au milieu des pierres tombales, que le site essayait d'identifier comme une personne réelle. Charlotte a attesté que personne d'autre ne se trouvait dans les environs lorsqu'elle a pris cette photo.

SITE WEB PAYANT▸ Patrick Vaillancourt, de Montréal (Canada), a plus de 15000 adresses Internet tatouées sur tout le corps. Il facture 35 dollars les sites qui veulent imprimer de manière indélébile leur URL sur son corps, et jusqu'à 500 dollars pour les meilleures positions et les grands tatouages, l'argent ainsi récolté étant reversé à des œuvres caritatives. Il espère finir par avoir 100000 tatouages d'URL, ce qui devrait donner 10000 heures de travail au tatoueur.

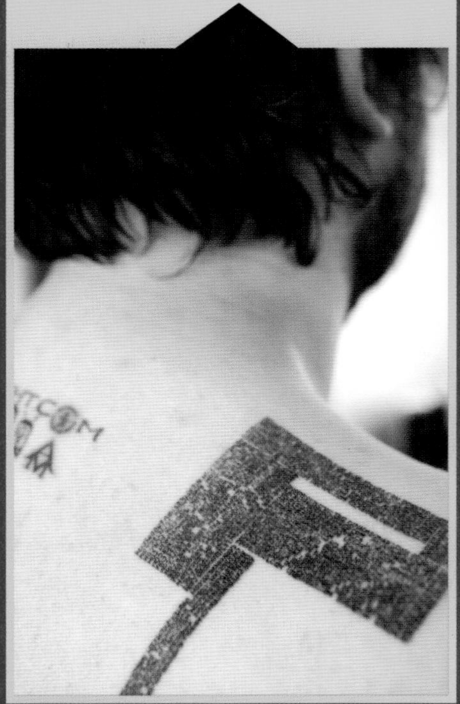

CRISE BANCAIRE▸ Quand la banque anglaise NatWest a subi un grave pépin informatique, en juin 2012, des centaines d'utilisateurs de Twitter ont exprimé leur frustration à @Natwest, ignorant qu'il s'agissait du nom de compte Twitter choisi par Natalie Westerman, une institutrice de 22 ans de Newcastle upon Tyne.

PIANISTE PRÉCOCE▸ Ethan Walmark, un jeune autiste de 6 ans vivant à Westport (Connecticut), est devenu une sensation sur YouTube grâce à son interprétation de « Piano Man » de Billy Joel, atteignant 640000 vues en seulement cinq jours. Il a appris à jouer du piano à 4 ans – à l'oreille.

TRANCHANT▸ La vidéo d'un Équatorien utilisant un piranha comme paire de ciseaux a fait le tour de YouTube. Tourné dans la forêt humide de Cuyabeno, le film montre le poisson, empoigné fermement par l'homme, utilisant ses dents acérées comme des lames de rasoir pour trancher d'un coup une branche placée dans sa mâchoire ouverte.

ANGRY BRIDES▸ Inspiré par le célèbre jeu Angry Birds, un nouveau jeu en ligne appelé Angry Brides (« Jeunes mariées en colère ») cherche à mettre en lumière la pratique illégale des demandes de dot en Inde. Dans Angry Brides, les joueurs attaquent de potentiels jeunes coureurs de dot – un ingénieur, un médecin et un pilote – avec toutes sortes d'armes, notamment un escarpin à talon aiguille rouge brique et un manche à balai.

MARIÉS VIRTUELS▸ Le jour de la Saint-Valentin 2012, 21879 mariages ont été célébrés dans le jeu de rôles en ligne Rift.

PAR-DELÀ LA TOMBE▸ Une appli israélienne, « If I Die » (« Si je meurs »), permet aux utilisateurs de réaliser leur dernière mise à jour Facebook, laquelle est ensuite postée après leur mort. Trois de leurs amis Facebook sont sélectionnés comme responsables du texte ou de la vidéo posthume, et doivent le publier une fois que la personne est morte.

POST POPULAIRE▸ À l'instigation de Tracey Hodgson, du Royaume-Uni, et de Cathy Matthews, de Sacramento (Californie), 107 personnes – pour la plupart fans du jeu FrontierVille – ont joint leurs forces pour poster 1001598 commentaires sur une unique information Facebook. Chacune d'elles a commenté le post original une moyenne de 9350 fois.

FAUX AMI▸ Après avoir escroqué des banques à Seattle (Washington), Maxi Sopo s'était enfui au Mexique, d'où il s'est vanté de sa liberté sur Facebook. Il a ensuite commis l'erreur d'ajouter un ancien fonctionnaire du Département de la Justice à sa liste d'amis, ce qui l'a envoyé dans une geôle mexicaine et a conduit à son extradition vers les États-Unis, où il a été condamné à 33 mois de prison.

SAUT RISQUÉ▸ Une vidéo sur YouTube montre le moment où un jeune casse-cou russe pratiquant le *base jump* a miraculeusement survécu lorsqu'il a sauté d'un pylône de 120 mètres de hauteur. Bien que la neige ait amorti sa chute, il a néanmoins souffert de fractures des vertèbres, du bassin et des jambes, et n'a pas pu marcher pendant trois mois.

VOL DÉJOUÉ▸ Un homme de l'Essex (Angleterre) a déjoué le braquage de sa maison en criant sur les cambrioleurs via une webcam depuis la Turquie, à 2400 km. Cet homme, qui assistait à un enterrement dans ce pays, parlait à sa famille rentrée en Angleterre via Skype lorsqu'il a repéré deux intrus dans son allée, alors que sa femme avait brièvement quitté la pièce. Il leur a hurlé de sortir de chez lui et ceux-ci se sont enfuis les mains vides.

LUNETTES VIDÉO▸ Des parachutistes ont sauté d'un dirigeable avec des lunettes Google qui filmaient tout ce qu'ils voyaient – et, grâce à un flux vidéo en direct, les gens au sol pouvaient regarder les images du saut du point de vue des parachutistes.

SINGES À TABLETTES▸ Des orangs-outans du Jungle Island Zoo de Miami (Floride) sont encouragés à utiliser des iPad dans l'espoir qu'ils seront un jour capables de communiquer avec les gardiens et les visiteurs. Les plus jeunes singes, en particulier, ont pris goût à ces tablettes sur lesquelles ils s'amusent à dessiner et à jouer.

RECHERCHES SUR GOOGLE▸ Un jeune Indien qui avait été séparé de sa mère en 1986, l'a retrouvée 25 ans plus tard depuis sa demeure en Tasmanie (Australie) en utilisant Google Earth pour la rechercher. À l'âge de 5 ans, Saroo Brierley s'était perdu lors d'un voyage en train de 14 heures. Il avait fini à Calcutta, où il avait été placé dans un orphelinat, puis adopté par un couple de Tasmanie. Des années plus tard, grâce à des images satellite sur ordinateur, il a réussi à identifier sa ville natale de Khandwa, en Inde, puis s'y est rendu et a retrouvé sa mère.

INTERRUPTION TÉLÉPHONIQUE▸ Le violoniste slovaque Lukas Kmit donnait un concert en solo lorsqu'un téléphone malencontreusement laissé allumé par un spectateur s'est mis à sonner. Le violoniste s'est arrêté un moment pour souligner cet incident, puis a repris son récital en improvisant une interprétation de la sonnerie du téléphone.

VIE DE RUE

▸ Google Street View montre d'étranges images de Tokyo (Japon), notamment un piéton apparemment sans tête qui marche dans la rue vers un flash de lumière blanche.

LÉZARD JOUEUR▸ Crunch, un lézard-dragon appartenant à Philip Gith, de Brisbane (Australie), utilise sa langue pour « manger » les insectes du jeu Ant Smasher apparaissant à l'écran du smartphone de son maître.

DÉGUISÉS EN TÉLÉPHONE▸ Afin de recueillir des dons pour une œuvre caritative, 330 personnes se sont déguisées en téléphone mobile, dans le Surrey (Angleterre), en juillet 2012.

VIE À VENDRE▸ Désireux de commencer une nouvelle vie, Shane Butcher, un riche entrepreneur de Tampa Bay (Floride), a mis son ancienne vie aux enchères sur eBay pour 3,5 millions de dollars. Il a vendu sa chaîne de magasins de jeux vidéo, deux maisons en bord de mer, trois voitures, et même son chien.

VIE EN TWEET▸ À peine 0,5 % des gens possédant un compte Twitter attirent près de 50 % de l'attention totale du site de microblogging. En réalité, un quart des usagers de Twitter n'ont aucun follower. Des 400 millions de tweets envoyés chaque jour, plus de 70 % n'obtiennent aucune réponse, et 40 % des usagers ne tweetent jamais.

BÉBÉ ORDI▸ Né en 2006, Wasik Farhan-Roopkotha, du Bangladesh, a commencé à jouer à des jeux vidéo complexes à 2 ans. Il a maintenant l'ambition de devenir un spécialiste en informatique et de travailler plus tard pour une grande société d'informatique.

MEUH-BILES

▸ Pour encourager les visiteurs à en savoir davantage sur les vaches, Jane Barnes, une agricultrice du Leicestershire (Angleterre) qui élève des vaches laitières, a peint un code QR sur le flanc de Lady Shamrock, une frisonne de 8 ans. Quand les gens scannent ce code-barres avec leur smartphone, ils sont dirigés vers un blog qui explique en détail la vie de la vache, ainsi que le travail quotidien de l'agricultrice.

PREMIER APPLE▶ Un ordinateur Apple I – le premier produit fabriqué par Apple Computer Inc., en 1976 – encore en fonctionnement a été vendu aux enchères pour 364 500 dollars le 15 juin 2012.

CHARGEUR À BASCULE▶ Une entreprise suisse a inventé le iRock, un rocking-chair qui recharge les iPad et les iPhone. Ce fauteuil en bois d'une valeur 1 700 dollars génère assez d'énergie grâce à son mouvement de balancement pour recharger un iPad 3 à 35 % en une heure.

AUBAINE FACEBOOK▶ Lorsqu'on a demandé au graffeur David Choe de peindre les murs des bureaux du premier QG de Facebook à Palo Alto (Californie), en 2005, on lui a offert de le payer quelques milliers de dollars, sinon avec leur équivalent en actions. Bien que pensant alors que Facebook n'avait « aucun sens », il a choisi les actions et, lorsque l'entreprise est entrée en Bourse 7 ans plus tard, il avait en poche un magot estimé à 200 millions de dollars.

ATTERRISSAGE CATASTROPHE▶ Pour tester a résistance des housses de protection iPad, des parachutistes américains ont commencé à ancer des films sur des iPad, puis rangé ceux-ci dans des housses et les ont laissés tomber d'une altitude de 400 mètres pour voir s'ils pouvaient survivre à la chute. Une fois récupérées, les tablettes diffusaient toujours les films.

MMEUBLE JUMELLES▶ Le Binoculars Building, à Venice (Californie), un des bureaux de Google, doit son nom à la paire de jumelles géante – 13,70 mètres de hauteur et 13,40 mètres de arge – qui relie les deux parties du bâtiment conçu par Frank Gehry. L'entrée du parking se trouve entre es deux lentilles des jumelles, qui sont l'œuvre de Claes Oldenburg et Coosje van Bruggen.

COLIBRI ROBOT▶ Des scientifiques japonais développent un colibri robot qui sauvera un our des vies en cherchant des survivants dans des décombres et d'autres zones difficilement accessibles aux humains. Équipé d'une caméra minuscule, le petit robot volant bat des ailes 30 fois par seconde – exactement comme un colibri réel – et les chercheurs espèrent utiliser des capteurs nfrarouges pour les faire planer en vol stationnaire.

CÂLINS SUR FACEBOOK▶ Des scientifiques du Massachusetts Institute of Technology ont inventé e Like-A-Hug (« Comme un câlin ») – une veste qui permet de serrer dans ses bras ses amis et sa famille sur Facebook. La veste gonfle dès que des amis « likent » une photo, une vidéo ou une mise à jour de statut.

GADGETS À LA POÊLE▶ Pour lier la consommation de gadgets et celle de plats fast-food, Henry Hargreaves, un artiste vivant à Brooklyn (New York), photographie des iPad, des MacBook et des Game Boy frits. Toutefois, il ne fait pas cuire de vrais gadgets – il en utilise des faux fabriqués avec un matériau appelé Foamcore.

SIGNAL TÉMOIN▶ Des secouristes étaient sur le point de renoncer à chercher une femme de 76 ans ayant fait une chute de 3,60 mètres dans une bouche d'égout à Palatine (Illinois), quand des régulateurs ont réussi à se servir du signal de son téléphone portable pour la localiser.

BATEAU À L'ŒIL▶ Afin d'éviter d'avoir à payer 2 400 dollars pour le sauvetage de son bateau de pêche qui avait chaviré dans le golfe du Mexique, Jack Roberts, de Fort Walton Beach (Floride), a mis son navire, y compris un filet de pêche d'une valeur de 2 000 dollars, à vendre gratis sur Craiglist – à la seule condition que l'acquéreur puisse renflouer le bateau.

APPLI SANTÉ▶ Une appli appelée « Skinvision » contrôle les grains de beauté, en quête de signes de cancer de la peau. Elle photographie chaque grain de beauté et établit une carte structurelle qui révèle les différents modes de croissance des tissus et alerte de tout développement anormal.

GRIMPEUSE DE PORTE▶ La « fille-araignée » Sofya Dickson, 3 ans, du Leicestershire (Angleterre), peut gravir une porte de 1,80 mètre – soit plusieurs fois sa propre taille. Peter, son père, avait mis une vidéo de ses acrobaties sur YouTube, ce qui a suscité des demandes de participation à des émissions de télévision.

ZOMBIES BLESSÉS▶ Des équipes des urgences appelées pour un accident sur un plateau de cinéma à Toronto (Ontario) se sont alarmées en voyant que les acteurs étaient couverts de sang. Avant de réaliser que l'essentiel du sang n'était que du maquillage, les acteurs étant déguisés en zombies pour le film *Resident Evil : Retribution.*

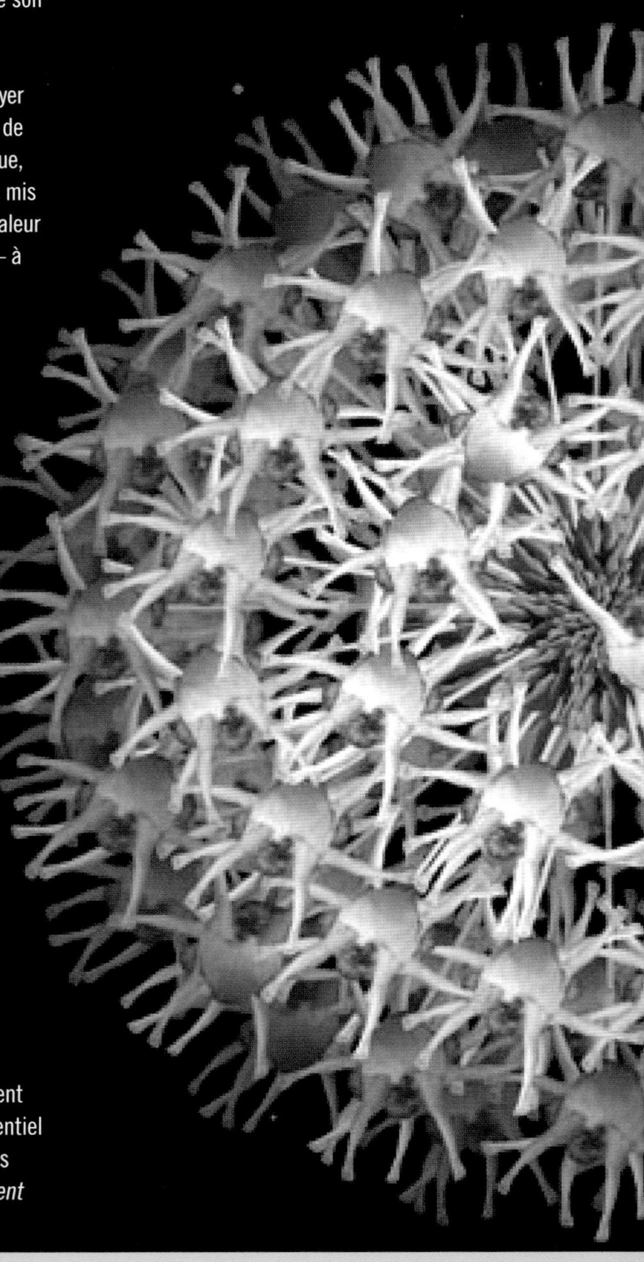

FLEURS HUMAINES

Regardez de plus près ces fleurs et plantes magnifiques… Les pétales et les tiges sont faits de corps humains dénudés! Ils sont l'œuvre de Cecelia Webber, une artiste de Los Angeles (Californie) qui photographie des personnes nues et, à l'aide d'une application d'édition de photos digitales, les transforme en fleurs magiques. L'inspiration pour créer ces images lui est venue lorsqu'elle a remarqué sur une photo que son dos ressemblait à un pétale de fleur.

RESTRICTION D'ÂGE Lorsque Marguerite Joseph, une centenaire de Grosse Pointe (Michigan), s'est inscrite sur Facebook en 2011, elle ne pouvait pas entrer son âge réel. À chaque fois qu'elle tapait 1908, son année de naissance, Facebook changeait automatiquement la date en 1928, rajeunissant Marguerite (qui a plus de 1 750 followers) de 20 ans par rapport aux 102 ans qu'elle avait alors.

LAURA À L'EAU Laura Safe, une présentatrice de l'émission matinale de Capital FM, à Birmingham (Angleterre), était à ce point captivée par le texto qu'elle a écrit à son petit ami qu'elle était tombée dans un canal gelé. Elle a été secourue par un passant, mais entre-temps le drame avait été filmé par CCTV, ce qui a garanti à Laura de faire les gros titres de l'actualité !

FANFARE VIDÉO Durant la mi-temps d'un match de football américain universitaire en juin 2012, les 225 membres de la fanfare de l'Ohio State University ont recréé des images de Space Invaders, Pokemon, Tetris, Halo, The Legend of Zelda et autres célèbres jeux vidéo.

LUMIÈRE Un agriculteur du Devon (Angleterre) a endommagé son iPhone en l'insérant accidentellement dans l'arrière-train d'une vache alors qu'il essayait d'utiliser l'appareil comme une lampe lors d'un vêlage.

DONALD DUCK Un avocat de Zadar (Croatie) s'est plaint que le juge Domagoj Kurobasa n'était pas assez sérieux pour juger une importante affaire de diffamation, du fait qu'il utilisait une image de Donald Duck sur son profil Facebook.

CUI-CUI Bill Oddie, ornithologue et personnalité de la télévision britannique, a transcrit les différents cris des oiseaux tropicaux du zoo de Londres, puis tweeté chaque interprétation en un maximum de 140 caractères.

ORDINATEURS SACRÉS En janvier 2012, le gouvernement suédois a officiellement reconnu une organisation religieuse qui promeut la diffusion du savoir et prône que le partage des fichiers informatiques est un acte sacré.

MILKING

▸ Des étudiants de Newcastle (Angleterre) se sont versé des bouteilles de 2 litres de lait sur la tête en public dans le cadre d'une mode qui fait fureur sur Internet, le « milking », un nouveau concurrent du « planking ». Une vidéo réalisée par Tom Morris, 22 ans, est rapidement devenue virale sur YouTube. On y voit des étudiants se versant du lait sur la tête dans des centres commerciaux, au milieu de la circulation, à la sortie d'un bar, et même dans un arbre.

MARIAGE INFORMATIQUE▸ Quand Miguel Hanson, un concepteur de sites Internet, a épousé Diana Wesley en juillet 2011 à Houston (Texas), la cérémonie a été célébrée par un ordinateur. Incapable de trouver un ami pour officier, le jeune marié a programmé un ordinateur pour jouer ce rôle, créant sur un moniteur de 30 pouces (75 cm) le visage d'un pasteur virtuel, le révérend Bit, qui a récité des instructions comme « Vous pouvez embrasser la mariée » avec une voix de robot.

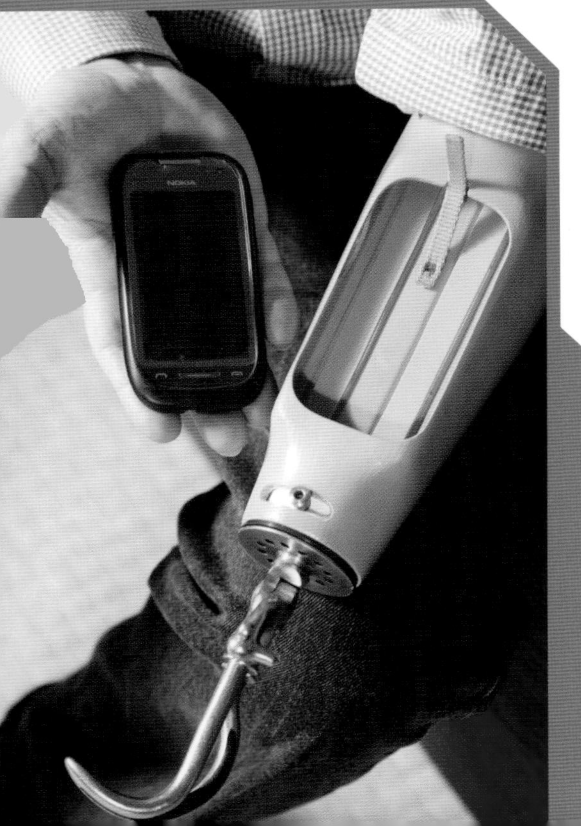

BRAS INTELLIGENT

▸ Trevor Prideaux, du Somerset (Angleterre), est devenu la première personne à posséder un smartphone intégré à sa prothèse de bras. Né sans bras gauche, il avait l'habitude de se servir de son téléphone en le tenant en équilibre sur son faux bras ou sur une surface plane, mais à présent qu'un Nokia C7 est intégré dans son bras en fibre de verre et mélaminé, il peut facilement téléphoner ou taper des textos avec sa main droite.

MAUVAISE BOÎTE▸ Seth Horvitz, de Washington, avait commandé une télé à écran plat de 39 pouces (99,1 cm) chez Amazon. Mais, en ouvrant le colis, quelle ne fut pas sa surprise de découvrir… un puissant fusil d'assaut de type militaire !

PERSONNE VIDÉO▸ À New Berlin (Wisconsin), en 2011, 425 personnes se sont déguisées en personnages de jeux vidéo, notamment Angry Birds, Super Mario Bros, Halo 3 et Pac-Man.

DEMOISELLE D'HONNEUR VIRTUELLE▸ Échouée en Virginie, à 2 575 km de Denver où Jamie Wilborn, sa meilleure amie, se mariait, Renee Armstrong a néanmoins réussi à participer à la cérémonie… sur un iPad. Quelqu'un portait une tablette blanche connectée à la webcam d'Armstrong, si bien que la demoiselle d'honneur absente est même visible sur les photos du mariage.

TWEETS DE FOOT▸ Le but de dernière minute marqué par Fernando Torres pour Chelsea en demi-finale de la Ligue des champions contre Barcelone, le 24 avril 2012, a provoqué 13 684 tweets par seconde, battant le record de 12 233 tweets lors du point culminant du Super Bowl 2012 entre les New York Giants et les New England Patriots.

POTIONS MAGIQUES▸ Le site d'enchères en ligne eBay a banni la vente de potions et de sortilèges en 2012, après que des acheteurs se sont plaints que les produits échouaient à leur rendre instantanément la santé ou à leur conférer une beauté époustouflante.

VISION DÉFORMÉE▸ Tadas Cerniauskas, un photographe lituanien, a invité 100 personnes dans son studio de Vilnius pour projeter sur leurs visages l'air d'un souffleur de feuilles industriel, de manière à capter l'effet sur leurs bouches, leurs yeux et leurs cheveux. Une fois postées sur sa page Facebook, les photographies ont recueilli 3 millions de vues en une semaine.

ÂNES WI-FI▸ Kfar Kedem, une attraction touristique israélienne montrant comment les gens vivaient à l'époque de l'Ancien Testament, a équipé ses ânes de routeurs Wi-Fi, de sorte que les visiteurs en tenue biblique puissent avoir à tout moment accès à Internet.

UN TÉLÉPHONE MOBILE NORMAL CONTIENT AU MOINS 18 FOIS PLUS DE BACTÉRIES QU'UN SIÈGE DE TOILETTES.

MAL REMBOURRÉS▸ Une page Facebook consacrée à des animaux empaillés bizarres ou ratés a attiré quelque 13 000 « likes ». « Badly Stuffed Animals » (« Animaux mal rembourrés ») comprend notamment un chien monté sur un tricycle, un chameau dans une valise et un chien sautant par-dessus un globe terrestre.

VOYAGE EXPRESS▸ Brian Defrees, un photographe de Syracuse (État de New York), a réalisé une vidéo en accéléré de son voyage de 19 560 km à travers les États-Unis, et a posté le résultat sur YouTube : un film de 5 minutes qu'il a réalisé à partir de 200 000 photos individuelles. Fixant un appareil photo sur sa voiture, il l'a réglé de telle sorte qu'il se déclenche toutes les 5 secondes tandis qu'il traversait 30 États en 55 jours.

GOUTTE D'HONNEUR▸ Alors qu'il nettoyait un placard, Christopher Herbert, de Londres (Angleterre), a découvert une goutte de colle sèche qui ressemblait à Homer Simpson. Il l'a mise aux enchères sur eBay, et elle s'est vendue pour la somme stupéfiante de 236 000 dollars.

ERREUR D'IDENTITÉ▸ Ashley Kerekes, de Westfield (Massachusetts), a reçu des dizaines de tweets intempestifs lors d'un match de cricket. Lorsqu'elle a protesté en disant qu'il y avait, le nombre de ses followers a bondi de 300 à 13 000, et on lui a offert un voyage en Australie.

INTERDICTION IRANIENNE▸ Des protestations de jeunes joueurs iraniens ont persuadé le gouvernement de ce pays d'interdire le jeu vidéo américain Battlefield 3, qui montre des soldats américains envahissant l'Iran en 2014 pour rechercher des têtes nucléaires disparues.

FACES DE BILLETS▸ Il existe des groupes Facebook consacrés à « Money Facing ». Les gens se prennent en photo avec un billet plié devant leur visage. Des centaines de personnes ont créé des portraits hybrides d'eux-mêmes avec la reine Élisabeth II ou Charles Darwin en posant avec des billets de banque du monde entier.

BASKETS À RAIE-YURES

▸ Près de 10 000 personnes ont utilisé l'outil en ligne d'un site Internet pour concevoir des baskets à motifs colorées qui, prétendait-on, seraient fabriquées en modifiant l'ADN de raies. Ces personnes ignoraient que toute l'entreprise était un canular sophistiqué. Présentée comme une société thaïe, RayFish Footwear a attiré une vaste couverture médiatique, mais avait en réalité été créée par une équipe de designers néerlandais. Loin d'être génétiquement modifiées, les jolies chaussures étaient simplement teintes.

10

ART

HYPERRÉALISME INQUIÉTANT

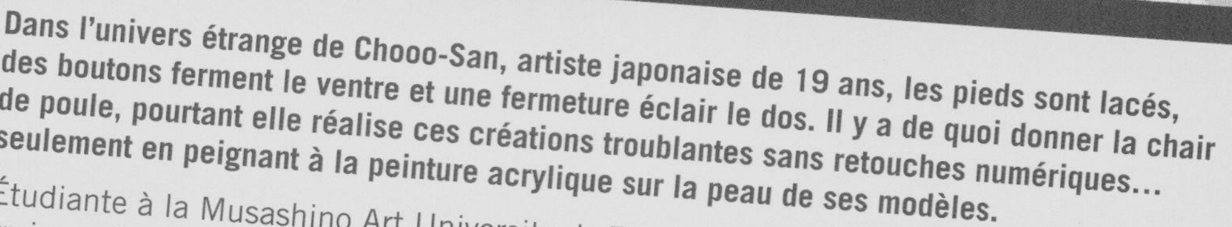

Dans l'univers étrange de Chooo-San, artiste japonaise de 19 ans, les pieds sont lacés, des boutons ferment le ventre et une fermeture éclair le dos. Il y a de quoi donner la chair de poule, pourtant elle réalise ces créations troublantes sans retouches numériques… seulement en peignant à la peinture acrylique sur la peau de ses modèles.

Étudiante à la Musashino Art University de Tokyo, Chooo-San (Hikaru Cho de son vrai nom) a découvert son talent en dessinant des yeux sur le dos de sa main. Elle a développé ce thème en peignant une inquiétante deuxième paire d'yeux sur le visage d'une camarade, ou une deuxième bouche à un endroit inhabituel.

Aujourd'hui elle est allée plus loin et peint des boutons ou des fermetures éclair sur le corps de ses amis, dont la peau semble littéralement sur le point de se déchirer. Le réalisme est tel que les lacets, boutons et fermetures éclair semblent faire partie intégrante de la peau.

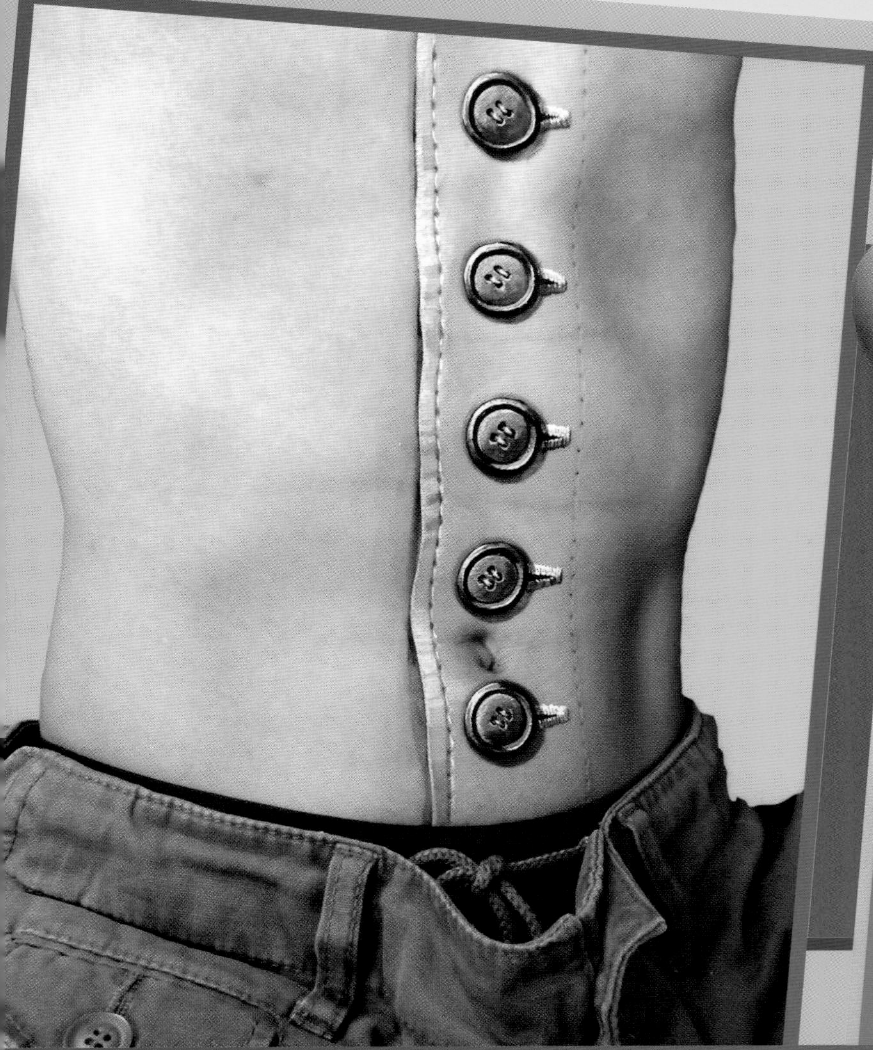

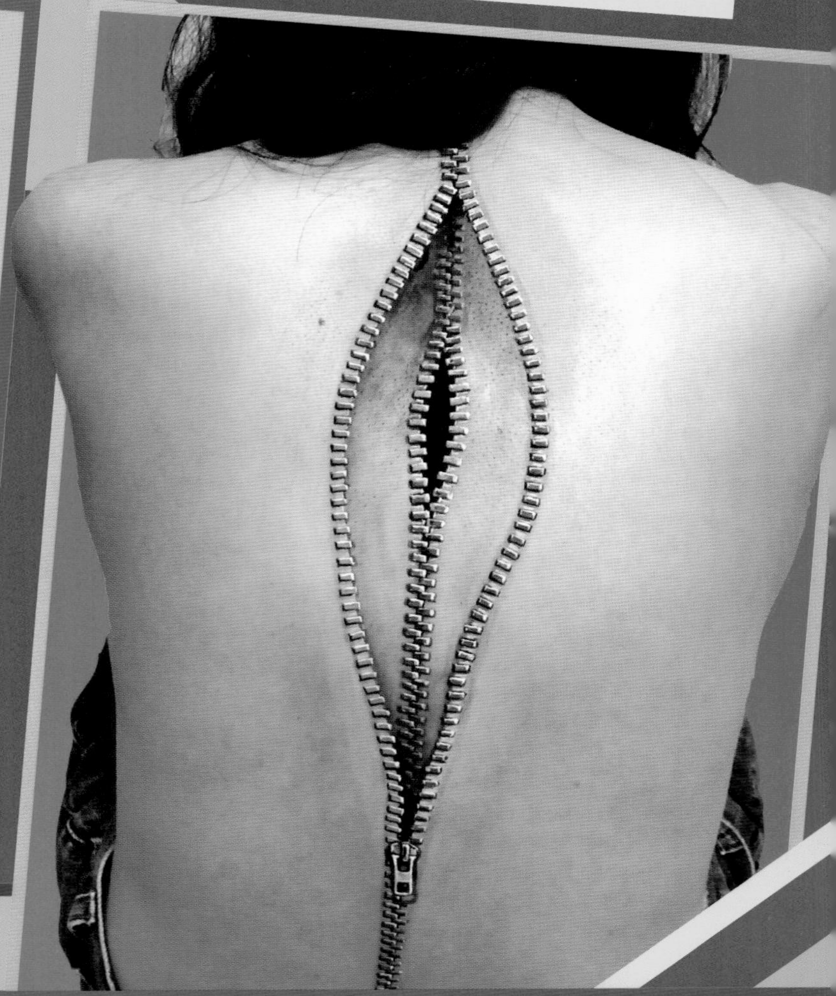

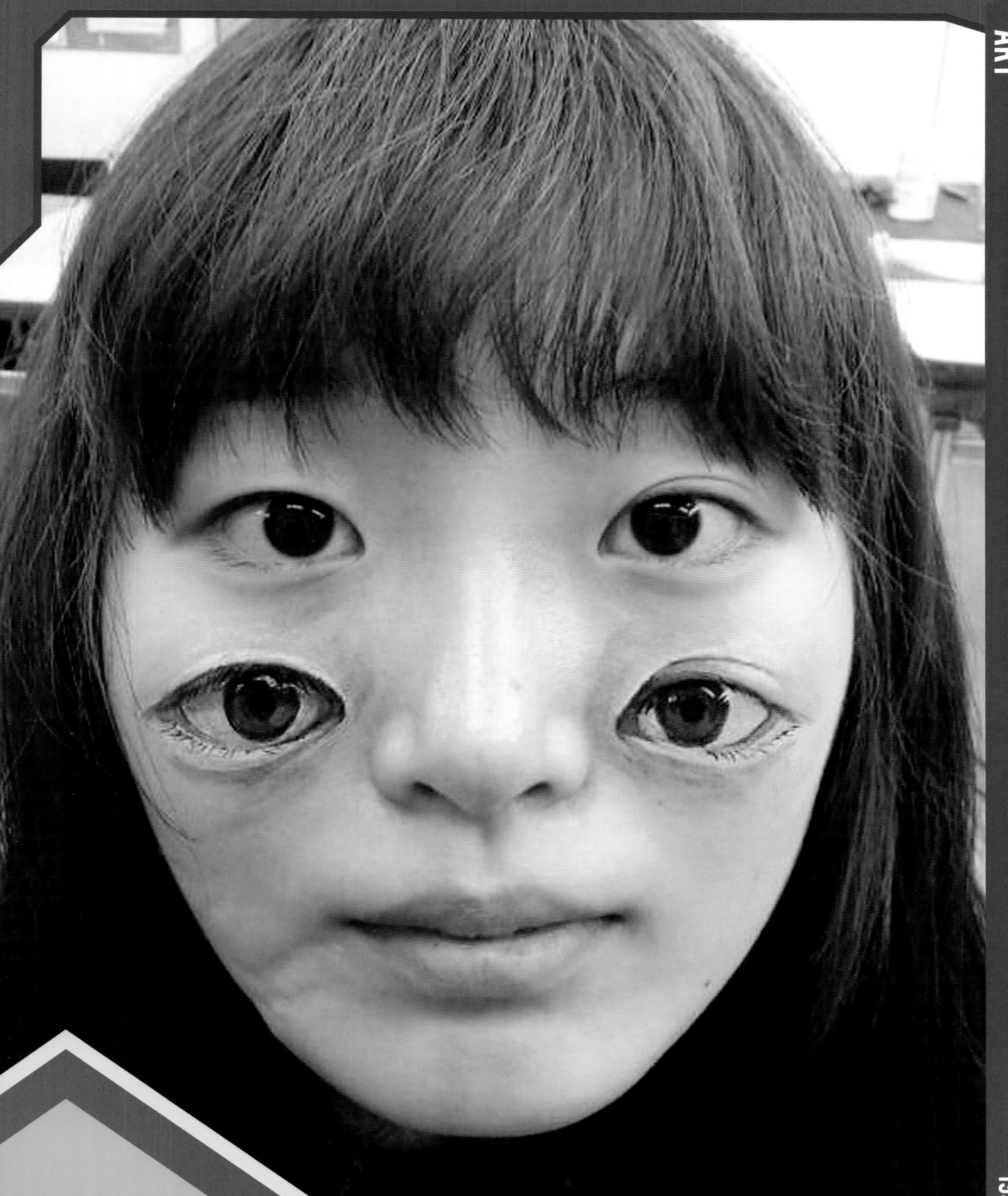

JOLI BÉNEF▸ Un bol Ming ébréché du xve siècle, acheté 79 euros en 1948 par un collectionneur londonien, s'est vendu 2 millions d'euros en 2012, lors d'une vente aux enchères au Royaume-Uni.

BOULETTE▸ « Le rat parachutiste », œuvre du graffeur britannique Bansky, a été détruite par un entrepreneur de Melbourne, Australie, qui l'a percée pour faire passer un tube d'évacuation.

TOUTENCARTON▸ La créatrice de meubles Catherine Corbelet ne travaille qu'une seule matière : le carton. Ce qui n'empêche pas cette Parisienne de réaliser des armoires, des tables, des commodes Louis XVI et même des fauteuils aux formes généreuses ainsi que des sofas sur lesquels il fait bon se reposer…

MARCHE ESPAGNOLE

▸Dans une rue de Madrid, une promeneuse semble minuscule près d'une chaussure géante ayant fait, en 2012, partie d'une exposition intitulée *Chaussures dans la ville*, destinée à faire la promotion des fabricants espagnols de chaussures.

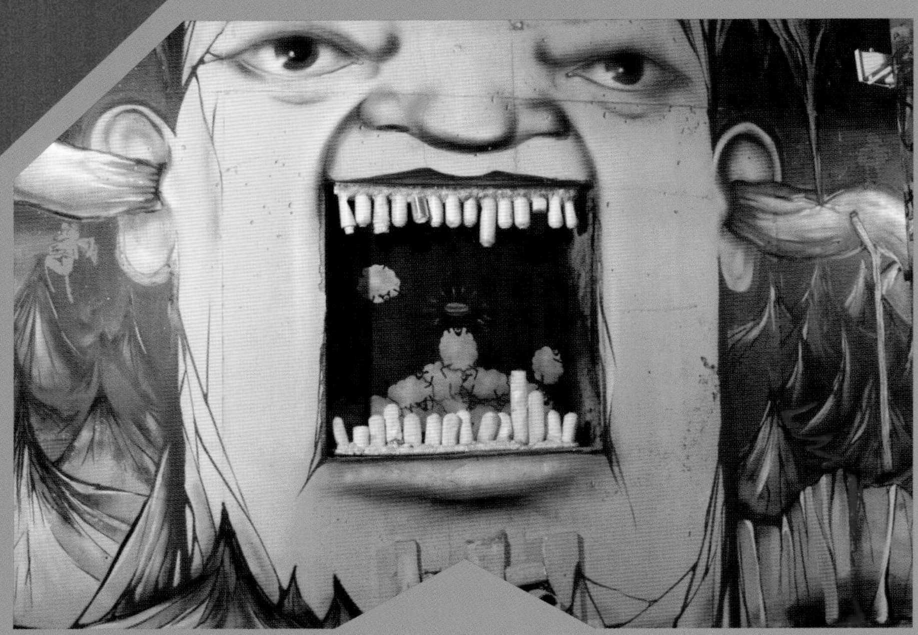

MUR VIVANT

▸ Pour la série *Les Murs vivants*, le graffeur russe Nikita Nomerz donne vie aux bâtiments à l'abandon en y peignant des visages. Il a représenté des yeux et un nez sur ce mur en ruines et utilisé des bombes de peinture blanche pour figurer les dents. Il a aussi peint un château d'eau de telle façon qu'il semble rire et placé des visages sur des immeubles délabrés, les fenêtres brisées représentant les yeux.

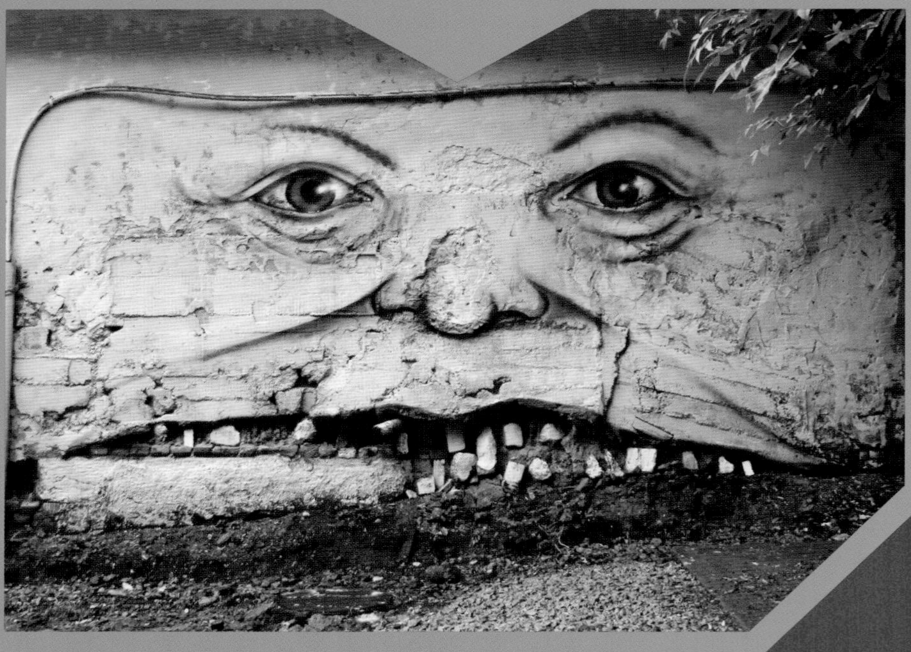

JUBILÉ▸ Sheila Carter, une arrière-grand-mère de Southampton, Angleterre, a consacré plus de 500 heures et 1 372 m de laine à la réalisation en tricot de sa version du jubilé de diamants de la reine Élisabeth II. On estime que son tribut à la royauté, dont la pièce maîtresse est une péniche d'1 m transportant des portraits en laine de la famille royale sur la Tamise en direction d'un Tower bridge également en laine, a nécessité plus d'1,8 million de mailles. En 2011, elle a tricoté un gâteau d'anniversaire d'1 m de haut surmonté des portraits en laine du prince William et de Kate Middleton.

NATIVITÉ MARMITE▸ Nathan Wyburn, un étudiant en art d'Ebbw Vale, au pays de Galles, a créé une scène de la Nativité avec 120 toasts enduits de la savoureuse pâte à tartiner Marmite. Son book Marmite comporte aussi des portraits de Simon Cowell et d'Amy Winehouse.

VOITURE DE RÊVE▸ Ne pouvant acheter la Ferrari dont il a toujours rêvé, Chris Smart, de Hampshire, en Angleterre, en a peint une, très réaliste, sur la porte de son garage.

CRÉATION CAFÉ▸ En 2012, Arkady Kim, un sculpteur russe, a réalisé, avec 180 kg de grains de café, la plus grosse sculpture du monde en grains de café. Intitulée *Éveil*, elle mesure 30 m², a exigé deux semaines de travail et comporte environ un million de grains de café.

EX-TRA-ORDINAIRE▸ Motoi Tamamoto, un artiste japonais, crée d'immenses labyrinthes complexes avec du sel. Il remplit une bouteille en plastique de sel, qu'il verse ensuite sur le sol. Les motifs les plus vastes lui prennent parfois jusqu'à deux semaines pendant lesquelles il travaille 14 h par jour.

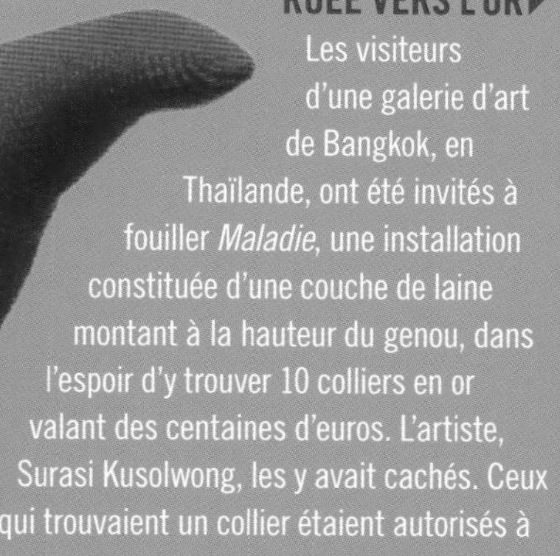

RUÉE VERS L'OR▶ Les visiteurs d'une galerie d'art de Bangkok, en Thaïlande, ont été invités à fouiller *Maladie*, une installation constituée d'une couche de laine montant à la hauteur du genou, dans l'espoir d'y trouver 10 colliers en or valant des centaines d'euros. L'artiste, Surasi Kusolwong, les y avait cachés. Ceux qui trouvaient un collier étaient autorisés à le conserver.

L'UNION FAIT LA FORCE▶ Une équipe de plus de 50 tricoteuses de Poole, en Angleterre, a mis 9 mois à réaliser un sapin de Noël de 3 m composé de 1 200 carrés de laine verte de 20 cm de côté. Elles ont accroché ces carrés sur un support métallique puis ajouté 200 décorations en tricot, dont le père Noël, des bonshommes de neige et des rennes.

FOULE▶ Disposant de 30 tonnes d'argile, le sculpteur britannique Antony Gormley a encouragé des gens ordinaires à réaliser 40 000 petites figurines en terre cuite destinées à son œuvre intitulée *Field for the British Isles*. Il a fallu 5 jours pour installer ces personnages lors de l'exposition organisée en 2012 à Barrington Court, dans le Somerset.

JOURNAL EN IMAGES▶ Angie Stevens, de Swansea, au pays de Galles, a dessiné son fils, Gruff, presque tous les jours pendant les deux premières années de sa vie – plus de 700 dessins – et n'a pas cessé. Maman-croquis exécute tous les soirs un dessin relatant ce qui est arrivé à Gruff et à la famille pendant la journée.

IMAGES SATELLITES▶ David Hanauer, un artiste allemand, a créé une ligne de tapis aux motifs complexes basés sur les images satellites de la Terre. Il a pris les clichés aériens de Google Earth comme modèle du motif de ses tapis persans modernes, représentant la même image dans quatre directions pour conférer à ses créations l'aspect symétrique caractéristique des tapis traditionnels.

PROTESTATIONS SILENCIEUSES▶ En juillet 2012, Pyotr Pavlensky, un artiste de Saint-Pétersbourg, s'est cousu la bouche avec un fin fil rouge afin de protester contre le procès intenté aux 3 femmes du groupe punk Pussy Riot.

PUANTEUR▶ *La Grande Puanteur*, une sculpture de 4 m représentant un nez, est apparue en août 2012 sur un pont de Londres. Elle était destinée à la promotion d'une exposition en souvenir de l'horrible puanteur de l'été 1858, due à l'accumulation d'ordures, qui a entraîné la rédaction de nouvelles lois visant à nettoyer la capitale britannique.

HÉROS DÉCHUS

▶ Les temps semblent durs pour Ernie, mais la représentation du personnage de Rue Sésame sous les traits d'un clochard fait partie d'une exposition allemande de Patricia Waller, Héros déchus. ***Sa série au crochet d'icônes de l'enfance en péril comporte aussi Winnie l'ourson après son suicide, Spiderman prisonnier de sa propre toile et Superman se fracassant contre un mur.***

RUE DES ARTISTES

▸ Durant l'été 2011, les maisons condamnées et délabrées de Bellevue Avenue East, à Seattle, dans l'Oregon, sont devenues les logements les plus étranges d'Amérique. On a chargé quatorze artistes locaux d'en faire une expérience artistique. Avec 3660 mètres de sangle rouge vif, Sutton Beres Culler a lié deux maisons l'une à l'autre, perçant les murs pour y parvenir. Luke Haynes a décoré une habitation avec 454 kilos de vieux T-shirts. Un des pavillons a été complètement enveloppé dans du film alimentaire et doté d'un code à barres, comme s'il était à vendre. Trois semaines plus tard, la rue des artistes a été démolie pour laisser place à un lotissement neuf.

TOILE VIERGE▸ En 1969, l'artiste minimaliste britannique Bob Law a réalisé un « tableau » seulement constitué d'une grande toile vierge, d'une bordure au marqueur noir et de la date dans le coin inférieur droit... et il est estimé à 75 000 euros.

EXPOSITION INVISIBLE▸ La galerie Hayward de Londres a exposé 500 œuvres « invisibles » d'Andy Warhol, Yoko Ono et Yves Klein lors d'une exposition que personne ne pouvait voir. Les pièces présentées comportaient des dessins à l'encre invisible, un morceau de papier que l'artiste américain Tom Friedman avait fixé pendant 1 000 heures sur une période de cinq ans, et une estrade sur laquelle s'était tenu Andy Warhol.

MUSTANG DE PAPIER▸ Jonathan Brand, un artiste canadien, a construit une Mustang de 1969, grandeur nature... entièrement en papier. La réplique de la voiture est constituée selon un modèle en 3D sur ordinateur. Toutes les pièces du modèle numérique ont été ensuite imprimées sur papier, découpées à la main, pliées, puis collées à leur place. La réplique est réaliste jusque dans ses moindres détails.

MINI DRAGON▸ Pour fêter l'année du dragon, en 2011, le miniaturiste taiwanais Chen Forng-shean a consacré trois mois à la réalisation d'un dragon d'1,2 centimètre de long... si petit qu'il tenait sur une pièce de monnaie et devait être regardé au microscope. Il était si incroyablement détaillé qu'on distinguait les griffes et les moustaches.

LE PEINTRE FRANÇAIS PAUL GAUGUIN A ÉTÉ OUVRIER SUR LE CHANTIER DU CANAL DE PANAMA.

PETITS PAYSAGES▸ En mars 2012, la galerie Kelowna, en Colombie-Britannique, a exposé 4 154 œuvres originales de la taille d'une carte postale (15x10 cm) représentant des paysages et exécutées par des artistes locaux.

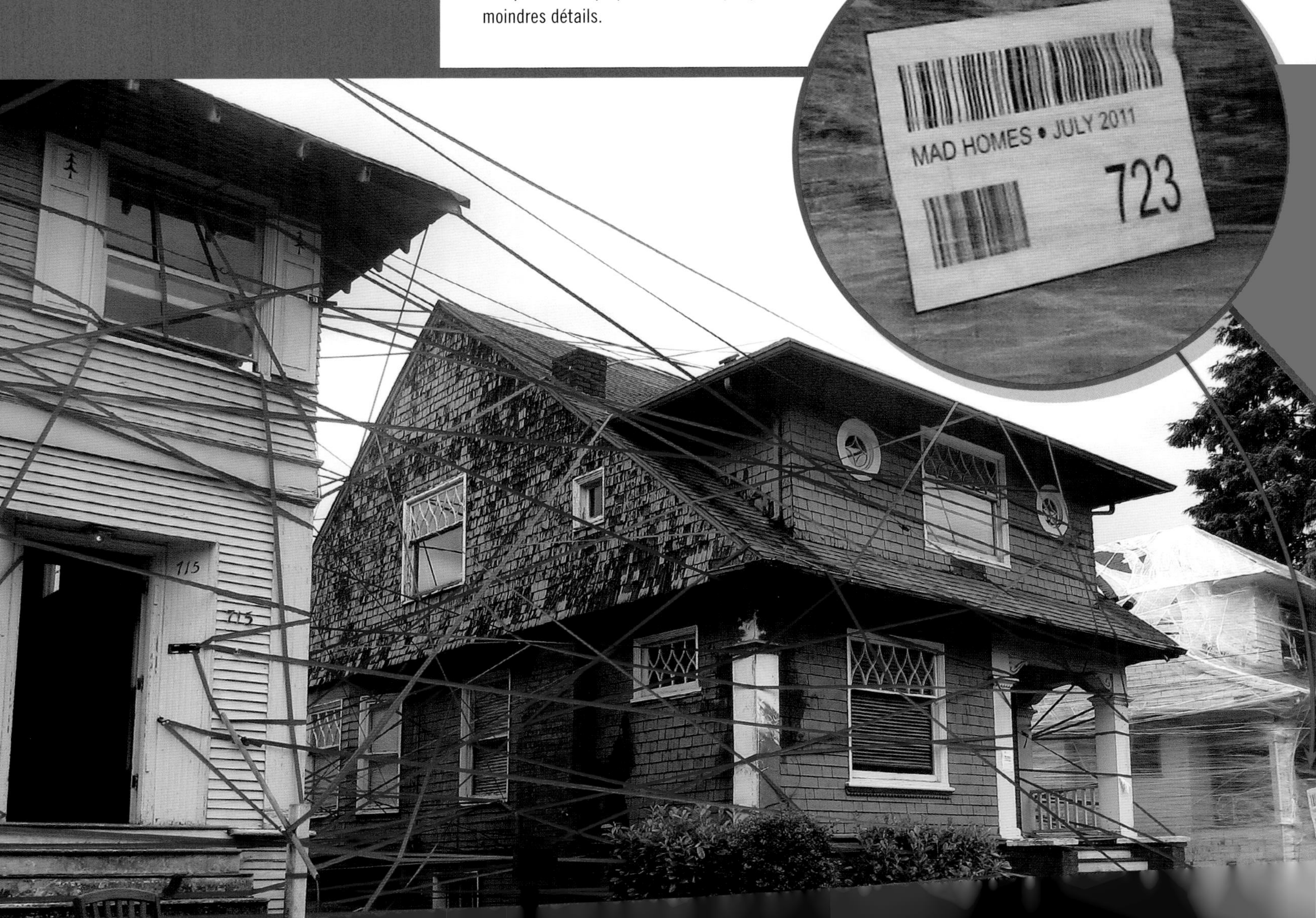

TEMPS INTÉRIEUR

▸ Les *Nimbus* de Berndnaut Smilde, un artiste hollandais, font entrer le temps qu'il fait dans les bâtiments. Ses nuages incroyablement réalistes, créés avec une machine fumigène ordinaire et de l'eau vaporisée, sont photographiés pendant les quelques secondes précédant leur disparition, et les images montrent des nuages miniatures flottant comme par magie dans des pièces vides. Il n'y a ni artifices numériques, ni coton hydrophile.

ART DE RUES ▸ Son vélo lui tenant lieu de crayon, et sa ville de Baltimore, dans le Maryland, de toile, Michael Wallace a créé des images GPS géantes représentant aussi bien une chouette qu'un éléphant, ou le *skyline* de Manhattan. Après avoir étudié le plan pour voir si des formes intéressantes se présentent, il prépare son trajet, même s'il doit prendre une rue à contresens pour réaliser son œuvre sur GPS.

ART BATEAU ▸ Un bateau constitué de 1 200 morceaux de bois, dont des fragments d'une guitare de Jimi Hendrix et de la *Mary Rose*, un navire de guerre anglais du XVIe siècle, a été lancé, dans le cadre d'un projet artistique, pour célébrer les jeux Olympiques de Londres, en 2012.

AGRAFES ▸ Avec 450 000 agrafes, Baptiste Debombourg a créé, à Prague, en République Tchèque, une fresque aussi énorme que complexe.

GLACE EN ÉTÉ ▸ 29 artistes venus de divers pays ont utilisé 22 camions de glace – environ 440 tonnes – pour réaliser 90 personnages de Walt Disney, dont Mickey, Simba, Aladin et Buzz l'éclair, lors du Festival de la sculpture sur neige et glace de Bruges, en Belgique. Pour éviter que les personnages ne fondent pendant la durée du festival, de novembre 2011 à janvier 2012, la température des locaux a été maintenue à -10 C°.

DÉTOURNEMENTS

▸ Christopher Boffoli, un photographe de Seattle, dans l'État de Washington, capture les produits alimentaires sous un étrange jour nouveau. Entre autres activités insolites, ses figurines miniatures voguent en canoé sur du lait, extraient du chocolat et font de la plongée dans des tasses de thé. Selon Christopher, ces photos humoristiques lui ont à la fois été inspirées par les modèles réduits de son enfance et par les habitudes alimentaires américaines.

BAISER RISQUÉ

▶ *Le photographe japonais Haruhiko Kawaguchi aime faire le portrait de couples d'amoureux. Mais il les photographie dans des sacs en plastique géants où il fait le vide ! Tous ses sujets, environ 80, ont participé volontairement à son projet : Amour et Chair. Avec un aspirateur, Kawaguchi aspire l'air contenu dans une housse pour meuble et ne dispose ensuite que de quelques secondes pour prendre des clichés avant que ses modèles ne paniquent. Selon lui, il n'y a pas eu d'accidents, mais les hommes ont plus peur que les femmes et il dispose de bouteilles d'oxygène en cas d'urgence. La technique de Kawaguchi est très dangereuse et il ne faut en aucun cas tenter de la reproduire chez soi.*

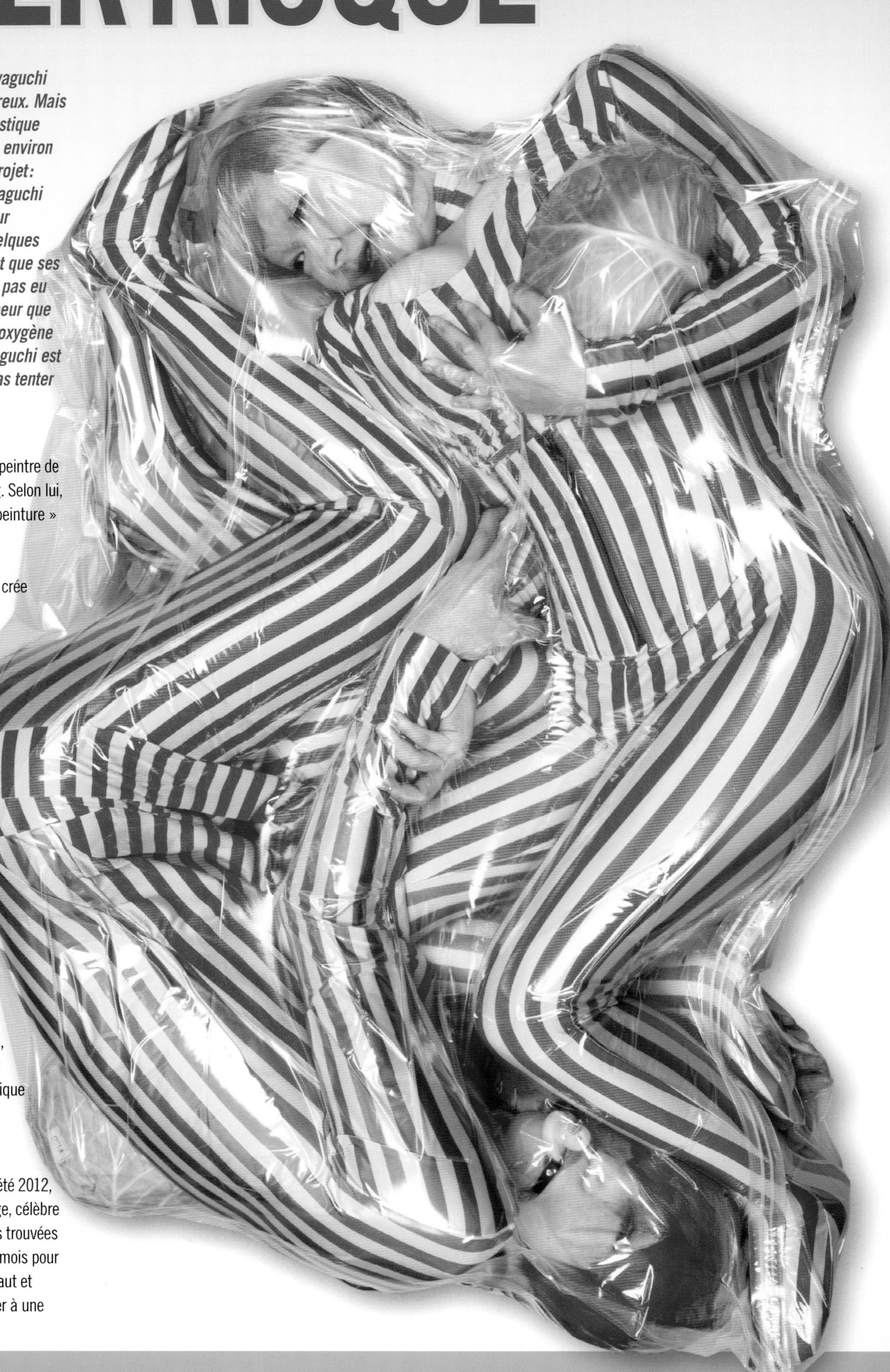

L'ART DANS LE SANG ▶ Nick Kushner, un peintre de New York, peint depuis 15 ans avec son sang. Selon lui, la douleur qu'il éprouve quand il extrait la « peinture » est cathartique.

ART VIVANT ▶ Ben Heine, un artiste belge, crée des œuvres d'art vivantes en couvrant ses modèles de peinture acrylique. Il consacre trois heures à chacune des pièces de sa série, *Chair et Acrylique*.

NAISSANCE PUBLIQUE ▶ Marni Kotak, une artiste de Norwood, dans le Massachusetts, a fait installer un bassin d'eau chaude dans une galerie de New York. Le point culminant de sa performance a été la mise au monde de son fils, Ajax, devant 20 personnes, le 25 octobre 2011. Une vidéo de la naissance a été présentée à la Microscope Gallery de Brooklyn lors de son exposition intitulée *La Naissance du bébé X*.

LA TOUR LA PLUS HAUTE ▶ En mai 2012, 4 000 jeunes Sud-Coréens ont édifié une tour en LEGO de 32 mètres devant le Stade olympique de Séoul. Elle a nécessité 500 000 briques de LEGO et 5 jours de travail.

AUTO-HENGE ▶ Pour célébrer le solstice d'été 2012, Tommy Gun a créé une réplique de Stonehenge, célèbre monument britannique, avec dix-huit voitures trouvées dans une casse de Londres. Il lui a fallu trois mois pour réaliser la structure, qui faisait 5 mètres et haut et pesait 40 tonnes. Elle était capable de résister à une tempête de force 12.

SECRETS D'UN SOURIRE▸ En plaçant la *Mona Lisa* de Léonard de Vinci sur un de ses côtés, Ron Piccirillo, un peintre de New York, affirme avoir découvert des images symboliques dissimulées dans ce tableau vieux de 500 ans, notamment les têtes d'un lion, d'un singe et d'un buffle, qui montrent, selon lui, que la toile est en réalité une représentation de l'envie.

LIGNE CONTINUE▸ Chan Hwee, un artiste de Singapour, a reproduit plusieurs des tableaux les plus célèbres au monde – la *Mona Lisa* de Léonard de Vinci, *La Jeune Fille à la perle* de Vermeer et l'autoportrait de Van Gogh – en une unique ligne ininterrompue. Ce travail exige une précision telle qu'il doit recommencer à zéro à la moindre erreur.

BONHOMME ALLUMETTE▸ *L'homme qui marche*, sculpture d'1,8 mètre de haut de l'artiste suisse Alberto Giacometti, représentant un bonhomme allumette, s'est vendue 77 millions d'euros, en 2010, à Londres, lors d'une vente aux enchères.

HOMMAGE DES DÉS▸ Frederick McSwain, artiste new-yorkais, a réalisé un portrait géant avec 13 138 dés. Ce portrait représente son ami l'artiste et designer canadien Tobias Wong, décédé en 2010 à 35 ans ou, pour être plus précis, à 13 138 jours.

UN MILLION DE PERLES▸ Stephan Wanger, artiste de La Nouvelle-Orléans originaire d'Allemagne, a recyclé les perles des colliers de Mardi-Gras pour réaliser la plus grande mosaïque en perles du monde (2,4 x 9,1 mètres). Intitulée *Sanctuaire d'Algérie*, cette mosaïque achevée en janvier 2012, après 14 mois de travail, représente le centre de la Nouvelle-Orléans vu depuis la rive opposée du Mississippi.

HARICOT ROYAL▸ Micro-sculpteur de Birmingham, en Angleterre, Willard Wigan a sculpté le portrait de la reine Elizabeth sur un grain de café long de 2 mm, à l'occasion du jubilée de diamant de la souveraine. Cela lui a pris trois semaines pour le peindre avec un poil de mouche.

PANIC ROOM▸ Une chambre de l'hôtel du Vieux-Panier, à Marseille, est à moitié blanche et à moitié couverte de graffitis. La propriétaire de l'établissement, Jessica Venediger, a proposé à un graffiti-artist, Tilt, de couvrir les murs, le plancher et même les draps de grosses lettres et de tags pour créer la « Panic Room ».

TÊTE DE PASTÈQUE▸ Clive Cooper de Vancouver, au Canada, sculpte des têtes humaines et animales dans des pastèques aux couleurs vives. Il lui faut six heures pour créer ces œuvres, qui ne durent qu'une seule journée.

BARBIE ART▸

▸ Jocelyne Grivaud, une artiste française, a combiné de façon créative les grands tableaux qu'elle admire et son obsession d'enfant pour Barbie, afin de créer ces réinterprétations originales et habiles de chefs-d'œuvre célèbres, où la non moins célèbre poupée tient la vedette. Dans ces œuvres alternatives, Barbie prend la place de la mystérieuse *Mona Lisa* de Léonard de Vinci et celle de *La Jeune Fille à la perle* de Vermeer. Jocelyne met parfois plusieurs jours à préparer Barbie en vue de la photo. Selon elle, les critiques dont Barbie fait l'objet l'incitent à la vêtir comme les femmes emblématiques de la peinture.

PORTRAIT AU BALLON▸ Hong Yi, un artiste malaisien, a réalisé un portrait extraordinairement détaillé de Yao Ming, joueur des Houston Rockets – une équipe de la NBA – ayant récemment pris sa retraite, en utilisant un ballon de basket trempé dans de la peinture rouge.

RÉPLIQUE DU *TITANIC*▸ En avril 2012, à l'occasion du centenaire du naufrage du *Titanic*, Stan Fraser a dévoilé une réplique du navire, longue de 30 mètres, dans le jardin de sa maison d'Inverness, en Écosse. Il a mis douze ans à réaliser cette maquette au 1/10e et utilisé deux vieilles caravanes pour construire la coque.

TRANSFORMER GÉANT▸ Les étudiants de l'université d'Hangzou, en Chine, ont construit un transformer géant de 10 mètres de haut avec de vieilles pièces d'automobile.

CARROSSERIE HUMAINE

▸ Voici une voiture à la carrosserie unique… constituée de 17 hommes et femmes nus. Emma Hack, spécialiste de peinture corporelle d'Adelaïde, en Australie, est partie de la photo d'une voiture impliquée dans un accident de la circulation sans gravité, a couvert ses modèles humains de nuances de bleu, blanc, noir et gris métallisé, afin de représenter les jantes en alliage et la plaque d'immatriculation, puis a disposé les participants de façon à représenter l'aspect de la voiture. Il a fallu 18 heures d'efforts pour que l'illusion soit parfaite.

BOURDE▸ Une femme de ménage trop consciencieuse du musée Ostwall de Dortmund, en Allemagne, a détruit une sculpture moderne valant 800 000 euros en grattant sa peinture, qu'elle avait prise pour une couche de crasse.

EN ÉTAT DE MARCHE▸ Partant de zéro, Louis Chenot de Carl Junction, dans le Missouri, a consacré environ 15 000 heures à la réalisation d'un modèle réduit au 1/6ᵉ d'une Duesenberg de 1932. Il l'a terminé en 2010. Le modèle réduit comporte plus de 6 000 pièces, et le moteur fonctionne.

BRODER SANS DOIGTS▸ Bien qu'elle ait perdu tous ses doigts dans un incendie lorsqu'elle était enfant, Peng Jiangya, d'Yinjiang Tujia, en Chine, est capable de broder au point de croix plus vite que de nombreux artistes non handicapés. Elle utilise ses bras pour tenir le fil et l'aiguille, et, après de longues heures de pratique, elle a acquis une dextérité qui attire les touristes dans son village isolé.

BELLE AU BOIS DORMANT▸ Taras Polataiko, un artiste ukraino-canadien, a organisé à Kiev une exposition où cinq jeunes femmes dormaient tour à tour deux heures sur un lit installé dans la galerie, comme la Belle au bois dormant du conte de fées. Conformément à l'histoire, les Belles promettaient d'épouser les visiteurs qui les réveilleraient d'un baiser, mais les promesses de mariage n'étaient pas juridiquement contraignantes.

LANGUE À TOUT FAIRE▸ Ani K, un professeur de dessin du Kerala, en Inde, peint avec sa langue. Après avoir lu un article sur un peintre peignant avec son pied, il a eu l'idée de s'enduire la langue de peinture et de lécher la toile. Ani a d'abord essayé de peindre avec son nez, mais s'est aperçu qu'il lui était plus facile de contrôler sa langue. Il est même devenu insensible aux émanations de la peinture, qui lui donnaient des migraines et des crampes d'estomac. Il a exécuté plus de vingt aquarelles, notamment une version de 2,4 mètres de large de *La Cène*, qu'il a mis cinq mois à réaliser.

VOITURE EN KIT▸ En hommage à l'Aston Martin DBR1 qui a remporté les célèbres 24 Heures du Mans en 1959, l'Evanta Motor Company du Hertfordshire, en Angleterre, a réalisé une œuvre d'art représentant la voiture grandeur nature dans le style des maquettes Airfix. L'œuvre, qui fait 6,30 mètres de large sur 3,30 mètres de haut et présente les pièces fixées individuellement sur un support gris, est estimée à 30 000 euros.

PORTRAIT AU CAFÉ▸ Des artistes de Hawaii ont créé un portrait d'Elvis Presley – une image de son film de 1961 *Blue Hawaii* – de 4,90 x 7,60 mètres avec 5 642 tasses de café, parvenant à obtenir dix nuances différentes de brun.

VICTIME DE LA ROUTE▸ Marion Waldo McChesney crée des motifs uniques sur ses poteries, en pressant sur l'argile les corps momifiés d'animaux morts. Sa collection de victimes de la route a débuté voici une quinzaine d'années, le jour où elle a trouvé le cadavre intact d'une grenouille – qu'elle a ensuite surnommée Dorset George – sur un chemin du Vermont. Ses poteries portent toujours l'empreinte de Dorset George, mais aussi celles de dizaines d'autres cadavres de grenouilles, d'hippocampes…

ART DE L'IMAGINAIRE▸ Deux artistes de New York ont vendu 7 500 euros une œuvre que personne ne peut voir. Connus sous le nom de *Praxis*, Delia et Brainard Casey ont fondé le Musée de l'art non visible où les collectionneurs n'achètent pas une œuvre, mais un certificat d'authenticité et une petite carte sur laquelle l'artiste décrit la sienne. Ensuite, ils l'accrochent au mur et recourent à leur imagination pour décrire le tableau à leurs amis.

Vincent Castiglia, peintre new-yorkais, peint avec son sang depuis plus de dix ans. Il exécute un croquis préliminaire au feutre ou au crayon, puis extrait la quantité nécessaire de « peinture » dans l'intimité de son atelier. Il qualifie sa matière macabre de « chair liquide ». Ses œuvres les plus grandes lui prennent parfois jusqu'à trois mois de travail et peuvent atteindre 18 000 €. Le sang humain contient de l'oxyde de fer, pigment présent dans de nombreuses peintures.

PEINTRE ENRAGÉ

DESSINS VIVANTS

▶ Ramon Bruin, un illustrateur hollandais, n'a besoin que d'un crayon et d'une feuille de papier blanc pour créer des dessins qui semblent en 3D et paraissent se détacher de la page. Grâce à une technique d'aérographe qu'il nomme « anamorphose », il réalise des images incroyables de serpents, d'oiseaux et d'insectes, et il lui suffit de poser la main sur eux pour leur donner vie.

CHÈRES PUNAISES▶ Andre Woolery, un artiste new-yorkais, a réalisé le portrait de personnes célèbres – notamment les rappeurs Jay-Z et Kayne West – avec des milliers de punaises à tête de couleurs différentes. Il a aussi créé un billet de 100 dollars avec 23 850 punaises vertes, grises et noires, remplaçant le portrait de Benjamin Franklin par celui de Benjamin Banneker, scientifique et astronome afro-américain du XVIIIe siècle surtout connu pour avoir participé à l'établissement des frontières de l'ancien District de Columbia.

CRAMPONNEZ-VOUS▶ À l'aide d'un puissant microscope, Graham Short, un graveur de Birmingham, en Angleterre, a gravé les noms complets des 38 buteurs de la Coupe du monde 1966 remportée par l'Angleterre sur un crampon de chaussure de football. Il lui a fallu six mois de travail, le moindre faux mouvement l'obligeant à recommencer à zéro. De ce fait, il portait un stéthoscope, afin de pouvoir graver entre les battements de son cœur, et ne travaillait que de nuit pour éviter les vibrations dues à la circulation. Il a précédemment gravé le Notre-Père sur la tête d'une épingle en or.

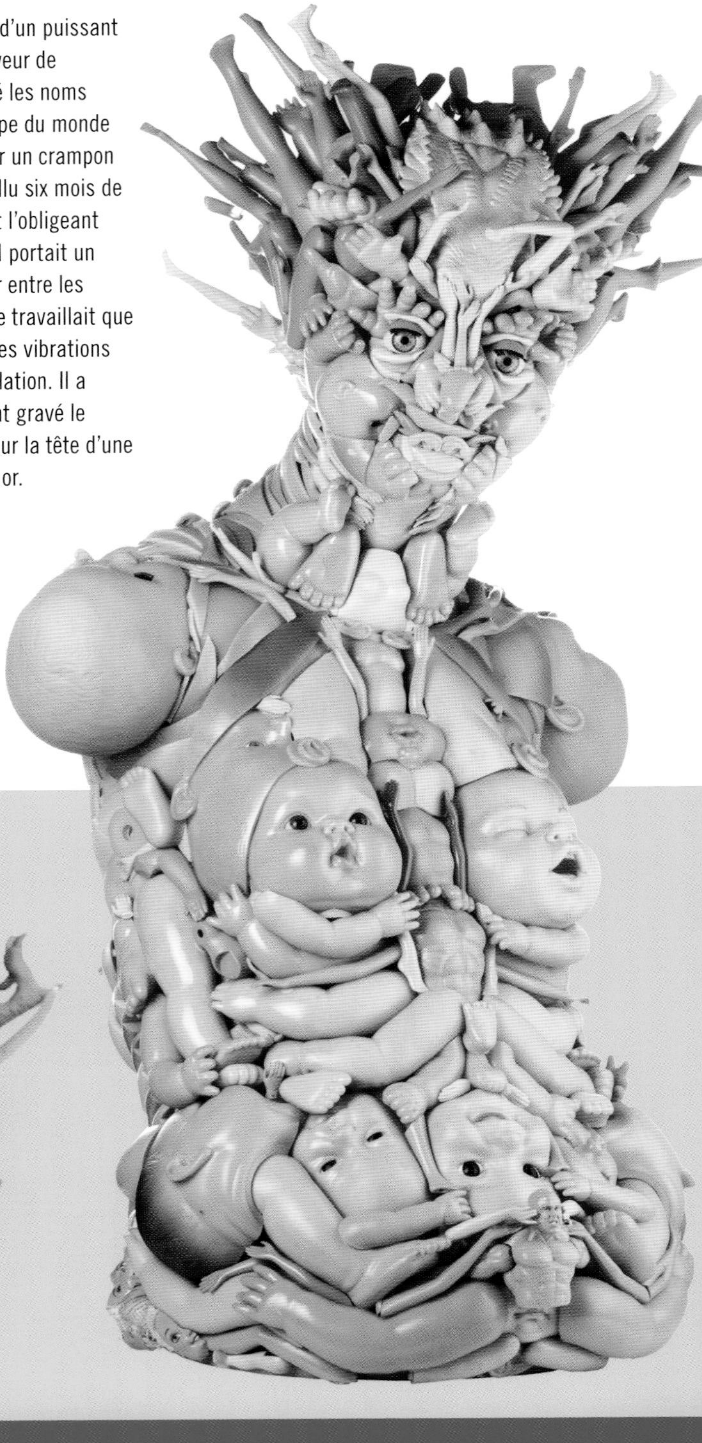

FRESQUES SUCRÉES▶ Kristen Cumings, de Martinez, en Californie, reproduit des tableaux célèbres de peintres tels que Van Gogh et Vermeer avec des *jelly beans*. Toutes ses fresques – qui mesurent 1,20 x 1,80 mètre – nécessitent environ 12 000 *jelly beans* et exigent jusqu'à 50 heures de travail. Elle commence par étudier une photo de référence du tableau, puis en peint une version à l'acrylique sur une toile vierge. Quand la peinture est sèche, elle place les *jelly beans* à l'aide d'une colle en aérosol.

SUR LE SABLE▶ Pour créer son œuvre intitulée *Un signe dans l'espace*, sur une plage espagnole, Gunilla Klingberg n'utilise pas un pinceau et des couleurs, mais un tracteur modifié. Un motif constitué de bandes de roulement de pneus de camion est fixé sur le gros cylindre métallique du tracteur utilisé pour le nettoyage de la plage, et le passage du véhicule imprime le motif sur le sable. Quand les empreintes de pas le détruisent, la marée basse suivante permet de le refaire.

BANANES TATOUÉES▶ Phil Hansen, un artiste de Minneapolis, dans le Minnesota, a reproduit des tableaux célèbres de Vincent Van Gogh, Sandro Botticelli, Edgar Degas et Michel-Ange en n'utilisant qu'une épingle et une banane. Pendant des heures, il tatoue la banane, piquant inlassablement la peau avec l'épingle. Ensuite, la peau de banane pourrit lentement, noircit, et dévoile son motif complexe.

STATUES À LA MODE▶ Dans le cadre de leur série intitulée *Pierre des rues*, le photographe français Léo Caillard et le directeur artistique Alexis Persani ont habillé des statues du Musée du Louvre de vêtements contemporains. Caillard a photographié les statues, puis a fait poser ses amis dans une attitude identique, mais vêtus de jeans moulants, de chemises à carreaux et de Ray-Ban. Grâce à Photoshop, Persani a superposé parfaitement les deux ensembles de photos.

PEINTURE AU SANG▶ Jordan Eagles, un peintre de New York, réalise des toiles pouvant mesurer 9,70 mètres de long avec du sang animal obtenu dans les abattoirs. Pour varier les nuances et les textures, il utilise du sang frais, décomposé ou pulvérisé.

HENNÉ À LA HÂTE▶ Le 27 février 2012, dans une école de l'Essex, en Angleterre, Pavan Ahluwalia a tatoué 511 brassards en une heure, devenant ainsi la tatoueuse au henné la plus rapide au monde. Tous les motifs étaient uniques et elle a battu son précédent record de 131 tatouages. Une fois appliqué, le henné doit sécher environ 20 minutes, puis il se détache et dévoile le motif se trouvant dessous. L'artiste autodidacte peint au henné depuis l'âge de 7 ans et ses créations colorées ont orné des chapeaux, des écharpes, des châles, et même du papier peint et des œuvres d'art.

SCULPTURE SUR JOUET

▶ Freya Jobbins, une artiste australienne, a sculpté plus de trente personnages célèbres ou imaginaires à partir de jouets en plastique recyclés. En assemblant très soigneusement ces jouets, elle a représenté notamment « Kerri-Anne », la déesse romaine Junon, composée de têtes de poupées et de jambes de poupées Barbie, et Arnold Schwarzenegger, dont la chevelure est constituée de soldats en plastique.

BALLON VAGABOND

▸ *Cette mystérieuse boule rouge géante est apparue dans des endroits bizarres dans de nombreuses villes à travers le monde. Le responsable de ces apparitions est Kurt Perschke, un artiste new-yorkais qui, depuis 2001, a gonflé ce ballon de 4,60 mètres de diamètre et 113 kg dans de nombreuses villes, dont Taipei, Toronto, Londres, Sydney, Abou Dhabi, Barcelone et Chicago. La boule reste brièvement en place, souvent coincée dans un endroit inattendu, puis reprend son périple. Logiquement, le « Projet boule rouge » attire l'attention partout où l'artiste va, et Kurt est souvent contacté par des gens désireux de voir la boule rouge visiter leur ville.*

DES PETITS TROUS▸ Nikki Douthwaite, du Cheshire, en Angleterre, réalise des portraits de célébrités avec les petits ronds de papier d'une perforatrice de bureau. Pour chaque portrait, elle assemble avec précision 600 000 confettis.

SUCRERIE MAGIQUE

▸ Jason Mecier, un artiste de Los Angeles, en Californie, a réalisé ce portrait d'Harry Potter uniquement constitué de réglisse noire et rouge. Le gentil sorcier fait partie d'une série intitulée *Films en réglisse*, qui compte également Willy Wonka, Freddy Krueger, Charlie Chaplin et E.T. Le Harry en réglisse se trouve maintenant au Musée Ripley de Baltimore.

MOSAÏQUES DE PIÈCES▸ 412 employés d'une banque de Tallinn, en Estonie, ont uni leurs efforts pour créer une mosaïque de pièces de 20 m^2 comportant 53 757 pièces. La mosaïque est composée de 46 241 pièces de 10 cents et de 7 516 pièces de 5 cents, sa valeur totale étant de 4 999,90 €, et son poids de 219 kg.

CADAVRES PHOSPHORESCENTS▸ Iori Tomita, un Japonais, transforme les cadavres de poissons et d'autres petits animaux en œuvres d'art luminescentes. Il se procure les carcasses chez les bouchers ou sur les marchés aux poissons, les réduit à leurs parties les plus dures grâce à un procédé chimique, puis les teint de couleurs vives. Il a réalisé plus de 500 pièces depuis 2005, la plus grosse ayant exigé un an de travail.

ARAIGNÉE BALLON▸ Adam Lee, un sculpteur de ballons, a réalisé à Grand Mound, dans l'État de Washington, une araignée de 13,70 mètres d'envergure avec 2 975 ballons. Lee a aussi créé des sculptures en ballons de personnes célèbres, notamment Barack Obama, la reine Elizabeth II…

BON USAGE DES TACHES▸ Hong Yi, une artiste malaisienne, a réalisé un portrait extraordinairement ressemblant de l'auteur de chansons taïwanais Jay Chou en n'utilisant que les ronds laissés par le fond d'une tasse de café. Elle se sert souvent de matériaux non conventionnels pour créer des œuvres d'art et a déjà employé des graines de tournesol, du chili et des ballons de basket.

SCULPTURE-PROMENADE▸ *Le Tigre et la Tortue*, une sculpture à Duisbourg, est en forme de grand-huit, mais conçu de telle façon qu'on puisse y accéder et s'y promener. Constituée de 99 tonnes d'acier galvanisé et perchée au sommet d'un ancien terril, la sculpture d'Ulrich Genth fait 220 mètres de long, et le chemin comporte 249 marches. La nuit, la rambarde est éclairée par des LED.

ART RUPESTRE▸ L'analyse des dessins complexes d'ours, de rhinos et de chevaux tracés sur les parois de la grotte de Chauvet-Pont-d'Arc, en Ardèche, montre qu'il s'agit des plus anciens dessins rupestres au monde. Ils ont 30 000 ans. Treize espèces différentes d'animaux y sont représentées.

MOSAÏQUE EN PANTALONS▸ À Zhengzhou, en Chine, des volontaires ont réalisé une mosaïque géante de 6 381 m^2 à l'aide de 23 000 pantalons. Elle a exigé cinq heures de travail et représentait un chaudron chinois antique, ainsi que deux caractères signifiant « mode ».

VACHEMOBILE▸ Miina Äkkijyrkkä, une sculptrice, peintre et designer finlandaise, achète des dizaines de voitures d'occasion et réalise des vaches géantes et colorées avec les pièces. Son amour des vaches date de l'époque où elle fréquentait une école d'agriculture, dans les années 1960, et elle les prend souvent pour sujet de ses œuvres d'art.

IMAGES VIVANTES▶ Zachary Copter, microbiologiste devenu étudiant en photographie à l'université de Cincinnati, a créé d'ingénieux portraits d'Albert Einstein et Charles Darwin en élevant des bactéries dans des boîtes de Petri. Le procédé, qu'il nomme bactériographie, consiste à étaler les bactéries sur le fond de la boîte. Il place ensuite le négatif de son sujet dessus, puis l'expose aux radiations, contrôlant ainsi la croissance des bactéries et les endroits où elles grandissent, afin de recréer l'image dans tous ses détails.

DINOSAURE LUDIQUE▶ L'U.S. Space and Rocket Center d'Huntsville, dans l'Alabama, abrite un T-rex grandeur nature composé de 160 000 pièces de K'NEX. Le dinosaure en K'NEX fait 3,80 m de haut, 10,30 m de long, et pèse 4,50 kg.

BUS À L'ENTRAÎNEMENT▶ À l'occasion des jeux Olympiques de 2012, l'artiste tchèque David Cerny a transformé un des célèbres bus londoniens à impériale en sculpture robotique faisant des pompes. Le bus de six tonnes (datant de 1957), que Cerny a acheté à un Hollandais, monte et descend sur des bras rouge vif, grâce à un moteur électrique, et chaque pompe s'accompagne d'un grognement préenregistré.

MAQUETTE EN ARMES▶ En vue de souligner le rôle de la religion dans certains des plus grands conflits de l'histoire, Al Farrow, un artiste californien, a réalisé une maquette de cathédrale de 1,88 m de long avec des pièces de fusil et des balles.

EMBOUTEILLAGE

▶ Réalisés à partir de milliers de bouteilles en plastique, ces énormes poissons ont fait leur apparition sur la plage de Botafogo, près de Rio de Janeiro, au Brésil, en juin 2012 afin de faire prendre conscience de la pollution des océans par les plastiques.

VILLES DE PAPIER▶ Ingrid Siliakus, une architecte hollandaise spécialiste d'origami, crée des villes comportant des gratte-ciel comparables à ceux de New York à partir de feuilles de papier plié. Ces paysages urbains exigent jusqu'à deux mois de travail, et Ingrid calcule l'espace séparant les plis avec une précision de 0,01 mm.

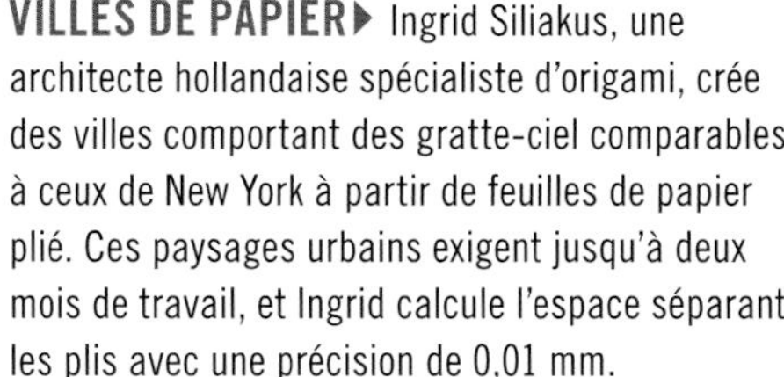

ÉCLAT MIRACULEUX▸ En avril 2012, des milliers de fidèles ont envahi l'église Saint-Dimitrija de Skopje, en Macédoine, où plusieurs fresques représentant des saints ont inexplicablement retrouvé leur éclat sans avoir été restaurées ni nettoyées. Au fil du temps, la fumée des bougies avait noirci ces œuvres mais soudain – commençant par la représentation de la Vierge Marie – la suie s'est détachée, phénomène que les fidèles ont qualifié de « miracle ».

POP (TART) ART▸ Tyler Kozar, de Pittsburgh, en Pennsylvanie, a gagné 1 million de Pop Tarts dans un concours. Après avoir fait don des pâtisseries, il a réalisé des œuvres d'art avec les boîtes et les emballages, notamment un T-Rex de 4,9 mètres de haut, désormais exposé au musée Ripley de Baltimore.

MAQUETTE DE CINÉMA▸ Cyril Barbier, 82 ans, de Birmingham, en Angleterre, a construit dans sa chambre une maquette en état de marche d'un cinéma de la ville. Bien éclairée, la salle dispose d'un rideau coulissant devant l'écran ainsi que d'un orgue qu'un système mécanique peut faire disparaître sous le plancher. Un lecteur de DVD caché projette des films sur l'écran plat de 38 cm, qui reprend exactement les proportions de l'écran du cinéma tel qu'il était en 1930.

VANDALISME ARTISTIQUE▸ Wlodzimierz Umaniec a été condamné à deux ans de prison en décembre 2012 après avoir défiguré, à la Tate Modern Gallery de Londres, un tableau de Mark Rothko, *Black on Maroon*, valant plusieurs millions de dollars. Il a griffonné sa signature sur la toile au marqueur noir et a affirmé ensuite que cet acte de vandalisme était en soi une œuvre d'art. La restauration de la toile exigera jusqu'à deux ans de travail et coûtera environ 220 000 euros. Rothko, en effet, utilisait une superposition complexe de couches et mêlait de l'œuf, des colles et de la résine à la peinture à l'huile.

SUSPECT CÉLÈBRE▸ En 1911, après le vol du tableau le plus célèbre de Léonard de Vinci, *La Joconde*, au Louvre, le peintre espagnol Pablo Picasso a été soupçonné. La police française l'a interrogé, mais l'a ensuite libéré sans l'inculper. Bizarrement, Picasso était en possession de deux statues ibériques de l'âge du bronze, dérobées au Louvre par un Belge se faisant passer pour un baron français, mais ces œuvres d'art volées n'ont pas attiré l'attention des policiers venus l'arrêter dans son atelier.

LE PEINTRE AU SHAMPOING▸ Alex Da Corte réalise des toiles avec du shampoing séché.

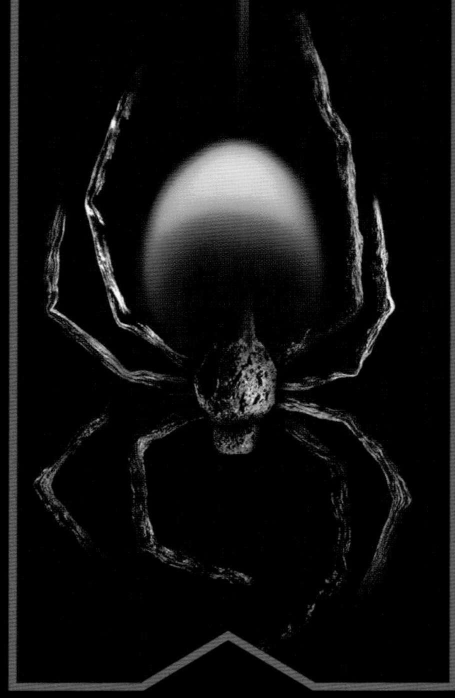

IMAGES DE FEU

▸ Fasciné par les motifs extraordinaires se formant sur le bois brûlé, le photographe russe Stanislav Aristov réalise, avec des allumettes usagées, de belles sculptures miniatures représentant des fleurs, des insectes, des poissons, une ampoule électrique et même la Tour Eiffel.

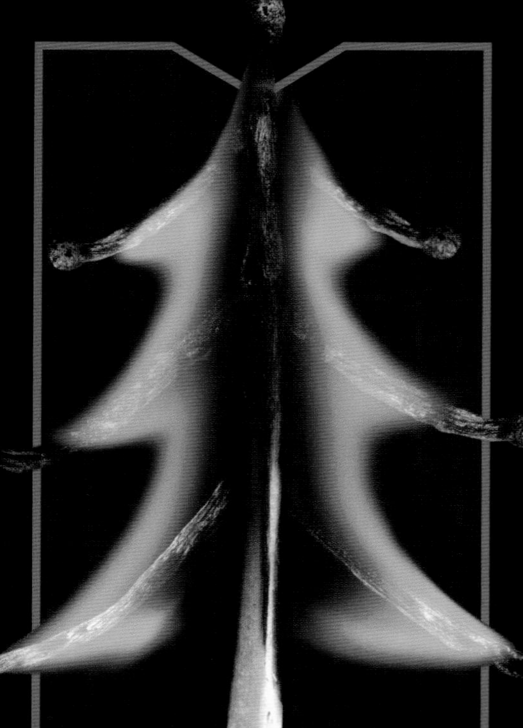

PORTRAITS DE SUIE▸ Steven Spazuk, un peintre canadien, réalise ses portraits avec la suie s'échappant de la flamme d'une bougie. Il place une feuille d'épais papier au-dessus d'une flamme puis étale la suie de façon à obtenir des images monochromes incroyablement détaillées.

HAMEÇONS▸ Yoan Capote, un artiste cubain, a réalisé une fresque de 8 m de long, représentant un paysage marin, avec 500 000 hameçons enchevêtrés et cloués sur du contreplaqué. Malgré l'aide de 30 assistants, l'œuvre a exigé plus de 6 mois de travail.

JOLI BÉNEF▸ Le 12 octobre 2012, *Abstraktes bild*, du peintre allemand Gerhard Richter – tableau qualifié par Sotheby's de « chef-d'œuvre du chaos prémédité » –, s'est vendu 34 millions de dollars lors d'une vente aux enchères à Londres. Jamais l'œuvre d'un artiste vivant n'avait atteint une telle somme. Le vendeur était le guitariste de rock Eric Clapton qui, en 2001, avait acheté 3,4 millions cette toile abstraite colorée faisant partie d'un ensemble de trois.

ACCROCHAGE▸ En décembre 2011, Andrzej Sobiepan, un étudiant polonais en art, a introduit un de ses tableaux dans le Musée national de Wroclaw, où il est resté exposé pendant trois jours avant qu'on ne s'aperçoive de sa présence. Loin de se mettre en colère, le directeur du musée a qualifié l'initiative de Sobiepan d'« happening artistique élégant » et a continué d'exposer le petit tableau représentant une feuille verte… mais dans la cafétéria.

LAISSER SON EMPREINTE▸ Kevin Van Aelst, a réalisé une série d'empreintes digitales géantes avec des objets du quotidien, notamment de la moutarde, de la laine, des Cheetos et des bandes magnétiques. Ces œuvres d'art sont des recréations détaillées de ses propres empreintes digitales.

AMOUREUX DES ANIMAUX▸ Léonard de Vinci (1452-1519) était végétarien et défendait la cause des animaux. Il achetait des oiseaux en cage qui, à cette époque, en Italie, servaient aussi bien d'animaux de compagnie que de nourriture, pour les remettre en liberté.

MANHATTAN EN MINIATURE▸ L'artiste israélienne Tofi Stoler a réalisé une maquette de Manhattan mesurant 10 x 35 x 50 cm. Elle a aussi représenté son petit ami jouant du ukulélé et recréé la scène du *Tres de mayo*, le célèbre tableau de Francisco Goya… le tout avec des agrafes métalliques.

CHIENS À LA CHAÎNE

▸ *Nirit Levav Packer, une artiste israélienne, a réalisé des sculptures de chiens grandeur nature avec de vieilles chaînes de bicyclette. Elle a eu cette idée en voyant des chaînes, des pignons et des pédales au rebut dans la boutique de bicyclette fréquentée par son fils. Désormais, elle écume les boutiques de Tel Aviv à la recherche de pièces convenables, qu'elle soude ensuite. Ses sculptures de chiens en chaînes, qui comportent des caniches, des lévriers, un épagneul, un lévrier afghan et un rottweiler se vendent jusqu'à 7 500 euros pièce.*

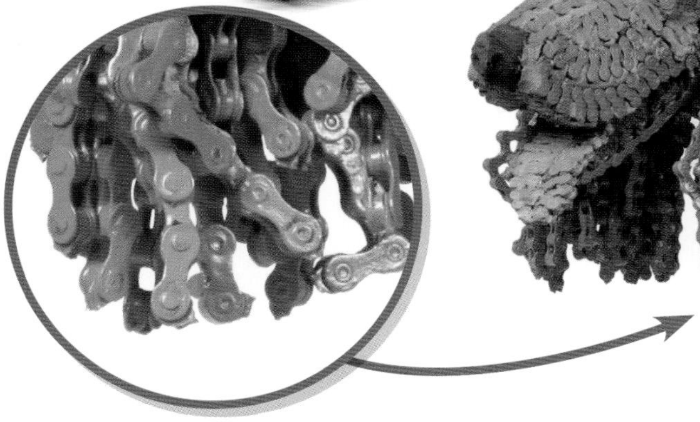

ÉQUIPE DE NUIT▸ La peintre française Anne-Louis Girodet (1767-1824) était plus créative pendant la nuit. Pour voir dans le noir, elle plaçait jusqu'à 40 bougies allumées sur le bord de son chapeau. Elle fixait ses prix en fonction du nombre de bougies utilisées pendant la réalisation du tableau.

REINE DE THÉ▸ Andy Brown, un artiste anglais, a cousu les uns aux autres 1 000 sachets de thé usagés pour réaliser un portrait de la reine Élisabeth II.

PELUCHES▸ L'artiste brésilien Tonico Lemos Auad s'est fait un nom en réalisant des écureuils, des lions et des chats avec des peluches de moquette.

FUMART▸ Le peintre américain Jackson Pollock (1912-1956) peignait souvent une cigarette entre les lèvres. Dans plusieurs de ses plus grandes œuvres, il a utilisé la cendre de cigarette pour renforcer la texture.

SAVEZ-VOUS PLANTER LES CLOUS?

▸ Marcus Levine, un artiste anglais, réalise des images extraordinaires du corps humain avec 50 000 clous plantés sur des planches en bois. Variant la longueur des clous ainsi que la distance les séparant, et inclinant parfois les têtes, il obtient un effet proche de celui d'un dessin au crayon ou au fusain.

11

MIAM

BONNE CHAIR

Le musée de pathologie de l'hôpital Saint-Bart, à Londres, s'est transformé en une horrible pâtisserie présentant un drôle d'assortiment : un cœur saignant sur un gâteau de noces, un autre gâteau recousu comme une plaie, et de petits cakes à la garniture peu ragoûtante, allant des cellules sanguines aux chairs infestées d'asticots, en passant par des membres sectionnés… et même des échantillons de selles.

Cette exposition était intitulée « Eat Your Heart Out », ce qui veut dire « Rongez-vous d'inquiétude », mais on aurait pu tout aussi bien la baptiser « Le cœur au bord des lèvres » ! L'intention de l'artiste Emma Thomas (alias Miss Cakehead) était de représenter dans un but pédagogique certaines parties du corps et leurs maladies, sous forme comestible. Elle y est parvenue, mais ses friandises étaient si réalistes que beaucoup de visiteurs en ont eu l'estomac retourné.

QUI A MANGÉ BAMBI?▶ Andrea Canalito, de Houston au Texas, a conçu une sculpture baptisée *Twinkle Twinkle Baby* composée de petits fours géants d'où sortent des têtes de faons. Ces amuse-gueule non comestibles ont nécessité 3 mois de fabrication, en utilisant mousse, pâte et peinture de modélisme.

FRUIT DÉFENDU▶ Les Indonésiens ne sont pas autorisés à consommer en public le durian, fruit dont l'odeur est parfois décrite comme un cocktail d'« excréments de porc, de térébenthine et d'oignons ».

REQUIN MARTEAU▶ Florence, un requin-nourrice de l'aquarium de Birmingham, préfère les légumes. Cela oblige ses gardiens à cacher le poisson indispensable à son alimentation dans les gros concombres ou les têtes de céleri qu'elle accepte d'avaler. Florence consommait pourtant du poisson jusqu'en 2009, date à laquelle on l'a opérée pour lui retirer de la mâchoire un hameçon rouillé. Depuis, elle préfère planter ses dents acérées dans des feuilles de laitue.

GARGANTUESQUE▶ Les cuisiniers de l'université McGill de Montréal (Québec) ont préparé une salade de fruits pesant 5 083 kg. Elle comportait 2 250 kg de pastèques, 1 012 kg d'ananas, 162 kg de fraises et 100 kg de pommes.

SUR LA PISTE DU LION▶ Cathy Price, de Preston, dans le Lancashire (Angleterre), a poussé la porte de plus de 300 pubs britanniques, tous baptisés « The Red Lion », ce qui a nécessité 16 100 km de trajets au fil des ans. Elle prévoit de visiter chacun des 724 « Red Lion », le nom de pub le plus répandu en Grande-Bretagne.

GIGAGÉNOISE▶ Une équipe de pâtissiers a consacré 3 jours à la fabrication d'une génoise de 2,8 tonnes, décorée des armoiries de la ville de Graz (Autriche). Ce gâteau, qui a notamment demandé 3 000 œufs et 500 kg de fruits, a été tranché en 10 000 parts. Il a fallu se mettre dans une salle de sport pour le préparer, faute de cuisine assez grande.

FLIC ANTIPOULET▶ Pour lutter contre la hausse des prix alimentaires, le chef de la police nationale iranienne, Esmail Ahmadi Moghadam, a proposé d'interdire la diffusion à la télé d'images de personnes mangeant du poulet.

MAXITABLETTE DE CHOCO▶ World's Finest Chocolate, une entreprise américaine basée à Chicago (Illinois), a créé une énorme barre de chocolat pesant 6 tonnes. Haute de 90 cm, elle mesure 6,40 mètres de long et 1,20 de large.

SUPERPIMENT▶ Instant Regret (« Regret instantané ») est un nouveau beurre de cacahuète épicé qui atteint 12 millions sur l'échelle de Scoville, échelle mesurant l'intensité du piment… Il se compose d'un mélange d'arachide, de piments King Naga et d'extraits de piments *habanero*. Sur chaque pot, on peut lire pas moins de 10 avertissements.

DRÔLE DE GOÛT▶ Pendant 2 ans, les employés d'une base de l'armée de l'air située à Blekinge, en Suède, ont bu un café préparé avec l'eau des radiateurs, le tuyau d'alimentation de la machine à café ayant été raccordé par erreur au système de chauffage. Personne n'a rien remarqué jusqu'à ce que le chauffage soit arrêté pour maintenance.

L'ART DU LARD▶ En 2013, le Blue Ribbon Bacon Festival de Des Moines (Iowa) a servi plus de 4 540 kg de bacon à toutes les sauces, même les plus bizarres : lard au chocolat, petits gâteaux parfum bacon, glaces saveur cochon…

CHER DU VERRE▶ Joel Heffernan, barman dans un club de Melbourne, a préparé un cocktail coûtant 9 476 euros. Il lui a fallu 16 heures pour confectionner ce drink, qui comportait notamment deux traits de cognac Croizet 1858, dont une « simple » bouteille vaut 115 000 euros.

MAISON DE PAIN D'ÉPICES▶ Curtis Jensen, artiste californien, a créé une impressionnante maquette de Downton Abbey en pain d'épices, après avoir déjà recréé Notre-Dame de Paris de la même façon. Il lui a fallu plus d'une semaine pour reconstituer Downton Abbey (manoir popularisé en Grande-Bretagne par une série télévisée) en pain d'épices, glaçage et bonbons colorés.

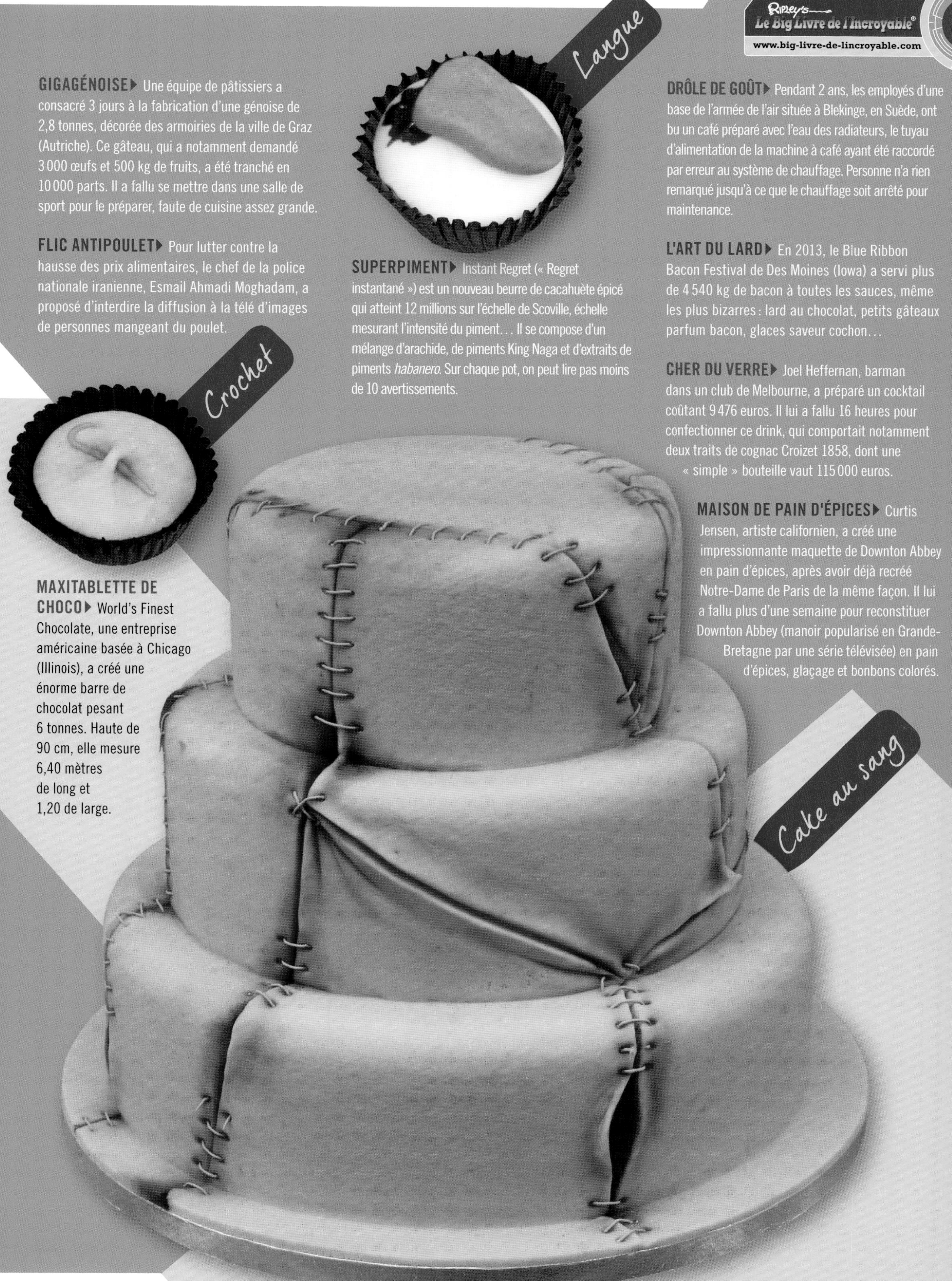
Langue

Crochet

Cake au sang

JE T'AIME, PATATE▸ La « pomme de terre de la mariée » est une variété qui tire son nom d'une coutume inca consistant à exiger d'une jeune mariée qu'elle en pèle une pour prouver ses qualités d'épouse.

RAB' DE POULET▸ Une habitante de Changsha (Chine) a halluciné en rentrant chez elle : elle s'est aperçue que le poulet congelé qu'elle avait acheté au supermarché avait quatre pattes !

SALAMI EN APPÉTIT▸ Pour le lancement de l'émission de télé-réalité « Man vs Food Nation » en 2012, sur Food Network UK, le chef Tristan Welch a créé un sandwich garni de pas moins de 40 lamelles de viandes diverses. Avec ses 35 cm de haut et ses 60 cm de long, il a nécessité 4 heures de préparation et pesait environ 12,7 kg.

COPIE COLA

▸ Phil Hansen a fait bouillir 12 bouteilles de 2 litres de Coca-Cola pendant 7 heures pour peindre cette pétillante copie d'un classique de l'art japonais, *La Grande Vague de Kanagawa*, dû à Katsushika Hokusai (1760-1849). L'artiste américain a étalé les différentes nuances de brun sur une toile de 2,4 x 1,8 mètre, faisant réduire le mélange sirupeux pour obtenir des nuances plus ou moins sombres.

CRÊPES À L'INFINI▸ Le 21 février 2012 (Mardi Gras), à Melbourne, le chef Andy Wrobel a édifié une pile de 60 crêpes mesurant 76 cm de haut. Chaque année, au restaurant où il travaille depuis 25 ans, il retourne plus de 100 000 crêpes.

PIZZA BURGER▸ En 2012, au Moyen-Orient, Pizza Hut a lancé la pizza Crown Crust Burger : une pâte à pizza garnie d'une douzaine de cheeseburgers.

CAFÉS À CHATS▸ Dans le but d'introduire une touche de culture japonaise, Takako Ishimitsu a ouvert à Vienne le Café Neko, un « café à chats ». Les clients peuvent y jouer avec cinq chats tout en profitant de leur boisson. Il existe environ 40 « cafés à chats » à Tokyo, où ils sont très populaires.

LE SAINTDOUX DURE▸ Hans Feldmeier, de Rostock (Allemagne), a reçu en 1948 une boîte de saindoux grâce au programme d'aide alimentaire américain. Il a finalement décidé d'en manger le contenu en 2002, soit 64 ans plus tard.

INC(LA)SSABLE▸ Martin Myerscough, un Anglais, a inventé la première bouteille de vin… en papier. L'intérieur est doublé d'une mince couche de plastique, afin de préserver au vin sa fraîcheur.

EUROPÂTES▸ Le 20 juin 2012, à Cracovie, en Pologne, une équipe de chefs a préparé les plus grandes lasagnes au monde – elles pesaient autant qu'un éléphant adulte d'Afrique. Il a fallu 10 heures pour les cuire, avant de les découper en 10 000 parts. Les Polonais furent soutenus dans cette lourde tâche par l'équipe de foot d'Italie, installée en ville pour l'Euro 2012.

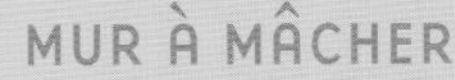

MUR À MÂCHER

▸ Depuis près de 20 ans, à Seattle (État de Washington), les gens collent leurs chewing-gums sur un mur de brique de 15 mètres de long, ce qui a formé une concrétion collante atteignant par endroits plusieurs centimètres d'épaisseur. Dans un premier temps, le chewing-gum servait à fixer des pièces de monnaie pour faire un vœu, mais maintenant on fixe juste de la gomme. Certains jeunes mariés choisissent ce mur comme toile de fond pour leur photo de mariage…

CROUSTIFONDANT !

À New York, Wayne Algenio a remporté un concours consistant à ingérer le plus vite possible un max de nourriture. Et il s'agissait de 18 fœtus de canard bouillis dans leur coque, avec bec, os (mous) et plumes (humides), en 5 minutes. Le balut, mets à haute teneur en protéines, est très apprécié des Philippins qui le croquent au sel, arrosé de bière.

RECETTES RAMPANTES Un livre de cuisine néerlandais paru en 2012 propose des dizaines de façons d'incorporer des insectes aux repas de tous les jours : ajout de larves dans un gâteau au chocolat, de sauterelles dans un risotto aux champignons, etc.

GRAND GOSIER Le 14 avril 2012, à Waterloo Isle (Iowa), lors du Championnat du monde des mangeurs de gâteau, Patrick Bertoletti a avalé 72 petits cakes en seulement 6 minutes.

GRILL VOLCANIQUE Le personnel du restaurant El Diablo, sur l'île de Lanzarote, aux Canaries, cuit les aliments à la chaleur d'un volcan actif. Un barbecue géant leur permet de cuisiner des plats de viande et de poisson à des températures comprises entre 450 et 500 °C.

ZOU, AU ZOO ! À Zhuzhou (Chine), une grenouille qui devait finir dans la soupe a eu la vie sauve quand le cuisinier s'est aperçu qu'elle possédait une cinquième patte. Il l'a confiée à un zoo.

TOUR À CROQUER Le 16 mars 2012, les élèves du lycée de Woodrush (Angleterre) ont réalisé une tour de plus de 1,80 mètre de haut. Avec 11 500 cookies.

TU PARLES D'UN RÉGIME ! Claire Ayton, du Warwickshire (Angleterre), a bu 4 litres de Diet Coke chaque jour pendant 10 ans, soit 14 600 litres. Cela lui a coûté près de 15 000 euros… et un surpoids de 19 kg.

COCKTAIL CARNIVORE Le Ruby Lo, bar londonien, sert de « vrais » Bloody Mary mélangés à du sang pasteurisé.

AUTO CONSOMMABLE Carey Iennaccaro et Mike Elder ont construit une voiture faite à 95 % de gâteau, qui a atteint 45 km/h à Kansas City (Missouri), le 4 mars 2012 . Cette voiture de 325 kg était entièrement comestible, sauf les pneus, le châssis (en aluminium) et les freins. Au volant, Iennaccaro portait un casque en chocolat. Assis sur un coussin de pâte brisée, il avait sous les yeux un compteur de vitesse en sucre glace.

HUILE DE BIQUE L'huile d'argan est tirée des crottes d'une race de chèvres, les Tamri. Les petits ruminants se repaissent des fruits de l'arganier en grimpant jusque dans ses branches, et laissent derrière eux les noyaux… dans leurs excréments. Ceux-ci sont ensuite ramassés par les femmes et tamisés pour recueillir les noyaux.

CHUTE DE BIÈRE L'accident d'un camion en Saxe-Anhalt (Allemagne) a provoqué le déversement de 27 tonnes de caisses de bière sur plusieurs centaines de mètres. Les pompiers ont dû mettre leurs masques pour se protéger des vapeurs d'alcool et fermer la route pendant plusieurs heures.

DÎNER À LA LAMPE Muru, un restaurant situé près d'Helsinki, en Finlande, permet aux clients de dîner à 80 mètres sous terre, dans le Musée de la Mine de Tytyri. Les convives portent des casques de sécurité et, au cours de leur repas, ils peuvent descendre 350 mètres encore plus bas, via l'ascenseur.

PUNAISES À CROQUER

▸ Au marché de Tung Kwian, dans le nord de la Thaïlande, on peut acheter un plat traditionnel local à base de punaises d'eau. Les insectes sont vendus vivants pour qu'ils soient bien frais au moment de passer à la poêle.

PIZZZZZZA !▸ La pizzeria Big Mama's and Papa's de Los Angeles propose la plus grosse pizza livrable au monde, un monstre de 1,35 mètre de diamètre qui coûte 145 euros et peut se déguster à 70 personnes. Elle est livrée par camion, sur une palette. Un scooter, ça ne suffit pas.

PATRIOTIQUE▸ Pour célébrer le 47e anniversaire de la ville-État de Singapour, 1 200 jeunes volontaires ont créé une mosaïque en forme de mains entourant le drapeau national, et ce avec 20 000 petits gâteaux. Cette mosaïque mesurait 15,8 x 7,9 mètres, elle a été fabriquée à partir de 600 kg de pâte, 350 kg d'œufs et 300 kg d'huile végétale. Elle a nécessité 18 h de cuisson, dans une batterie de 16 fours.

NECTAR À 2 BOULES▸ Ayant annoncé un 1er avril qu'elle allait brasser de la bière à partir de testicules de taureau, la Wynkoop Brewing Company de Denver a soulevé tant d'enthousiasme qu'elle a décidé de mettre sa plaisanterie à exécution. Ainsi est née la Rocky Mountain Oyster Stout, bière à la robe brun foncé et aux arômes de sirop de chocolat et d'expresso.

SOURIS, C'EST BONUS !▸ Un Allemand a eu une grosse surprise en se versant des corn-flakes : une chauve-souris momifiée est tombée dans son bol de lait. Elle aurait pénétré à l'intérieur du paquet dans l'usine de conditionnement, et serait morte étouffée.

SALE MENU▸ Les clients d'un restaurant français de Tokyo paient 85 euros pour un repas « sale », à base de terre. Toshio Tanabe, le chef du Ne Quittez Pas, a conçu ce menu après avoir remporté un concours de cuisine avec une sauce à la terre. Il en utilise une très noire bien particulière, comestible donc, et sert, entre autres délices, de la soupe à l'amidon de pomme de terre et à la terre noire, une salade de légumes avec une saleté de sauce, du poisson au risotto terreux, de la crème glacée sale, le tout arrosé d'un boueux.

CHINE TOQUÉE▸ À Luoyang (Chine), en mars 2012, 20 chefs ont passé plus de 24 heures perchés sur un échafaudage pour faire un gâteau géant pesant près de 2 tonnes et d'une incroyable hauteur : 8 mètres. Ce gâteau à 8 niveaux, étayé par des plaques métalliques pour l'empêcher de s'écrouler, a nécessité 500 kg d'œufs, 260 kg de farine, 200 kg de crème, 100 kg de fruits et 80 kg de chocolat.

CHÈRE BIBINE▸ Une bouteille de Samuel Adams Utopia, bière brune brassée par la Boston Beer Company, s'est adjugée sur eBay pour la somme de 656 euros en 2013. Vendue dans une bouteille en céramique, cette bière à haute teneur en alcool vieillit 20 ans avant d'être mise sur le marché. Seul un nombre limité de bouteilles est disponible chaque année.

CROÛTE À LA VIANDE

▸ Tony Dunphy, un boucher anglais, a fait de son métier une forme d'art : il peint avec de la viande ! Associant laque brillante et gigot d'agneau ou os de poulet, il crée de superbes œuvres d'art, tel ce portrait d'Amy Winehouse (hauteur : 1,20 m), inspiré par le pape du pop art, Andy Warhol.

LITRON SANS FOND▸ Des verriers tchèques ont soufflé à la main la plus grande bouteille de whisky au monde pour répondre à une commande de Glenturret, l'une des plus vieilles distilleries d'Écosse, dans le cadre des célébrations de son 107e anniversaire. Avec son 1,6 m de hauteur et ses 50 kg, il a fallu 3 h pour remplir cette bouteille de 228 litres. Elle a été exposée en août 2012 à la distillerie, qui accueille chaque année plus de 200 000 visiteurs amateurs de whisky.

IL SE FAIT DU LARD▸ Huang Demin, un paysan chinois de la province du Hunan, a construit un plongeoir de 3 mètres de haut pour ses cochons, parce qu'un peu d'exercice, donne meilleur goût à leur viande. Depuis, il a pu multiplier par trois le prix de leur viande.

MANGEZ ÉPICÉ▸ À Mexico, 50 cuisiniers ont préparé une tourte de 53 mètres de diamètre, pesant 700 kg et contenant 70 ingrédients différents, dont des milliers de croûtons, feuilles de laitue, oignons, tomates, et des centaines de litres de mayonnaise, moutarde et autres épices.

BOUCHÉE D'OR▸ Fabriqué à partir du chocolat le plus fin et recouvert de feuilles d'or comestibles de 23 carats, le Golden Phoenix se vend 735 euros pièce à Dubaï, ce qui en fait le petit gâteau le plus cher au monde.

T'AS VU MON TAS DE PAPATES ?▸ 42 tonnes de pommes de terre ont été empilées dans près de 10 000 sacs au magasin Sobeys de Charlottetown (Canada), le 3 octobre 2012, pour former une gigantesque pyramide.

NAAN, INCROYABLE !▸ À l'aide d'un four de 6 m de diamètre, des bénévoles de la région du Xinjiang, en Chine, ont cuit pendant 10 heures un pain *naan* géant de 2,7 m de diamètre, farci de boulettes de viande. Il a nécessité 30 kg de viande de mouton, 125 kg de farine et 16 kg d'oignons.

PAPIER PEINT LÉCHABLE

▸ Un papier peint composé de 1 325 stickers léchables, parfum chocolat et oranges de Jaffa, a été installé dans l'ascenseur d'une boîte de com' à Londres. Inspirée par le film Charlie et la chocolaterie, *cette œuvre d'art est née de l'imagination du chef Heston Blumenthal et de l'artiste Damien Hirst. Pour éviter la propagation de microbes, chaque autocollant ne pouvait être léché qu'une seule fois ; aussitôt léché, il était remplacé par un nouveau.*

TROT EN LONGUEUR▸ Des chefs du Xinjiang (Chine) ont haché menu 38 chevaux pour fabriquer une saucisse de 213 m pesant 1 256 kg.

CAKE À PINCES▸ En 2012, à la foire de l'État du Maryland, un gros gâteau au crabe a été préparé à partir d'environ 1 600 crabes. Ingrédients : 90 kg de chair de crabe, œufs, chapelure et condiments.

CAFÉ CRACHÉ▸ Une plantation de café de Pedra Azul (Brésil) propose, au tarif de 330 euros le kilo, un café exclusif dont les grains ont été rongés par le *cuica*, un opossum gris. Rogerio Lemke, propriétaire de la plantation, a observé que les marsupiaux mangent la coque et la substance sucrée et collante entourant les grains de café, mais recrachent la fève, qui sert à faire le café. Comme ils sélectionnent les plus beaux fruits : ce qu'ils recrachent est donc ce qu'il y a de meilleur.

FRIANDISES

▸ Les touristes viennent du monde entier pour visiter le marché de nuit de Donghuamen, à Pékin, où des dizaines de stands vendent les mets les plus invraisemblables : scorpions frits, hippocampes, cocons de vers à soie, mille-pattes, sauterelles... Et ces têtes de canard rôti, elles n'ont pas l'air appétissant ?

CITROUILLES DE LA MORT

En 2012, pour Halloween, une équipe de sculpteurs de citrouilles dirigée par Ray Villafane a mis en scène, au Jardin botanique de New York, une véritable invasion de zombies en citrouille. Ils ont créé une parade de plus de 500 morts-vivants, épouvantails, chauves-souris, araignées, serpents et bestioles répugnantes en tout genre, à base de chair de citrouille sculptée et décorée. Pour aider à leur conservation, on les aspergeait d'eau, mais ces sculptures sont devenues encore plus effrayantes quand elles ont commencé à pourrir…

SILLONS CROQUAIENT

▸ Found, un collectif d'artistes écossais installé à Édimbourg, a sorti un disque en chocolat que l'on peut écouter. C'est une édition limitée, réalisée par un pâtissier, Ben Milne, à l'aide des matrices mêmes qui ont servi au pressage du disque en version vinyle. La version chocolat peut être lue par n'importe quelle platine, mais seulement une dizaine de fois avant de s'user. La pochette et l'étiquette sont également comestibles; elles sont fabriquées à partir de papier de riz et de sucre glace.

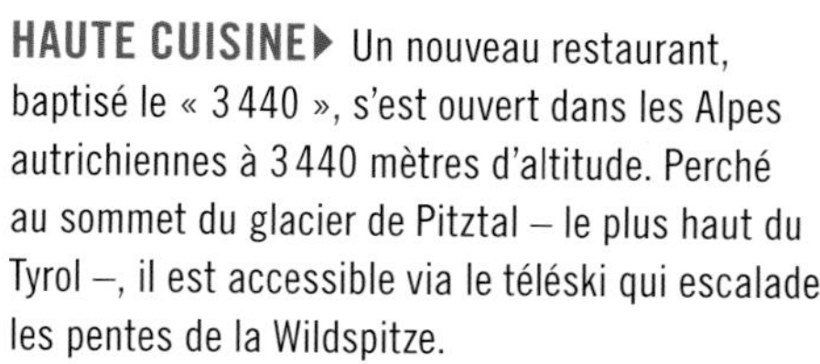

GROSSE ÉPONGEUSE▸ Kerry Trebilcock, une assistante dentaire des Cornouailles anglaises, est atteinte d'une maladie rare appelée « pica », qui pousse à manger des objets en principe non comestibles. Elle a ainsi dévoré plus de 4 000 éponges et 100 barres de savon. Elle est allée jusqu'à grignoter 5 éponges par jour, nappées de sauce barbecue, de ketchup, de moutarde ou de miel.

COOKIE PATATE▸ Felice Tocchini, un cuisinier de la ville de Worcester (Angleterre), a inventé une recette de cookie que l'on peut tremper dans une tasse de thé pendant 2 minutes sans qu'il ne s'émiette. La plupart des cookies commencent à s'effriter au bout de 10 secondes d'immersion dans une boisson chaude, mais celui-ci, grâce à un ingrédient spécial – la patate douce –, maintient jusqu'à 12 fois plus longtemps sa consistance.

KING DES BURGERS▸ Le Black Bear Casino Resort de Carlton (Minnesota) a préparé un cheeseburger bacon de 3 mètres de diamètre pesant 914 kg. Il était garni de 27 kg de bacon, 23 kg de laitue, 23 kg de tranches d'oignons, 18 kg de cornichons et 18 kg de fromage. Il a fallu 4 heures pour en terminer la cuisson à 175 °C dans un four en plein air, chauffé par des torches au propane, après plus de 7 heures de cuisson préalable pour le pain. Une grue a dû être employée pour le soulever et le retourner en cours de cuisson. Ce monstre totalise 4,1 millions de calories !

PRÉCIEUX DESSERT▸ Le joaillier londonien Carl Weininger a offert à ses invités un dessert qui lui a coûté 26 840 euros, à base de chocolat entrelardé de feuilles d'or, de champagne et de caviar, surmonté d'un diamant de 2 carats. Chaque bouchée représentait un coût d'environ 912 euros. Tout a été dévoré en un quart d'heure.

TARTE PATRIOTIQUE▸ La tarte aux cerises géante que l'on prépare chaque 4 juillet à George (État de Washington) pour la Fête nationale américaine, fait environ 6 m^2 et pèse une demi-tonne. 1 500 personnes se la partagent.

FÊTE DE LA SUCETTE▸ À l'occasion du National Lollipop Day, le confiseur californien See's Candies, de Burlingame, a créé une sucette en chocolat de 3 178 kg, qui atteignait 11,8 mètres de hauteur, pour une largeur de 1,06 mètre. Son bâton faisait 3,60 mètres de long.

MULTIPLICATION DES PAINS (GRILLÉS)▸ La société Burnt Impressions, de Danville (Vermont), a inventé un grille-pain qui reproduit sur chaque tranche de pain grillé le visage du Christ. Cette idée a été inspirée à Galen Diveley par les nombreux témoignages de gens qui prétendent le voir apparaître un peu partout.

BIÈRE (TRÈS) FRAÎCHE▸ Clifton Vial, 52 ans, est resté coincé pendant 3 jours dans son camion au cours d'une tempête de neige à Nome (Alaska). Il a survécu, avec pour seule nourriture des canettes de bière congelées.

TRIPE DE POULET

▸ Aux Philippines, les abats de poulet – cœur, gésier, foie et intestins – sont un mets très apprécié. Ce serait un crime de les jeter, alors qu'on en fait un si bon rata!

HAUTE CUISINE▸ Un nouveau restaurant, baptisé le « 3 440 », s'est ouvert dans les Alpes autrichiennes à 3 440 mètres d'altitude. Perché au sommet du glacier de Pitztal – le plus haut du Tyrol –, il est accessible via le téléski qui escalade les pentes de la Wildspitze.

VOL DE TROP▸ Une grande quantité de fûts de sirop d'érable a été volée dans un entrepôt de Saint-Louis-de-Blandford, au Québec, pour une valeur totale de plusieurs millions d'euros. Ce vol représentait l'équivalent de près de la moitié de la production annuelle de sirop d'érable aux États-Unis – mais seulement une faible part de la production québécoise de sirop d'érable, qui domine à 80 % le marché mondial.

WHISKY COÛTE CHER▸ Le 15 mars 2012, une bouteille de whisky Glenfiddich Janet Sheed Roberts Reserve vieille de 55 ans – l'une des 11 dernières conservées dans le monde – a été adjugée lors d'une vente aux enchères new-yorkaise à un homme d'affaires d'Atlanta (Georgie) pour 68 500 euros, ce qui en a fait la bouteille de whisky la plus chère jamais vendue.

BRISE-VITE▸ Corey Peras, un cuisinier d'Ottawa (Ontario), a cassé 3 031 œufs en 1 heure, d'une seule main, le 22 juin 2012.

MON GROS CHOU▸ En 2012, à la foire de l'État de l'Alaska, Robb Scott a exhibé un chou colossal pesant 162,7 kg – le plus lourd au monde. Les plus gros choux ne pèsent pourtant en moyenne qu'une douzaine de kilos.

ALCOOVESTE▸ Matt Leggett, de Wellington (Nouvelle-Zélande), a inventé une veste qui indique à l'utilisateur s'il a trop bu, pour savoir s'il peut conduire ou non. On souffle dans une canule placée au niveau du col et le résultat s'affiche sur une bande lumineuse dissimulée dans la manche. Plus il y a de lumières qui clignotent, plus vous êtes pinté…

CERVELLE EN CACAO▸ Andy Millns, de Londres, a mangé une réplique en chocolat de son propre cerveau. Des experts en *high tech* lui ont d'abord fait passer une IRM, puis ils ont rentré la « carte » de son cerveau dans un ordinateur pour en imprimer une réplique à l'aide d'une imprimante 3D. Un moule en latex en a été tiré, dans lequel on a coulé du chocolat chaud… et Andy s'est croqué la tête.

TEMPLE DU GOÛT▸ En mai 2012, la société Qzina Specialty Foods, d'Irvine (Californie), a réalisé la plus grande sculpture en chocolat de tous les temps, sous la forme d'une réplique d'un ancien temple maya pesant 8 280 kg. Il a fallu 400 heures de travail pour la faire monter jusqu'à 1,8 m de hauteur.

CURRY QUI RÉCURE▸ Lors d'une dégustation de currys à Édimbourg le 1er octobre 2011, certains plats étaient si épicés que plusieurs participants ont commencé à vomir, s'évanouir ou même se tordre de douleur sur le sol. Une femme fut si malade après avoir goûté le « Kismot Killer » qu'on a dû l'emmener à deux reprises à l'hôpital en quelques heures.

ART POURAVE

▸ ***Heikki Leis, artiste estonienne, prend des photos de fruits et légumes en gros plan après les avoir laissés pourrir pendant quelques mois, créant ainsi d'étranges images de créatures de science-fiction ou des paysages spectaculaires. Parmi ses œuvres figurent un rutabaga moisi (à droite) qui ressemble à un champignon atomique et une betterave non moins pourrie à tête d'alien (ci-dessous).***

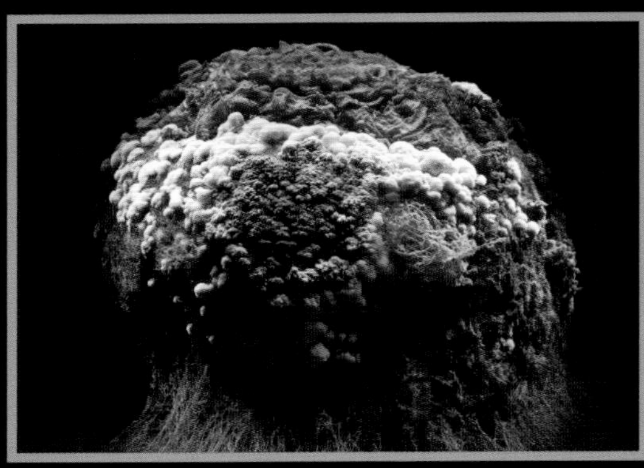

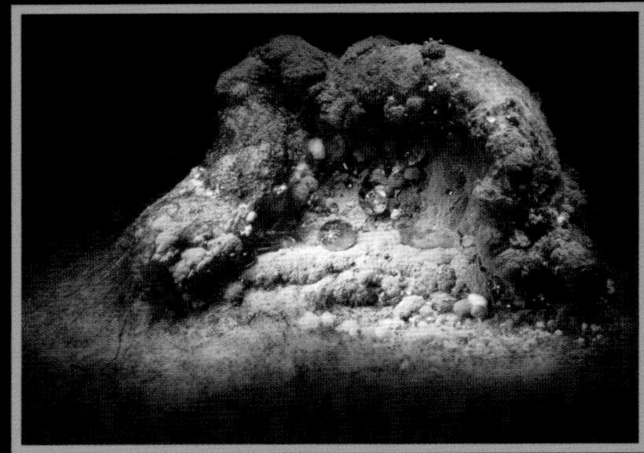

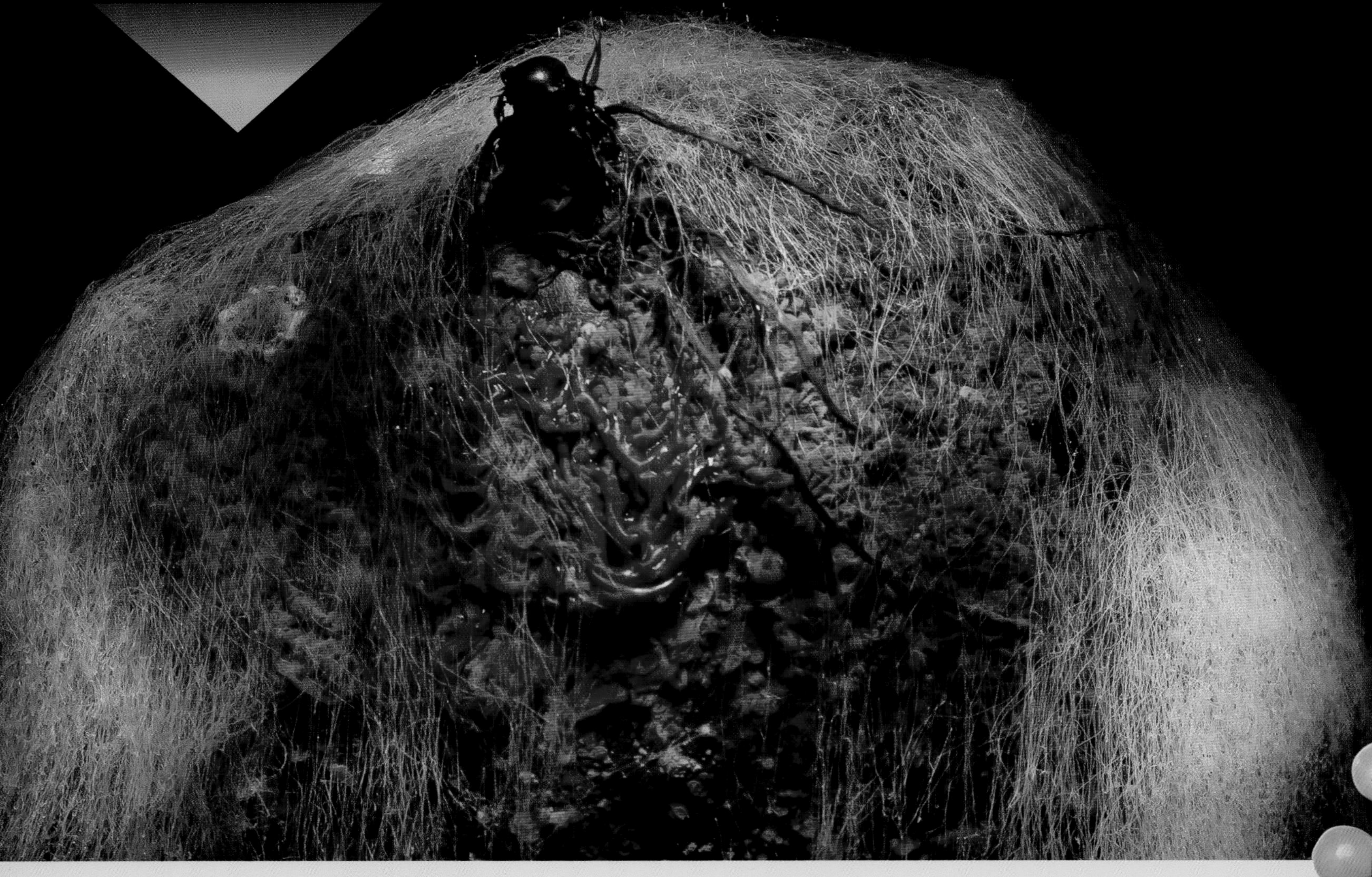

ILS ONT BÛCHÉ▸ Les 80 cuistots du Pudong Shangri-La Hotel de Shanghai ont réalisé une bûche glacée à la vanille de 1 068 m de long. Fabriqué en 24 heures à partir de divers ingrédients dont 904 œufs, ce gâteau géant a été partagé entre 156 tables.

CASSE-DALLE AU CIMETIÈRE▸ Le Lucky Hotel Restaurant d'Ahmedabad (Inde) a été édifié dans les années 1960 sur un ancien cimetière. Aujourd'hui encore, les clients peuvent boire leur thé près de l'une des 22 tombes qui parsèment le salon. Dans la salle à manger, les serveurs sautent par-dessus les dalles funéraires. Et ce n'est pas tout : un grand arbre dont les plus hautes branches dépassent du toit trône en plein milieu de la pièce.

HOT-DOG PURE RACE▸ Le 31 mai 2012, Mike Brown, le patron de Capitol Dawg, à Sacramento (Californie), a préparé le hot-dog le plus cher au monde, vendu l'équivalent de 100 euros. Long de 45 cm, il contenait 340 g de saucisse de Francfort pur bœuf, du fromage suédois rare et cher, du beurre à la truffe blanche, de la moutarde de Meaux à l'ancienne et du lard du New Hampshire mariné au sirop d'érable.

PIZZA BZZ

▸ Punaises d'eau taïwanaises, araignées Joro, chenilles et larves sont quelques-unes des garnitures proposées lors d'une *pizza party* « spécial insectes » à Tokyo. Alors que les insectes constituent une excellente source de protéines, leur consommation a longtemps été associée à la misère ou jugée barbare. Cependant les plats à base d'insectes sont de plus en plus populaires… Les insectes, alimentation d'avenir pour notre planète surpeuplée ? Bzz, bzz, ils font le buzz !

MIEL VERT ET BLEU▸ Les abeilles des ruches de Ribeauvillé, en France, se sont mises à produire du miel vert, rouge et bleu ! Cette coloration inhabituelle semble due à l'ingestion par les abeilles de résidus sucrés de M&M'S retraités dans une usine de la région. Malheureusement, ce joli miel a été jugé impropre à la consommation.

LA FOLLE DE MAYO▸ Philippa Garfield, de Londres, aime tant la mayonnaise qu'elle en met dans ses sandwiches, sur ses cookies, ses fruits et même dans son thé en lieu et place de lait. Elle se lave les cheveux avec de la mayo et s'en tartine le visage comme d'une crème !

LANGUE DE FLAMANTS ROSES, PERROQUETS GRILLÉS : LES ROMAINS EN RAFFOLAIENT POUR LEURS FÊTES.

DE TRÈS BON GOÛT▸ Un restaurant huppé de Houston, au Texas, a choisi de commémorer le 100e anniversaire du naufrage du *Titanic*, le 14 avril 2012, en proposant la reconstitution du dernier repas servi aux passagers de première classe – à 1 000 dollars par tête.

ADDITION SALÉE▸ La Steveston Pizza Company de Vancouver a créé une pizza à 328 euros, garnie de homard thermidor, morue noire d'Alaska et caviar russe.

JOEY LES MÂCHOIRES▸ Le 17 mars 2012, à Palm Beach, en Floride, lors des championnats mondiaux de la spécialité, le titre du plus gros mangeur de corned-beef a été décerné à Joey Chestnut, Californie, qui a dévoré 20 sandwichs au corned-beef d'un poids unitaire de 225 g en seulement 10 minutes. La même année, il a avalé 390 raviolis aux crevettes en 8 minutes lors de la finale d'un concours du même genre, à Bangkok.

MÉGATEAU RUSSE▸ Une équipe de cuisiniers moscovites a préparé, à partir de plusieurs centaines de kilos de farine, de baies et de sucre, ainsi que plus de 500 œufs, un gâteau aux myrtilles de 70 mètres de long pesant 300 kg.

PIQUE-NIQUE DE MASSE▸ Le 15 juillet 2012, à Kitchener (Ontario), 5 000 personnes ont pique-niqué côte à côte, sur 1 000 tables alignées sur 2,3 km.

VIN DE L'ESPACE▸ Ian Hutcheon, a lancé en 2010 le premier vin à la météorite : un cabernet sauvignon infusé avec une météorite vieille de 4,5 milliards d'années. Ce vin a été élevé pendant 12 mois dans un fût contenant le précieux caillou (qui mesure seulement 7,5 cm !), prêté à Ian Hutcheon par un collectionneur américain.

DIS « CHEESE » !

À l'occasion de l'élection présidentielle américaine de 2012, qui opposa Barack Obama à Mitt Romney, Jason Baalman a réalisé le portrait des deux candidats en Cheetos – des biscuits apéritifs au fromage en forme de frites. Il lui a fallu 2 000 Cheetos et plus de 100 heures de travail pour disposer et coller méticuleusement son matériau sur une toile noire de 90 cm par 1,2 mètre, afin d'obtenir un contraste du meilleur effet. Jason n'en était pas à son coup d'essai : il avait déjà réalisé d'autres portraits de célébrités en Cheetos, parfois relevés de ketchup.

SOSIE POURRI Rebekah Speight, de Dakota City (Nebraska), a vendu pour 5 900 € sur eBay un Chicken McNugget acheté chez McDonald's 3 ans plus tôt, dont le profil ressemblait à celui de George Washington.

PÂTES À... QU'EST-CE ? À partir de 33 km de spaghettis, des étudiants iraniens ont réalisé une sorte de cage à poules de 24 mètres de long, 5,5 de large et 5 de hauteur, pesant 103 kg. Cela leur a pris 2 mois...

LOURDE TOURTE Pour la Saint-Patrick 2012, des cuisiniers du New Jersey ont préparé une tourte d'un poids de 819 kg. Ingrédients : 400 kg de bœuf émincé, 352 kg de patates, 50 kg de carottes et 45 kg d'oignons.

ROI DU CAILLOU Au nord-ouest de l'Angleterre, une tradition vieille de cinq siècles permet au propriétaire de l'auberge The Ship Inn, sur l'île de Piel (qui mesure moins d'1 km de long), de se faire appeler « Roi de Piel ».

SUPPLÉMENT VIANDE

Ian Lock, un Anglais du Derbyshire, a eu la stupéfaction de voir sortir d'un paquet de salade italienne – de la roquette –, dont il s'apprêtait à garnir son sandwich, un lézard tout ce qu'il y a de vivant !

CHOUETTE HACHIS Depuis plus de 30 ans, Jonathan Gowan, taxidermiste à Bournemouth (Angleterre), ne se nourrit d'autre viande que celle d'animaux écrasés – il a ainsi pu déguster de nombreux hachis de chouettes, ragouts de rats, vipères au beurre, blaireaux au pot et curry d'écureuils. Ça lui a pris à l'âge de 14 ans, lorsqu'il a ramassé une vipère écrasée sur la route et décidé que, passée à la poêle, elle devait avoir le même goût qu'une bonne tranche de bacon. Il apprécie particulièrement la chair d'écureuil (« c'est comme le lapin, en plus doux »), de renard (« pas un poil de gras »), de rat (« proche du porc, un peu plus salé »). Par contre, il évite la souris (« très amère »), le hérisson (« trop de gras »), et la taupe (« à vomir »).

PAIN QUOTIDIEN Ann Curran, de Dundee (Écosse), aime bien manger son journal après l'avoir lu. L'*Evening Telegraph* est le seul quotidien dont elle apprécie le goût. Elle en a toujours un vieux numéro dans son sac, en cas de fringale.

FEU SACRÉ Le 24 mars 2012, 1 272 personnes se sont rassemblées à Marion (Kansas) pour rôtir des marshmallows (cubes de guimauve) sur un gigantesque feu de camp de 201 mètres de long.

À TOIT LAINEUX Wei Xingyu, de Changsha (Chine), élève un petit troupeau de moutons sur le toit-terrasse de sa maison, qui a 4 niveaux. Ainsi, sa fille, encore toute petite, a toujours du lait frais. Il a planté de l'herbe sur le toit et, quand il fait trop chaud, il descend les bêtes d'un étage.

EXTRAŒURDINAIRE !
▸ Merci au jeune Josh Scott, de Corbin (Kentucky), qui nous a envoyé cette photo sur laquelle on le voit tenir 21 œufs d'une seule main !

PUNCH QUI PUE▸ Lors de l'édition 2012 de la foire annuelle de l'État de Californie, à Sacramento, Nick Nicora a préparé un punch margarita de 32 176 litres.

TRAIN QUI MOUSSE▸ Pas de serveurs au Vytopna Restaurant de Prague, en République tchèque : c'est un petit train électrique, dont les 396 mètres de rails sillonnent tout l'établissement, qui apporte leurs bières aux consommateurs.

FUME TA SOUPE▸ Au Juniper Kitchen and Wine Bar d'Ottawa (Canada), on sert nourriture et boissons, mais aussi du gaz « zéro calorie ». Les aliments liquides (soupes, par exemple) peuvent être versés dans un appareil appelé le « Whaf », large cylindre équipé d'un système à ultrasons qui tire du liquide une vapeur aromatisée à inhaler, sans la moindre calorie.

C'EST MARANG▸ À Semarang (Indonésie), une équipe de 285 chefs a préparé 465 mètres de rouleaux de printemps. Il leur a fallu 980 kg de pousses de bambou, ainsi qu'une énorme quantité de fines « peaux » translucides pour les enrober. 5 très grandes poêles à frire ont été mises à contribution.

LES ROIS DES CONSERVES▸ C'est au Français Nicolas Appert (1749-1841) que l'on doit le principe de la conserve métallique. Philippe de Girard apporta cette innovation en Angleterre, où elle fut développée par Peter Durand en 1810 ; mais ce n'est qu'en 1858 que l'Américain Ezra Warner conçut le premier ouvre-boîte ! Jusqu'à cette date, on ouvrait les conserves à coups de marteau.

YANSHI DANS SON THÉ▸ An Yanshi, un homme d'affaires chinois, a racheté à un zoo 11 tonnes de crottes de panda géant. Pour quoi faire ? Produire le thé le plus cher au monde, dont la moindre tasse revient à 150 euros. D'après lui, les pandas n'absorbent qu'une fraction des nutriments contenus dans les végétaux qu'ils avalent, et rejettent le reste (70 %) dans leurs selles, qui sont donc particulièrement riches et goûteuses.

ÉNORMEU▸ Sean Wilson, du Hampshire (Angleterre), a eu la surprise de voir sa poule Rosie pondre un énorme œuf de 181 grammes… Mieux : la coquille, une fois brisée, a révélé un deuxième œuf contenu dans le premier.

HYPERCITROUILLE▸ Il revient à Ron Wallace, citoyen de Greene (Rhode Island), d'avoir fait pousser la première citrouille au monde dont le poids frôle la tonne ! Cette citrouille, baptisée le « Freak II », lui a rapporté près de 11 000 euros en 2012 à la foire de Topsfield, dans le Massachusetts. Et pourtant, au début de l'année, elle n'était encore qu'une toute petite graine…

Ô BURGER, SUSPENDS TON VOL▸ 5 étudiants de l'université d'Harvard ont envoyé un hamburger à 30 000 mètres d'altitude grâce à un ballon gonflé à l'hélium. Une caméra également fixée à ce ballon leur a permis de filmer son décollage… et son brutal atterrissage, près de Boston, le ballon ayant explosé.

100 ANS : SAUCISSE !▸ L'épicerie Ptacek de Prescott, dans le Wisconsin, a fêté son centenaire le 6 octobre 2012, en préparant une saucisse de 16 mètres de long. Cette super saucisse était si massive qu'il a fallu s'y mettre à 12 pour la retourner en cours de cuisson.

ELISA BÊTE II▸ Michelle Wibowo, une artiste anglaise, n'a rien trouvé de mieux que de réaliser une sculpture grandeur nature d'un poids de 25 kg de la reine Elizabeth II, réalisée dans une pâte faite d'œufs, de sucre et de glucose. La reine est flanquée d'une réplique de son petit chien-chien en cake, fruits confits compris.

RESTAUSANG

▸ Au Livingston Restaurant d'Atlanta (Georgie), 50 convives ont payé chacun 60 euros pour un service de 8 plats « saignants ». Le menu, concocté par le chef Zeb Stevenson, comprenait du pain aux airelles bien rouge, du bacon et du sang de porc à la crème de moelle, des anguilles fumées cuites au court-bouillon dans leur sang, du boudin noir et, en dessert, une salade de grenades nappées de crème anglaise teintée au sang, congelée dans de l'azote liquide (comme les cadavres).

SERPENT TENTANT

▸ Vat19, une société américaine, commercialise un python en gélatine qui mesure 2,4 mètres et pèse 12,2 kg. Vendu près de 110 $, ce reptile bicolore aux yeux exorbités, orné de taches et d'écailles très réalistes, est entièrement comestible. Il est bi-goût, disponible en deux parfums : framboise-pomme verte ou framboise-griottes. Très festif, c'est aussi un monstre de calories : il en contient 36 000, soit 18 fois la quantité maximale journalière recommandée pour un adulte.

DOIGTS COLLANTS▸ D'après des scientifiques de l'Université de Leicester (Angleterre), les délinquants qui ont un penchant pour la « malbouffe » – fast-food et compagnie ! – ont davantage le risque de se faire prendre. Non pas qu'ils courent moins vite, mais leur alimentation salée et riche en gras leur donne les doigts collants : leurs empreintes digitales sont mieux lisibles...

À VUE DE NEZ▸ Bien qu'aveugle, Christine Ha, une chef vietnamienne, fut lauréate en 2012 du concours télévisé « MasterChef ». Souffrant d'une maladie auto-immune qui affecte son nerf optique, elle a perdu l'usage d'un œil en 1999, et celui de l'autre en 2007, mais elle a compensé en développant son odorat et son sens du goût. Depuis plusieurs années, elle parvient à recréer les recettes de sa mère, en se fiant uniquement à ses papilles.

VERS À DENT

▸ En Afrique du Sud, on raffole des *mopanes* – même si ce sont des vers. À poids égal, ils contiennent plus de protéines que le blanc de poulet. Ces vers (en réalité des chenilles) sont servis frits, avec tomate, ail et oignon. Leur goût, plutôt terreux et salé, est tout de même assez particulier. Et il faut bien les mâcher... car ils résistent !

GROSSE LÉGUME▸ En 2012, Peter Glazebrook a fait pousser dans son jardin du Nottinghamshire le plus long panais au monde : 5,6 mètres de long, soit 36 fois la longueur habituelle de ce légume de couleur blanche qui a la forme d'une carotte, prisé en Angleterre. Peter détenait déjà le record de la plus longue betterave (6,4 mètres) et de la plus grosse patate (3,7 kg).

TOP DOG▸ À Little Rock (Arkansas), « Hot Dog Mike » Juliano a vendu 3 hot-dogs au bénéfice d'associations caritatives, à 1 091 € pièce. Ils étaient garnis de queues de langoustine, pétales d'or, safran et filet de bœuf.

MICKEY AU MENU▸ Dans sa boucherie de la province de Guangdong, en Chine, M. Wan Shen ne vend que de la souris – et pas de la souris d'agneau ! De vrais rongeurs, fraîchement attrapés... Très goûtée dans la région, la viande de souris se vend plus cher que le bœuf ou le poulet. M. Wan Shen est particulièrement réputé pour son carpaccio de fines tranches de souris.

TRONCHE DE CAKE▸ En honneur du Jubilée de diamant de la reine d'Angleterre (en 2012), Gerhard Jenne, boulanger d'origine allemande, a composé un portrait d'Elizabeth II à partir de 3 120 petits cakes recouverts de glaçage – un par semaine de règne. Ingrédients : 1 000 œufs, 200 plaques de beurre, 150 paquets de sucre, 36 kg de pâte d'amande.

TAS DE GLACE▸ Le 6 mai 2012, à Lake Forest (Californie), quelque 400 volontaires ont édifié le plus monstrueux *sundae* au monde, d'une hauteur de 67,9 mètres.

SALADE MIRACLE▸ La *mizuna*, une variété de salade japonaise, a été la première plante à pousser et à germer à bord de la station spatiale russe Mir.

CHOCOPHILES▸ Qui sont les plus gros consommateurs de chocolat au monde ? Les Allemands : ils en mangent 11,3 kg en moyenne par personne et par an.

IL L'A CHERCHÉ▸ Le 11 février 2012, à Las Vegas, un homme a fait un infarctus en dévorant un burger de 6 000 calories, dit le « Triple Pontage », au Heart Attack Grill, le « Grill de l'Infarctus ».

POTION MAGIQUE▸ Park Ji-Sung, joueur de l'équipe nationale de football sud-coréenne, était si maigrichon enfant que ses parents, pour lui donner des forces, le forçaient à ingurgiter des plats très spéciaux à base de grenouilles bouillies, mais aussi de bois et de sang de cerf ! D'après lui, l'odeur et surtout le goût étaient épouvantables, et il vomissait souvent. Pourtant, ce régime semble lui avoir profité, puisqu'il a même été engagé par le grand club de Manchester United.

MER D'ŒUFS▸ À Santarém, au Portugal, 150 chefs se sont associés pour préparer une omelette géante de 6 466 kg. Il leur a fallu 145 000 œufs – l'équivalent de ce que pondent 9 000 poules en une semaine –, 400 kg d'huile et 100 kg de beurre. L'omelette a mis 6 heures à cuire, dans une poêle spéciale de plus de 10 mètres de diamètre.

CHÂTEAU MARGOT▶ Certains éleveurs bovins du sud de la France n'hésitent pas, dans le but de renforcer les qualités gustatives de leur viande, à donner à leurs vaches jusqu'à deux bouteilles de bon vin par jour, dont ils arrosent leur fourrage.

CAPPUCCINISSIMO▶ Plus de 1 000 cafetiers se sont relayés aux commandes de 22 machines à café sur la place centrale de la ville de Zagreb (Croatie) pour préparer de quoi remplir une tasse géante de 2 012 litres de cappuccino !

PAIN DANS LA FIGURE▶ Victime d'un terrible accident de la route, Liz Douglas, de Stirling (Écosse), a eu la vie sauve grâce à un demi-pain de 500 g. Cette miche tombée de son sac à provisions, rangé au-dessus de sa tête, lui a protégé le visage lorsque sa voiture s'est encastrée dans un poteau.

GROS TRUC TUC▶ En juin 2012, une équipe de cuisiniers turcs a créé le plus gros kebab au monde, un monstre de 1 198 kg, préparé à partir de la viande de 7 vaches. Avec ses 2,5 mètres de haut, il a fallu une grue pour l'embrocher à la verticale !

CHIENS CHAUDS À LA CHAÎNE▶ En 2012, Joey Chestnut a remporté pour la 6e fois consécutive le concours du plus gros mangeur de hot-dogs de Coney Island, à New York. Il en a dévoré 68 en 10 minutes.

MOMIE MACDO

▶Ce macchabée de 1,57 mètre a été réalisé par un artiste texan, Ben Campbell, à partir de hamburgers et de frites. Une fois séchés, il a compressé ces aliments, les a mélangés à de la résine, puis les a coulés dans plusieurs moules pour produire les différentes parties du corps, qu'il a assemblées. D'après lui, stockées bien au sec, ses « momies » pourraient se conserver 1 000 ans et plus, comme les vraies.

12

FOU FOU FOU

ANIMOMIFIÉS

Des dizaines de propriétaires d'animaux ont choisi de les transformer après leur mort en momies préservées dans des cercueils épousant leurs formes. Une entreprise américaine se charge de momifier ces chiens, chats, poissons ou rats de compagnie, comme dans l'Égypte ancienne.

Dès qu'il a cessé de vivre, l'animal est placé dans une glacière et expédié à Salt Lake City (Utah), au siège de la société Summum – un bâtiment en forme de pyramide !

Les organes sont alors prélevés et nettoyés de leur sang ou de leurs déchets, puis remis dans le corps, immergé pendant 70 jours dans un liquide hydratant (à l'opposé de la méthode des anciens Égyptiens qui, eux, privilégiaient la déshydratation pour conserver leurs momies). Pour finir, l'animal est enduit de cire et de lanoline, enveloppé de bandelettes de coton et hermétiquement enfermé dans une coque de fibre de verre.

▲ Plusieurs personnes ont également souhaité se faire momifier, imaginant qu'un jour, grâce à leur ADN, ainsi conservé, on les clonera. C'est ce qu'explique Ron Temu, conseiller funéraire chez Summum : « Ça plaît beaucoup aux gens l'idée que l'on pourra un jour les faire revivre grâce à leur ADN… »

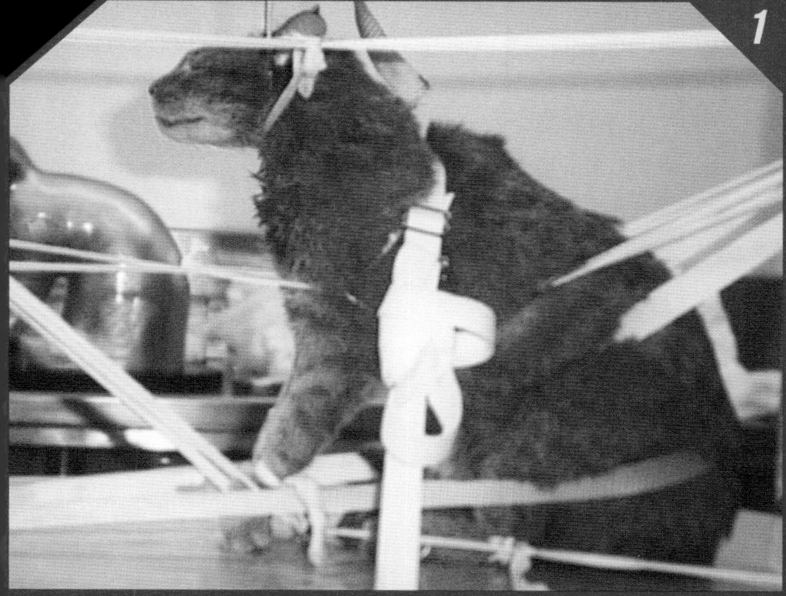
1

Après qu'on lui a retiré ses organes, qu'on les a nettoyés et remis en place, le cadavre hydraté est remis debout pour la phase suivante : l'emmaillotage.

2

Ce chat est enveloppé d'une multitude de bandelettes de gaz, comme ce que l'on faisait pour les animaux (et les humains) au temps des pharaons.

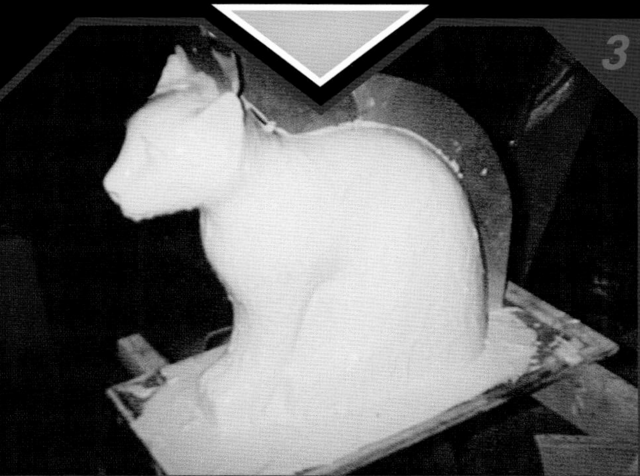
3

Une couche de polyuréthane permet ensuite de placer la momie sous vide, avant de l'enfermer dans une coque en fibre de verre.

4

Le « cercueil » ou « momie » reçoit une finition imitant le bronze, le marbre ou, comme ici, il peut être doré à la feuille. Chat a de l'allure !

5

Notre chat dort maintenant pour l'éternité dans son cercueil doré, orné de bijoux, tel Bastet, le dieu-chat des Égyptiens… Le processus peut prendre jusqu'à 10 mois, et tout ceci a un coût, bien sûr : l'équivalent de 5 000 euros pour un chat, voire plus de 57 000 euros pour un très grand chien de type danois. La société Summum accepte aussi de momifier les chevaux.

« Ceci était mon perroquet. »

MIAOU ! ÇA ROULE !

MODERNE HOMME DES CAVERNES Daniel Suelo vit sans argent depuis l'an 2000. Il a abandonné ses 30 derniers dollars dans une cabine téléphonique et renoncé à tout confort. Depuis, il vit dans des grottes ou campe à la belle étoile. Pendant plusieurs années, il a élu domicile à l'intérieur d'une grande caverne au bord d'une falaise, dans l'Arches National Park (Utah), où il s'est taillé une couche dans la roche. Il se nourrissait de racines, buvait aux sources et se lavait dans les ruisseaux…

CERCUEIL À DEUX PLACES Des archéologues qui fouillaient une nécropole du ve siècle dans le Cambridgeshire ont découvert la tombe d'une femme enterrée avec une vache. On savait que les guerriers anglo-saxons pouvaient être inhumés avec leur cheval, mais les scientifiques, cette fois, se sont déclarés « vachement surpris ».

UN CYGNE TROMPEUR Une équipe de 25 pompiers s'est mobilisée en pleine nuit pour venir à la rescousse d'un cygne pris dans la glace d'un étang à Straubing (Allemagne). Ils ont fini par découvrir qu'il s'agissait d'un cygne en plastique, placé là par des pêcheurs pour effrayer les autres oiseaux.

BABY BOUM !

Alan Sailer, photographe californien, semble avoir un petit compte à régler avec la tradition des cadeaux de Noël: il fait exploser jouets et poupées, et prend le carnage en photo à l'aide d'un appareil à déclenchement rapide. Il a ainsi rempli cette tête de bébé d'une gélatine rouge et placé à l'intérieur un pétard déclenché à distance. Ne tentez pas de refaire l'expérience!

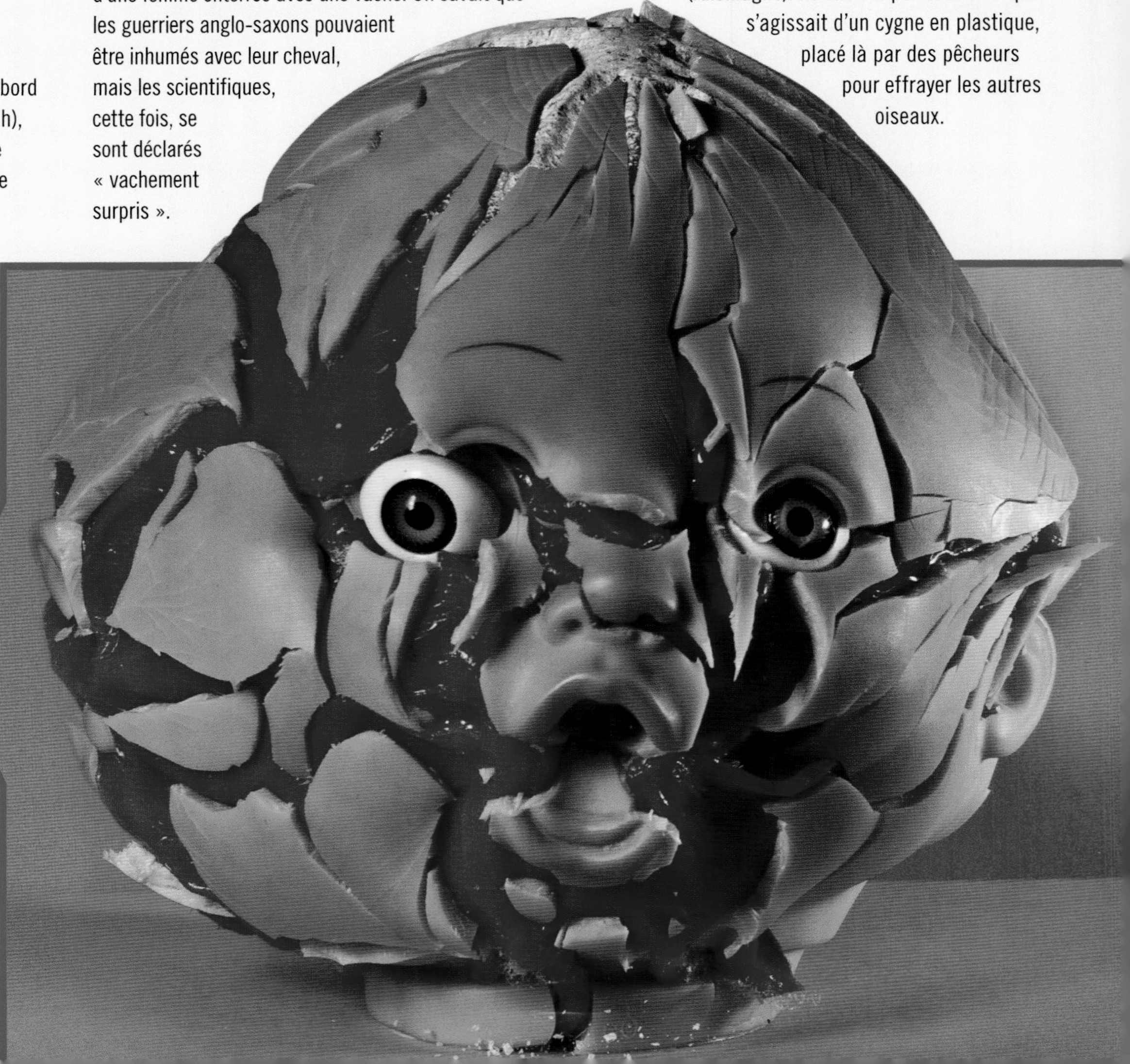

Romeo, chat du Bengale pure race qui vit à Seattle (État de Washington), sait faire du skate! Il grimpe dessus et roule dans la maison comme un vrai fou. Et il est très doué, ce matou: il saute dans des cerceaux, se tape dans les mains, marche à reculons debout sur ses pattes arrière, joue du piano miniature...

CHAT MAIRE En 2012, Stubbs, un chat sans queue, a fêté son 15e anniversaire en tant que maire de Talkeetna, en Alaska. Il a plus de 1 000 amis sur Facebook, soit 100 de plus que l'ensemble de la population de la ville qu'il administre.

CREVÉ DE SOMMEIL Dans la matinée du 1er novembre 2012, un passant a appelé la police à Birmingham (Alabama) après avoir vu ce qui ressemblait à une femme abattue dans sa voiture et affaissée sur le volant. Mais à leur arrivée, les policiers n'y ont trouvé qu'un fêtard en costume d'Halloween, ivre mort, vêtu d'un déguisement de zombie éclaboussé de faux sang.

UNE PLACE À L'OMBRE Un Suédois reconnu coupable de contrebande a berné ses geôliers en introduisant dans la prison un copain qui a effectué sa peine à sa place... Le remplaçant est arrivé avec un faux permis de conduire portant sa vraie photo. La fraude n'a été découverte qu'à sa libération pour bonne conduite, au bout de 8 mois, soit les deux tiers de la peine.

TU VIENS TE COUCHER, CHÉRIE ? En 2003, Le Van, de Quang Nam (Vietnam), bouleversé par la mort de sa femme, a dormi 20 mois au-dessus de sa tombe. Puis, lorsque le vent et la pluie lui sont devenus insupportables, il l'a rouverte. Il a déterré sa femme, a enrobé ses os de plâtre, l'a rhabillée et lui a posé un masque sur le visage. Depuis, il dort toujours avec elle, mais dans leur lit.

BOUT COUPÉ AU BAMBOU En 2011, Simon Eroro, qui explorait la jungle de Papouasie-Nouvelle-Guinée, a accepté de se faire circoncire à l'aide d'un bâton de bambou taillé en pointe, juste pour obtenir un entretien avec un groupe de rebelles.

EMPREINTE PARFAITE Un voleur s'est enfui avec l'argent de la caisse d'un magasin à Albuquerque (Nouveau-Mexique), mais y a laissé un morceau de son doigt.

DERNIER OUVRAGE Randy Schnobrich, menuisier à Grand Marais (Minnesota), propose un cours intitulé « Construisez votre propre cercueil », pour les bricoleurs jusqu'au-boutistes.

L'HOMME ROBOT Drew Beaumier, de Fountain Valley (Californie), s'est transformé en Transformer grandeur nature. Il s'est inventé un costume de robot articulé avec des roues sur les bras et les jambes qui lui permet de se plier en forme de voiture et de « rouler ». Il a fabriqué ce costume en 8 semaines, grâce aux pièces d'une voiture jouet qu'il a remontées avec des charnières et collées sur un sous-vêtement de sport pour pouvoir l'enfiler.

CHAT FAIT DU BOUCAN Smokey, le chat de Ruth Adams, qui vit à Northampton (Angleterre), a le plus fort ronronnement au monde, mesuré officiellement à 67,7 décibels mais qui atteindrait parfois 92 décibels, soit l'équivalent d'un Boeing 737 venant d'atterrir. Alors que la plupart des chats ronronnent à 25 décibels environ, il est impossible de regarder la télé si l'assourdissant Smokey est dans la pièce.

FANTÔME

« Buford. Population: 1. Altitude: 2438 mètres », peut-on lire sur le panneau indicateur, au-dessus du portrait de Dan Sammons, unique résident entre 1992 et 2012 de cette ville fantôme du Wyoming qui a pourtant compté jusqu'à 2000 habitants à la fin du XIXe siècle. Sammons, ex-propriétaire, a revendu la commune à un Vietnamien. Elle constitue toujours une petite attraction touristique.

FEU DE GROSSE ▶ La combustion du cadavre d'une femme obèse a provoqué un incendie qui a presque détruit le crématorium de Graz, en Autriche. Le feu s'est répandu lorsque, en brûlant, la graisse de cette femme de 200 kg a bouché le filtre à air, provoquant une surchauffe.

SUSPENDU ! ▶ Nguyen Manh Phan, agent de la circulation à Hanoi (Vietnam), s'est accroché pendant près d'1 km à l'essuie-glace du pare-brise d'un bus roulant à 50 km/h, après que le conducteur eut accéléré pour l'empêcher de lui coller une contravention.

LARD DE MOURIR ▶ Une société basée à Seattle commercialise pour 2 150 euros un cercueil peint, camouflé en morceau de poitrine fumé.

BIG BANG ▶ Au lieu de ravir pendant 30 minutes plusieurs centaines de spectateurs, le feu d'artifices tiré en 2011 à Oban (Écosse) n'a duré qu'1 minute : à cause d'un incident technique, toutes les fusées et tous les feux de Bengale sont partis en même temps.

RECRACHE À L'EAU

▶ Sur la plage du Dorset (Grande-Bretagne) où il se promenait, Charlie Naysmith, 8 ans, a trouvé un morceau de vomi de cachalot pesant 600 grammes, d'une valeur de 43 000 euros. Le vomi de cachalot, qui se solidifie en une substance cireuse appelée « ambre gris » ou « or flottant », est précieux: il entre dans la composition de coûteux parfums, dont il prolonge la senteur.

REGARDEZ ! C'EST QUOI ? ▶ Les élèves d'une école de Newcastle (Australie) ont été évacués le jour où un garçon de 11 ans a rapporté en classe une grenade à main. Les enfants ont été emmenés dans un parc à proximité, tandis que des démineurs examinaient cette inoffensive relique de la Seconde Guerre mondiale.

PAS VOYAGEUSE ▶ En 1965, Jeff Cokeley, 13 ans, a gravé ses initiales et la date sur la carapace d'une tortue qu'il avait trouvée dans les champs, près de la ferme familiale, en Pennsylvanie. 47 ans plus tard, son père, Holland Cokeley, promenait son chien dans ces mêmes champs quand il a trébuché sur la même tortue, qui portait toujours les mêmes marques.

BAISER MOBILE ▶ Lors de leur mariage à Yuxi (Chine), Li Wen et Lu Ben ont échangé le traditionnel baiser assis dans deux voitures en mouvement. Les jeunes mariés sont arrivés dans deux véhicules distincts ; leurs chauffeurs n'ont eu qu'à les rapprocher légèrement pour que le couple puisse baisser les vitres et partager un baiser en route.

DE MAL EN PISSE ▶ En s'introduisant dans un poste électrique, Michael Harper, de Leicester (Angleterre), s'est infligé de graves brûlures et a privé 2 000 foyers de courant : il a uriné sur le transformateur.

CASSE-TÊTE CHINOIS ▶ Dans le Sichuan (Chine), une femme mentalement dérangée a déchiré environ 5 850 euros en billets. Son mari a emporté les restes à la banque, où 12 membres du personnel se sont échinés pendant 6 heures sur ce puzzle, sans pouvoir n'en reconstituer qu'un seul.

Drôles de noces

- **Mme Erika La Tour Eiffel, de San Francisco, a épousé la tour Eiffel, dont elle était tombée éperdument amoureuse.**
- **Chen Wei-yih, de Taipei (Taiwan), s'est mariée à elle-même, tant elle est heureuse en sa propre compagnie.**
- **Le Coréen Lee Jin-gyu a épousé un oreiller orné du portrait de son personnage de dessin animé préféré, Fate Testarossa.**
- **À Possendorf (Allemagne), Uwe Mitzscherlich a épousé sa chatte Cecilia, malade, lorsqu'on lui a dit qu'elle n'en avait plus pour longtemps à vivre.**
- **Sagula Munda, 2 ans, a été uni à une chienne lors d'une cérémonie à Jaipur (Inde), pour le protéger du mauvais œil – il venait de contracter une infection dentaire.**
- **Sharon Tendler a épousé Cindy le Dauphin lors d'une cérémonie spéciale à Eilat, en Israël. Cindy a reçu un baiser et un morceau de hareng.**

MARIÉE À POIL

▶ *Lors d'un festival à Zamora (Espagne), où l'on célèbre chaque année saint Antoine, patron des animaux, Isidro Fernandez Rodriguez a pris pour compagne Matilde, son ânesse.*

PARTIS POUR RIRE▶ Plus de 140 partis politiques étaient inscrits aux élections générales britanniques de 2010, dont le Parti de la Robe fantaisie, le Parti des Cinglés de rave-parties géantes, le Parti Pirate ou le Parti Elvis Carte de Bus.

MAIRE ACCIDENTEL▶ Fabio Borsatti est devenu maire de Cimolais (Italie) alors qu'il n'était entré en compétition que pour aider Gino Bertolo, son ami, qui ne voulait pas se faire élire sans avoir au moins un opposant.

VAMPIRES DÉTERRÉS▶ Des archéologues bulgares ont découvert deux squelettes de « vampires » vieux de 800 ans lors de fouilles près de la mer Noire. Ces deux hommes avaient des pieux enfoncés dans le ventre et la poitrine, probablement un rituel destiné à les empêcher de se transformer en vampires après leur mort.

GARE AU GORILLE▶ Une statue de gorille en métal de 4,5 m de haut a été mystérieusement abandonnée au bord d'un chemin dans le Cambridgeshire (Angleterre), en mars 2012. Les employés municipaux n'avaient jamais enregistré pareil cas de dépôt d'ordure illégal.

OUI À LA CHAÎNE▶ En mars 2012, 2 000 couples de 54 pays ont participé à un mariage de masse organisé par la secte Moon dans un stade de Gapyeong, en Corée du Sud.

VIRGINIE VOIT DOUBLE▶ Virginia Fike, de Berryville (Virginie), a gagné à deux loteries le 7 avril 2012, empochant un total de 2 millions de dollars.

CHIEN D'HONNEUR▶ Lorsque Sue et Michael Hopkins se sont mariés, leur chien Snoopy, 11 ans, fut leur garçon d'honneur. Il s'est chargé d'apporter les anneaux, dans un sac fixé à son cou, et à la fin, il a aboyé pour signaler que la cérémonie était terminée.

EFFET TORDU

▶ Wes Naman, un photographe d'Albuquerque (Nouveau-Mexique), a créé cette série de portraits déformants en enveloppant des visages de ruban adhésif. L'idée lui est venue par hasard, en se collant un morceau de Scotch sur le visage, lors d'un test d'éclairage. Très impressionné par le résultat, il a persuadé une trentaine d'amis de se plaquer du ruban adhésif sur le nez, les lèvres, les oreilles ou les sourcils : tordu et tordant !

GRANDES PERSONNES

Seules 17 personnes, dans l'histoire, ont atteint ou dépassé la taille de 2,40 mètres. Mesurant 2,72 mètres de la tête aux pieds, Robert Wadlow (1918-1940) est l'homme le plus grand ayant jamais vécu. Aujourd'hui encore, les concurrents au titre d'homme le plus grand au monde sont loin d'approcher sa taille exceptionnelle. Surnommé « Le Géant d'Alton », du nom de sa ville natale, dans l'Illinois, Robert avait des pieds de 47 cm de long. Ses chaussures coûtaient 100 dollars la paire – l'équivalent actuel de 1 500 dollars – et il se déplaçait dans une voiture dont on avait ôté le siège du passager afin qu'il puisse s'asseoir à l'arrière et allonger ses jambes.

Quand il mourut d'une infection à 22 ans, Wadlow fut enfermé dans un cercueil en acier de 3,20 mètres de long, fabriqué spécialement, et enterré dans une crypte de béton armé, sa famille redoutant qu'on ne vole le corps. Comme toutes les personnes excessivement grandes, il souffrait d'une hyperactivité de l'hypophyse entraînant un niveau anormalement élevé d'hormone de croissance.

Pesant 162 kg et mesurant 2,23 mètres, Aurelio « Al » Tomaini (1912-1962), né dans le New Jersey, a été artiste de cirque durant presque toute sa vie et n'a jamais cessé de prendre des médicaments destinés à contrôler sa croissance. Alors qu'il se produisait à Cleveland, en 1936, il a fait la connaissance de sa future épouse, Jeanie – la « Demi-femme » – qui était née sans jambes et ne mesurait que 76 cm. Se qualifiant de « couple le plus étrange au monde », ils se sont produits pendant de nombreuses années, Al portant généralement Jeanie sur son épaule ou sa hanche.

Bébé de taille normale, Robert Wadlow grandit si vite qu'il fallut, à l'école élémentaire, fabriquer un pupitre spécialement pour lui. Il faisait 1,80 m à 8 ans et 2,20 m quand il devint boy-scout, à 13 ans. La confection de son uniforme exigea 13 mètres de tissu d'1 mètre de large. Lorsqu'il mourut, seulement âgé de 22 ans, il grandissait encore et serait sans doute devenu la seule personne à dépasser 2,75 mètres.

Né à Willow Bunch, dans le Saskatchewan, au Canada, et aîné de 20 enfants, Édouard Beaupré (1881-1904) voulait être cow-boy mais avait les jambes si longues qu'il ne pouvait monter confortablement, même lorsque le cheval était très grand. Il devint donc une attraction de cirque. Surnommé « Le Géant de Willow Bunch », il luttait et exécutait des tours de force incroyables. Dans son numéro le plus célèbre, il s'accroupissait sous un cheval de 400 kg et le soulevait sur ses épaules. À sa mort, il mesurait 2,51 mètres et son corps fut embaumé, puis exposé dans un cirque de Montréal jusqu'au jour où l'université l'acquit pour effectuer des recherches sur le dérèglement de la croissance. En 1990, 86 ans après sa mort, Beaupré put enfin trouver le repos et fut incinéré.

John Rogan (1868-1905), du comté de Sumner, dans le Tennessee, atteignit 2,64 mètres, occupant la seconde place dans la catégorie de l'homme le plus grand au monde. Il grandit rapidement vers l'âge de 13 ans, et fut finalement incapable de se tenir debout et de marcher. Pour se déplacer, il transforma son lit en carriole tirée par des chèvres. Pour gagner sa vie, Rogan, dont les mains mesuraient 28 cm de long, vendait des portraits et des cartes postales de lui-même à la gare du chemin de fer.

Né dans le comté de Letcher, dans le Kentucky, Martin Van Buren Bates (1837-1919) fut surnommé « Le Géant du Kentucky » quand une crise de croissance porta sa taille à 2,36 mètres. Il fut capitaine dans l'armée confédérée lors de la guerre de Sécession, sa taille répandant parmi les soldats de l'Union la légende d'un « géant confédéré de la taille de 5 hommes et se battant comme 50 ». Après la guerre, il entra dans un cirque où il rencontra Anna Haining Swan, qui faisait 2,27 mètres. Le couple se maria en 1871, à Londres, la cérémonie attirant des milliers de curieux désireux d'assister au « mariage des géants ».

Le chanteur et acteur William Olding, qui faisait 2,30 mètres, était considéré, dans les années 1930, comme l'homme le plus grand d'Angleterre. En 1936, lorsqu'il joua le rôle d'un ange dans une pièce, son costume nécessita 18 mètres de tissu, et la couturière dut monter sur un escabeau pour atteindre son épaule.

George Auger (1881-1922), un Gallois, était policier, mais sa taille (2,26 mètres) suscitait des troubles. On disait que le tissu d'un de ses costumes aurait pu vêtir toute une famille. Bertha, son épouse, qui faisait 1,60 mètre utilisait souvent un escabeau pour l'embrasser et refusait de s'asseoir sur ses genoux car elle avait peur de tomber. Quand le couple vit un spectacle du cirque Barnum & Bailey, Auger s'aperçut qu'il faisait une tête de plus que le géant de la troupe. Il fut engagé, surnommé « Le Géant de Cardiff », et partit en tournée aux États-Unis. En 1922, l'acteur comique Harold Lloyd lui demanda de jouer dans un film muet, Faut pas s'en faire, *mais il mourut malheureusement peu avant le début du tournage.*

L'HOMME INVISIBLE▶ En février 2012, des infirmiers et un adjoint du shérif ont répondu à l'appel d'un habitant de Winder, en Georgie, âgé de 28 ans, qui avait appelé les secours pour annoncer qu'il était invisible.

AMBITION NUE▶ Voulant absolument éviter la course à la réussite, Masafumi Nagasaki, 79 ans, vit seul et nu sur l'île déserte japonaise de Sotobanari depuis plus de 20 ans. Il ne s'habille que pour son déplacement hebdomadaire jusqu'à une île voisine, où il se procure de l'eau et des galettes de riz.

DES SERPENTS DANS LA CULOTTE▶ Un homme a été arrêté car on le soupçonnait d'avoir volé des serpents dans une boutique d'animaux de compagnie de Mesa, dans l'Arizona, en les cachant pendant plus d'une heure dans son caleçon.

LE ROI DES REPTILES▶ En 2012, Tyler Gold, un homme d'affaires de York, dans le Nebraska, a pris officiellement le nom de Tyrannosaurus Rex, qu'il trouvait plus cool que son véritable nom. Son patronyme complet est : Tyrannosaurus Rex Joseph Gold.

MARIAGE DE COSTUME▶ Pour fêter leurs 20 ans de mariage, Jason Webb-Flint et son épouse, Julie, ont renouvelé leurs vœux déguisés en Mickey et Minnie Mouse. Tous les invités étaient costumés en personnages de Disney. Les deux fils adolescents du couple avaient choisi Donald Duck et Dingo. « La Marche des éléphants », du *Livre de la jungle*, a été diffusée durant la cérémonie.

Bonne place !

PARKING GRATUIT

▶ Les habitants du Warwickshire, en Angleterre, ont découvert avec stupéfaction une voiture juchée à près de 5 m dans un arbre ! La carrosserie en fibre de verre de la Robin Reliant, un véhicule à trois roues, y avait été hissée à l'aide de cordes par Gregan Thompson, un farceur récidiviste, et trois de ses amis.

VOL DE POULET▶ Un homme a été arrêté après le vol d'un poulet en fibre de verre de 2,40 mètres de haut dans un élevage de poulets de l'Ontario, au Canada. Le voleur a emporté l'oiseau après lui avoir coupé les pattes.

ARCHE MODERNE▶ Johan Huibers, un millionnaire hollandais, a construit une réplique de l'Arche de Noé… un véritable navire mesurant 137 mètres de long et 21 mètres de large. Peuplée d'animaux grandeur nature, elle lui fut inspirée par un rêve qu'il fit en 1992, où les Pays-Bas étaient engloutis sous la mer du Nord. Johan a mis quatre ans à réaliser cette arche.

CASCADE DE SARDINES▶ Près de Kolobrzeg, en Pologne, l'autoroute est restée fermée pendant des heures le jour où un chauffeur de camion ayant oublié de fermer la porte arrière de son véhicule, 26 tonnes de sardines se sont déversées sur la chaussée.

LA VENGEANCE DU RONGEUR▶ Dale Whitmell, de l'Ontario, au Canada, s'est accidentellement tiré dans le front en essayant de tuer une souris avec la crosse de son fusil. Il ne s'était pas aperçu que l'arme était chargée.

TRAQUEUR DE CROTTES▶ En 2011, un mystérieux super héros, SuperVaclav, s'est mis à patrouiller dans les parcs de Prague pour faire la guerre aux propriétaires de chien qui ne ramassaient pas les crottes de leurs animaux.

PARI PERDU▶ Un homme de 21 ans est resté coincé toute la nuit dans un parc de Vallejo, en Californie, après avoir parié 100 $, avec ses amis, qu'il pourrait s'asseoir sur une balançoire pour enfants. À l'aide de lessive liquide, il est parvenu à glisser les jambes dans la balançoire, mais il est resté bloqué et ses amis ont disparu. Les pompiers l'ont libéré le lendemain matin.

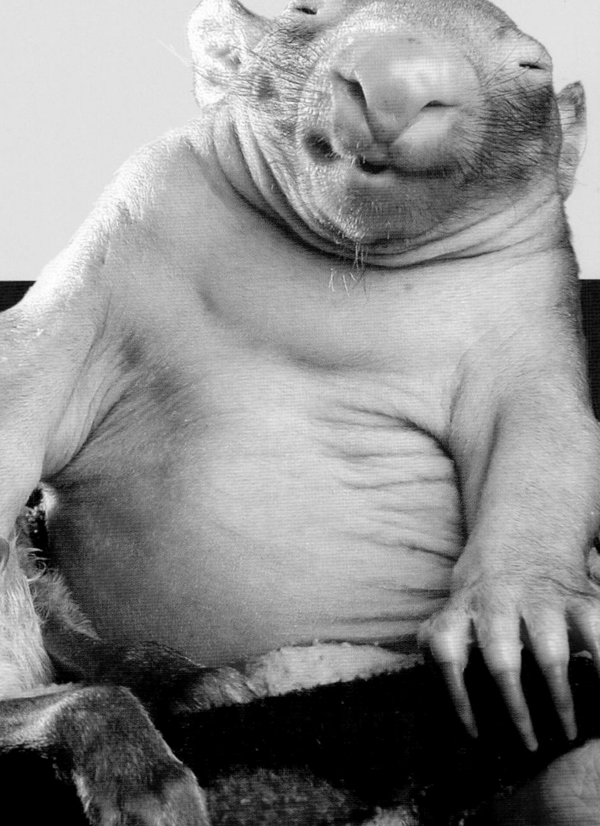

MEILLEURS AMIS

▶ Anzac, un bébé kangourou, et Peggy, un bébé wombat, sont devenus amis quand ces deux orphelins ont partagé une poche marsupiale dans un refuge pour animaux de Victoria, en Australie. Les deux jeunes se serraient l'un contre l'autre, leurs mouvements et les battements de leurs cœurs les réconfortant.

UN PINGOUIN DANS LA CAMPAGNE▶ En 2012, se présentant aux élections municipales déguisé en pingouin, le Professeur Pongoo (Mike Ferrigan pour l'état civil) a obtenu 444 voix dans la circonscription de Pentland Hill, à Édimbourg, en Écosse, faisant ainsi mieux que les Libéraux démocrates et les Verts. Il avait promis, s'il était élu, d'assister aux réunions du conseil déguisé en pingouin.

MÉMORIAL VÉGÉTAL▶ En souvenir de son épouse Janet, décédée en 1995, Winston Howes, un agriculteur du Gloucestershire, en Angleterre, a planté 6 000 chênes sur un terrain de 2,4 hectares, laissant la forme parfaite d'un cœur au milieu... la pointe indiquant la direction de la maison où elle avait passé son enfance.

FACILE À NOURRIR▶ Une habitante de Marietta, en Georgie, âgée de 23 ans, mange 1,8 km de scotch par mois. Elle est accro au ruban adhésif depuis une dizaine d'années et en consomme trois rouleaux par jour, mastiquant les morceaux pendant 30 secondes environ avant de les avaler.

INTÉRÊTS COMPOSÉS▶ Un automobiliste de Sicile a reçu une amende faramineuse de 32 700 € pour stationnement interdit, l'agent de police ayant ajouté par erreur 1 800 années d'intérêt car il avait daté l'amende de 208 apr. J.-C. au lieu de 2008.

LA SIESTE DU TOURISTE▶ Les vigiles italiens chargés de la surveillance des bagages à l'aéroport Fiumicino de Rome se sont inquiétés quand ils ont vu, sur l'écran d'un détecteur aux rayons X, un touriste norvégien dormant sur le tapis roulant, parmi les valises. L'homme avait parcouru environ 150 mètres quand la police l'a rattrapé.

MÉMOIRE D'ÉLÉPHANT▶ Un policier municipal, Andy Pope, a une mémoire des visages si incroyable qu'il a identifié avec exactitude plus de 130 personnes recherchées en 12 mois dans les rues de Birmingham, en Angleterre. Il avait mémorisé leurs traits sur des images de vidéosurveillance. Il a même reconnu un cambrioleur récidiviste dans la rue un an après avoir vu son visage à la télévision.

FEMME À BARBE▶ Une femme a attaqué une banque de Cottondale, en Alabama, habillée en homme et ayant complété son déguisement par une barbe tracée au marqueur noir.

LA POULETTE DE L'ESPACE

▶En mars 2012, portant une combinaison spatiale en tricot et un casque, une boîte de déjeuner lui tenant lieu de vaisseau spatial, Camilla, la poulette en caoutchouc, est montée jusqu'à la limite de l'espace pour évaluer les niveaux de radiation lors d'une intense tempête solaire. Lancée dans l'espace, grâce à un ballon gonflé à l'hélium, par les élèves de la Bishop Union High School, en Californie, elle a atteint une altitude de 36 575 mètres. Transportant quatre caméras, un thermomètre cryogénique et deux GPS, la poulette a passé 90 minutes dans la stratosphère. Ensuite, le ballon a explosé et un parachute lui a permis de regagner la Terre en toute sécurité.

IVRESSE ANIMALE

- Un ours noir s'est endormi sur la pelouse d'un village de vacances de Baker Lake, dans l'État de Washington, après avoir bu 36 cannettes de bière.
- En 2006, une bande de singes ivres a saccagé un village d'Inde après avoir volé un alcool fort stocké dans des pots en prévision d'une fête religieuse.
- En 2008, en Roumanie, la carriole qu'il tirait ayant renversé un vieillard assis sur un banc, un cheval a révélé un fort taux d'alcoolémie. Ion Dragan venait d'acheter l'animal, que ses anciens propriétaires avaient peut-être fait boire, avant de le vendre, pour qu'il semble fringant et en bonne santé.
- En 2010, dans l'est de l'Inde, enivrés par un alcool à base de riz destiné à une fête locale, un troupeau d'éléphants s'est déchaîné pendant 4 jours, tuant 3 personnes et détruisant 60 maisons.
- En 2011, à Palmerston, en Australie, de nombreux perroquets se sont mis à faire beaucoup de bruit et à tomber parce qu'ils avaient mangé des plantes contenant de l'alcool.
- Un troupeau de vaches a envahi une fête en plein air, à Boxford, dans le Massachusetts, en 2012, et bu la bière abandonnée par les invités en fuite.

ÉLAN SAOUL

En rentrant de son travail, Per Johansson, de Särö, en Suède, a constaté qu'un élan ivre était coincé dans l'arbre de son voisin. En automne, les élans mangent les pommes tombées qui, fermentées, les enivrent. L'animal avait tenté d'escalader l'arbre pour attraper une pomme, mais était resté coincé une patte sur le sol et les trois autres sur le pommier. Finalement libéré par les pompiers, l'élan s'est éloigné de l'arbre en titubant, s'est effondré sur l'herbe et endormi. Ayant cuvé pendant la nuit, il s'est levé puis est parti lentement le lendemain matin.

FAUTEUIL, JE TE HAIS À Torbay, dans le Devon (Angleterre), les caméras ont surpris le passager d'un bus déchirant un siège avec les dents. Les dégâts ont été chiffrés à 220 euros.

TÊTES NUMÉROTÉES Tan Chaoyun, de Shenzhen, en Chine, mère de quadruplés âgés de 6 ans, a rasé les chiffres 1, 2, 3 et 4 sur leurs têtes pour qu'on puisse les distinguer à l'école.

ANNIVERSAIRE RATÉ En cadeau d'anniversaire, le Chinois Xiao Li a offert à sa petite amie un collier valant 550 € caché dans un gâteau. Mais celle-ci a avalé le collier et a dû subir une opération par endoscopie à Quingdao, en Chine. Une sonde a été glissée dans sa gorge et jusque dans son estomac pour récupérer le collier.

SURNOMBRE Les cimetières publics de Hong Kong sont si surpeuplés que les morts doivent être évacués au bout de six ans.

POIDS MORT Quand une camionnette s'est renversée sur l'autoroute, à Luozhou, en Chine, 16 cadavres sont tombés sur la chaussée. Le chauffeur était un professeur de la faculté de médecine de la ville, qui avait acheté les cadavres non réclamés de victimes de meurtre, à l'intention de ses étudiants.

FAUSSE ALERTE Les services d'urgence se sont précipités dans une banlieue de Stockholm, en Suède, suite au signalement d'une fuite de gaz. Mais, arrivés sur les lieux, les employés se sont aperçus que l'odeur n'avait rien d'inquiétant : c'était simplement celle du hareng fermenté, un délice suédois traditionnel.

VOL D'AGENT Un agent de police en carton grandeur nature, jouant un rôle dissuasif dans un grand magasin de Barnsley, en Angleterre, a été volé. Le personnage d'1,80 mètre, surnommé Agent Bobb, était censé décourager les voleurs à l'étalage.

GATOR-PARTIE Bob Barrett, un spécialiste des reptiles de Tampa Bay, en Floride, fournit des alligators vivants aux jeunes organisant des fêtes autour d'une piscine. Moyennant 130 €, il livre un alligator dont la gueule est maintenue fermée par du ruban adhésif.

ÉLAN MEURTRIER En 2009, Ingemar Westlund, de Loftahammar, en Suède, a été soupçonné du meurtre de sa femme et arrêté... mais la police l'a libéré quand on s'est aperçu qu'elle avait été tuée par un élan ivre.

CHASSES SYNCHRONISÉES▸ En septembre 2012, afin d'évacuer les déchets accumulés dans les égouts pendant une coupure d'eau de plusieurs jours, tous les habitants de Bulawayo, au Zimbabwe, ont été encouragés à tirer simultanément la chasse d'eau à 19 h 30, le lundi et le jeudi.

ROI OUVRIER▸ Selon plusieurs historiens, le roi légitime d'Angleterre serait mort en 2012... dans une maison modeste de Jerilderie, en Nouvelle-Galles du Sud, en Australie. Des chercheurs affirment que les ancêtres de Michael Hastings ont été malhonnêtement dépouillés de la couronne britannique au XVe siècle.

DOUBLE PEINE▸ Alors qu'il donnait un poisson à un alligator de 2,70 m de long, Wallace Weatherholt a eu la main arrachée et a été ensuite accusé d'avoir nourri le reptile, ce qui est interdit. Sa main a été retrouvée, mais il a été impossible de la replacer sur son poignet.

VUE AÉRIENNE▸ Nathalie Rollandin, une touriste italienne, a obtenu une vue aérienne de la baie de San Francisco... grâce à une mouette gourmande. Elle photographiait le pont du Golden Gate quand une mouette, prenant sa caméra pour de la nourriture, la lui a arrachée lorsqu'elle fonctionnait encore. L'oiseau s'est envolé, mais a bientôt lâché l'appareil, qui contenait 30 secondes d'un point de vue unique sur la baie au crépuscule.

DOUBLE VIE▸ Aux U.S.A., Isaac Osei est propriétaire d'une société de taxis... mais, au Ghana, c'est un roi. Il règne sur cinq villes, porte une couronne, est assis sur un trône et habite un palais.

VISITE IMPROBABLE

▸ Le 10 janvier 2013, des dizaines de patients du All Children's Hospital de St. Petersburg, en Floride, ont découvert ébahis que trois Spiderman nettoyaient les vitres et leur faisaient signe. Les employés de la société Clearwater's High Rise Window Cleaners s'étaient déguisés en Spiderman pour que les enfants puissent rencontrer le super-héros en personne.

LES PLUS VIEUX JEUNES MARIÉS▸ Après s'être fréquentés pendant 18 ans, dont 15 de vie commune, Lillian Hartley, 95 ans, et Allan Marks, 98 ans, ont fini par se marier en 2012 près de leur ville de Palm Springs, en Californie. Le cumul de leurs âges atteignant 193 ans, ils sont devenus les plus vieux jeunes mariés au monde.

EXTINCTION▸ Depuis l'arrivée mystérieuse du *boiga irregularis* sur l'île de Guam, dans l'océan Pacifique, dans les années 1940, ces reptiles sont désormais 2 millions et ont poussé presque tous les oiseaux de l'île au bord de l'extinction.

UN AMOUR DE PRISON▸ La police de Sacramento, en Californie, a arrêté Marvin Lane Ussery, jusque-là en liberté conditionnelle, car il avait tenté de pénétrer par effraction dans la prison de Folsom... d'où il avait été libéré deux ans plus tôt.

DE LA LÈCHE

▸ *Zhang Bangsheng, un gardien dévoué du zoo de Wuhan, en Chine, a sauvé la vie d'un rare* trachypithecus francoisi *de trois mois en lui léchant les fesses pendant une heure pour l'encourager à déféquer. Il avait remarqué que le singe avait mangé une cacahouète et semblait avoir du mal à l'évacuer. L'animal étant trop jeune pour supporter les laxatifs, Zhang lui a lavé les fesses à l'eau chaude et s'est mis à lécher. Il a bientôt été récompensé, le singe constipé parvenant à évacuer la cacahouète.*

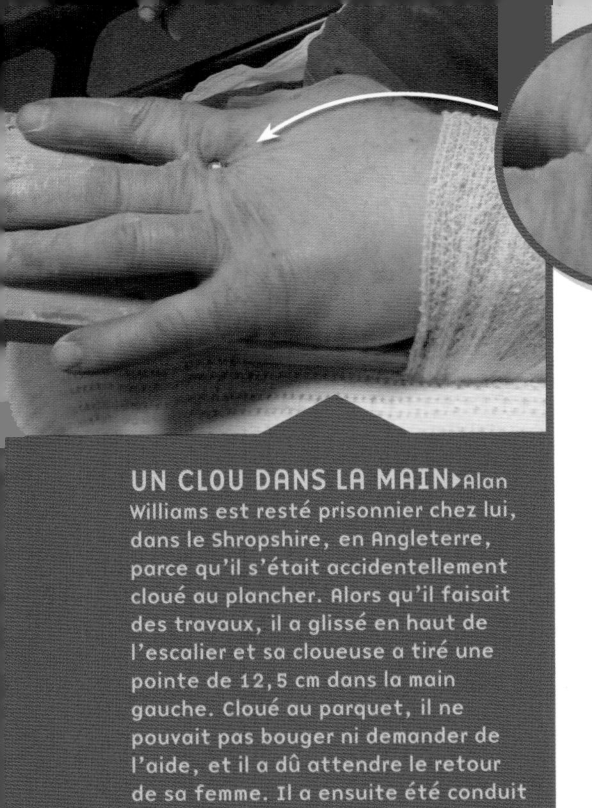

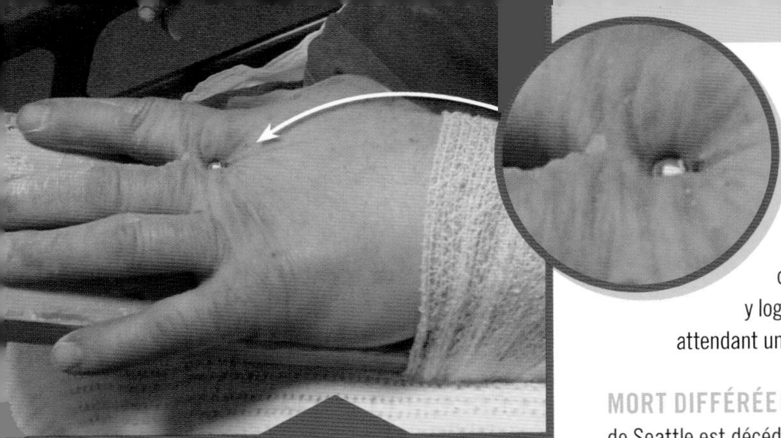

UN CLOU DANS LA MAIN▸ Alan Williams est resté prisonnier chez lui, dans le Shropshire, en Angleterre, parce qu'il s'était accidentellement cloué au plancher. Alors qu'il faisait des travaux, il a glissé en haut de l'escalier et sa cloueuse a tiré une pointe de 12,5 cm dans la main gauche. Cloué au parquet, il ne pouvait pas bouger ni demander de l'aide, et il a dû attendre le retour de sa femme. Il a ensuite été conduit à l'hôpital, toujours fixé à la lame de parquet mais, heureusement, le clou n'avait touché ni les tendons, ni les veines, et il a complètement retrouvé l'usage de sa main.

CLIENTS PEU EXIGEANTS▸ L'hôtel Lastel de Tokyo, au Japon, ne reçoit que des clients morts. Les familles y logent leurs parents décédés en attendant un rendez-vous au crématorium.

MORT DIFFÉRÉE▸ Lakeesha LaShawn Johnson de Seattle est décédée le 4 novembre 2011. Sa mort a été considérée comme un homicide en raison d'une blessure par balle reçue 13 ans plus tôt.

BALLES DE CENDRE▸ Au lieu de faire disperser leurs cendres de la façon traditionnelle après leur mort, les chasseurs peuvent les transformer en munitions. Holy Smoke, une société de l'Alabama, place les cendres dans des cartouches – 2,2 kg de cendres permet d'obtenir 250 cartouches – qu'on peut ensuite tirer en direction du ciel, ou bien sur des oiseaux ou des cibles en terre cuite.

PIÈCES D'OR▸ En février 2012, aux Riceys, en France, les ouvriers travaillant à la réfection d'un immeuble ont trouvé des pièces d'or frappées aux États-Unis dans les années 1850. Leur valeur est estimée à 700 000 €.

RACCOURCI▸ Bob Sloan, un athlète de Sunderland, en Angleterre, a été déchu de sa 3e place au marathon de Kielder quand on s'est aperçu... qu'il avait parcouru 9,6 km en bus.

TOUJOURS EN VIE▸ Une Suédoise de 87 ans s'est aperçue que les services fiscaux la considéraient comme morte car un médecin avait accidentellement indiqué sa date de naissance sur un certificat de décès. Elle a téléphoné aux autorités pour préciser qu'elle était bel et bien en vie, mais la pharmacie a refusé son ordonnance du fait que ses archives indiquaient qu'elle était une « personne non existante ».

URGENCE▸ Kurt Wagner de Mödling, en Autriche, a roulé 64 km à contresens sur l'autoroute la plus fréquentée du pays, provoquant au moins un accident et donnant lieu à une importante opération de police... parce qu'il avait mal aux dents et désespérément besoin d'aller chez le dentiste. Lors de son arrestation, il a dit ne pas se souvenir de sa course folle car il avait pris des médicaments forts et de l'alcool pour lutter contre la douleur.

TENUES DE CAMOUFLAGE

▸ *Pour son livre* Vanishing Act, *le photographe américain Art Wolfe a réalisé une série stupéfiante de clichés d'animaux sauvages parfaitement camouflés dans leur environnement naturel. Voyez-vous le loup caché derrière un arbre dans une forêt du Montana (en haut à droite)? Ou la girafe d'Afrique du Sud, dont la couleur se confond avec celle de la végétation environnante (à droite)? Et que dire de la chouette lapone du cliché ci-dessous, pris dans une forêt de l'Oregon?*

THÉRAPIE DU CERCUEIL▸ Stepan Piryanyk, de Truskavets, en Ukraine, aide les gens à se préparer à l'au-delà en les autorisant à rester 15 minutes dans un cercueil. Il appelle cela la « thérapie du cercueil ». Des chants d'oiseau et des bruits d'eau courante apaisent les clients. La mise en place du couvercle n'est pas obligatoire.

TRANCHÉE PRIVÉE▸ Pour recréer les conditions de vie des soldats de la Première Guerre mondiale, Andrew Robertshaw, un historien, a creusé une tranchée de 20 mètres de long dans le jardin de sa maison du Surrey, en Angleterre. Vingt bénévoles ont mis environ un mois à évacuer 220 tonnes de terre pour reconstituer la cuisine, le dortoir des fantassins et la chambre d'un officier.

CULTE DES RACINES▸ Depuis 2008, Val Theroux fait tous les ans l'aller-retour entre le Canada et l'Angleterre (14 500 km)... pour voir un arbre. Cette infirmière à la retraite de Kamloops, en Colombie-Britannique, est tombée amoureuse du chêne de la Hampshire New Forest lors d'une visite à sa fille, et elle est si éprise de lui qu'elle l'a localisé sur Google Earth pour pouvoir le contempler depuis le Canada. Pendant ses visites, elle se lève tôt pour être seule avec l'arbre, puis le serre dans ses bras et l'admire pendant plusieurs heures.

EXPLOSION D'AQUARIUM▸ Les promeneurs ont pris la fuite, terrifiés, quand un aquarium rempli de requins s'est soudain brisé dans un centre commercial très animé de Dongfang, en Chine, inondant le plancher et projetant des éclats de verre ainsi que des poissons sur les clients. Quinze personnes ont été blessées et trois requins-citron, ainsi que des dizaines de poissons et de tortues, ont péri quand la vitre de 25 cm d'épaisseur du réservoir de 37 tonnes a brusquement cédé.

SOUCI D'HYGIÈNE▸ La larve de l'*ampulex compressa*, une guêpe parasite du cafard, désinfecte sa nourriture avant de la manger. Cette larve, qui vit dans le corps du cafard, sécrète un liquide désinfectant dans sa bouche, puis le crache, en couvrant les entrailles de son hôte. Le désinfectant élimine une bactérie du cafard capable d'empoisonner la larve.

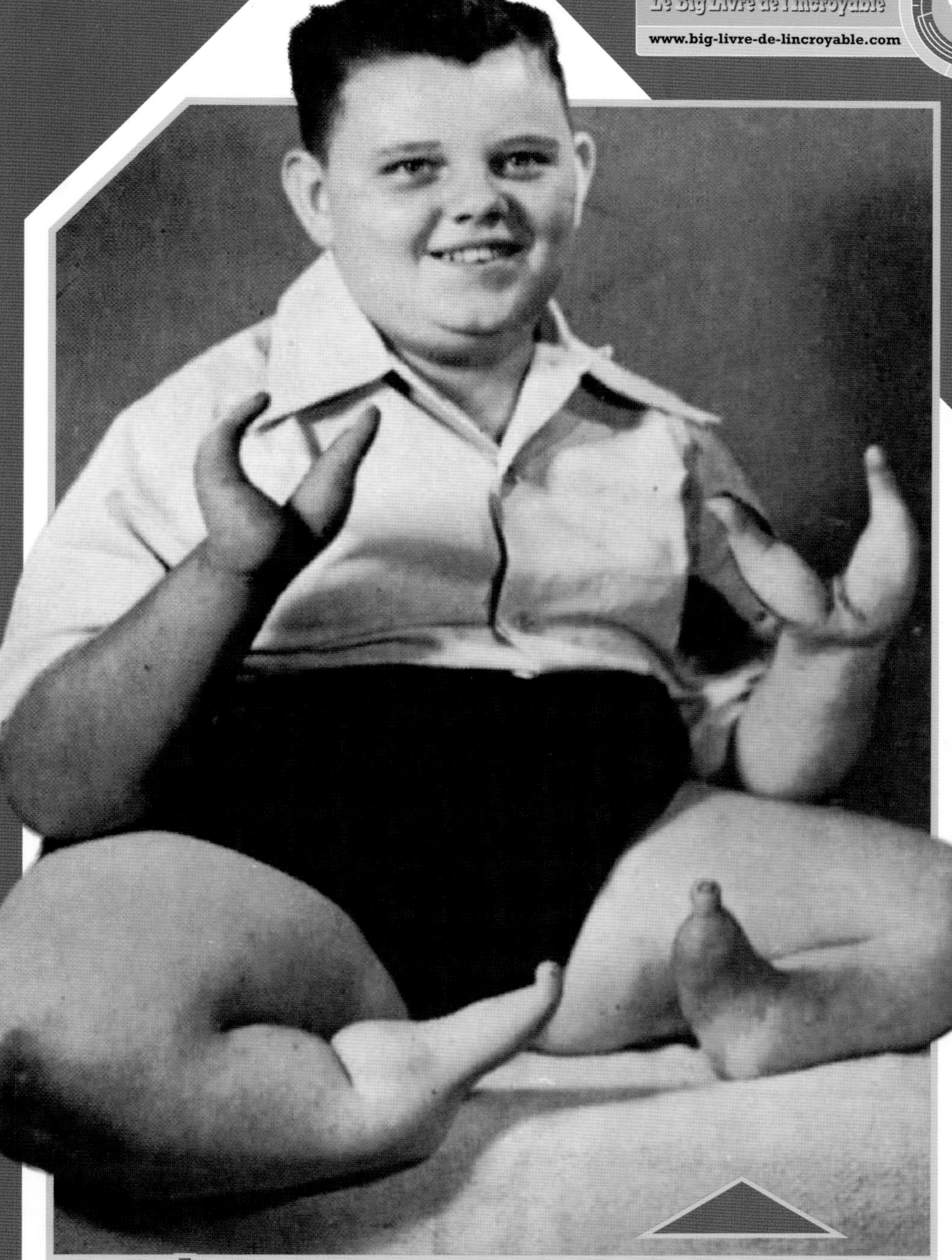

L'ENFANT HOMARD

▸ À sa naissance, en 1937, Grady Stiles, de Pittsburgh, en Pennsylvanie, avait les mains en forme de pinces et ses jambes étaient difformes. Il était le sixième membre de sa famille atteint de cette maladie congénitale, l'ectrodactylie, qui soude les orteils et les doigts. Dans les années 1940, il s'est produit dans les cirques avec sa famille sous le surnom de l'« Enfant homard », et a tenu ce rôle pendant presque 50 ans.

QUEUE▸ Shota Ishiwatari, un inventeur japonais, a imaginé une queue, destinée aux êtres humains, qui oscille quand celui qui la porte réagit à une stimulation. La « Tailly » est fixée à une ceinture enregistrant les battements du pouls. Plus le pouls est rapide, plus les oscillations le sont aussi.

SUPER-LAPIN▸ Un cambrioleur s'étant introduit dans une maison de Plymouth, en Angleterre, a été pris au dépourvu quand il s'est trouvé face au lapin géant de la famille. Toby, qui pèse 4,5 kg et mesure 60 cm, a frappé si fort sur le plancher de sa cage que l'intrus a paniqué et pris la fuite.

DÉLINQUANTS CÉLÈBRES▸ En janvier 2013, la police de Belo Horizonte, au Brésil, a arrêté trois John Lennon, tandis qu'un quatrième se retrouvait à la morgue, probablement assassiné. Les Beatles étant très populaires au Brésil, des centaines de couples ont prénommé leur fils John Lennon.

LONGUE ATTENTE▸ 30 ans après la mort de son mari, Liu Fu, une institutrice à la retraite de Zhengzhou, en Chine, a enfin posé pour sa photo de mariage. Sur ces clichés romantiques, elle a joué, avec l'aide de costumiers, de coiffeurs et de maquilleurs, à la fois le marié et la mariée. Lors de leurs noces, son mari Feng, et elle, manquaient d'argent, mais elle avait toujours rêvé d'un album de photos de mariage.

LE NINJA DU COIN▸ Ken Andre, membre de la milice bénévole, patrouille en costume de ninja dans les rues de Yeovil, dans le Somerset (Angleterre). Ce spécialiste des arts martiaux et père de 2 enfants, également surnommé l'« Ombre », porte un kimono japonais noir pour combattre le crime. Il a fait échouer des dizaines d'agressions.

CLOWNS MÉDECINS▸ Prouvant que le rire est le meilleur médicament, le professeur Thomas Petschner et Rita Noetzel ont fondé les Clowns médecins de Nouvelle-Zélande, afin de promouvoir l'emploi médical de clowns dans les hôpitaux du pays. Les Clowns médecins ont aussi mis leur nez rouge et leur costume lors du grave tremblement de terre de Christchurch. Pendant des semaines, ils ont apporté un peu de réconfort aux sauveteurs.

MORVE UTILE▸ Beurk ! Ce distributeur en silicone, en forme de nez, fournit du gel douche vert par ses narines, reproduisant ainsi le mucus d'un gros rhume.

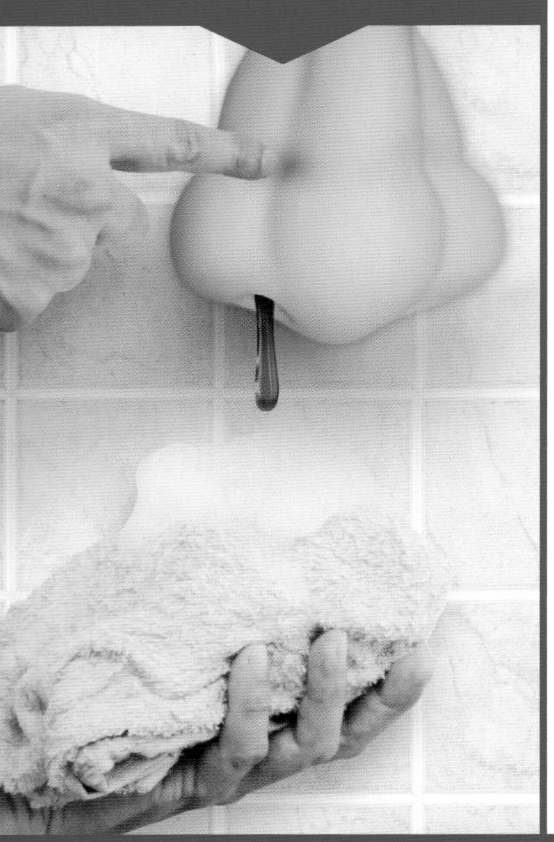

BOUTIQUE ZOMBIE▸ L'« Apocalypse zombie », un magasin de Las Vegas, dans le Nevada, propose un assortiment d'objets ayant trait aux zombies, notamment des Tasers en forme de téléphone mobile.

CANDIDATS DÉCÉDÉS▸ Lors des élections américaines de 2012, les citoyens ont élu deux politiciens morts. Earl K. Wood, se présentant à Orlando, en Floride, et Charles Beasley, ont obtenu une nette victoire… alors qu'ils étaient morts plusieurs semaines avant le scrutin.

CRABES EN FÊTE

▸Une échoppe du marché de Balikpapan, en Indonésie, expose des carapaces de crabe ornées de personnages de séries télévisées populaires. Un habitant de la ville, Yanto, les récolte dans l'océan, les peints, puis les vend environ 1 € pièce.

VENTE FORCÉE▶ À Westlake, dans l'Ohio, une femme est entrée par effraction dans une maison, a fait le ménage puis a laissé aux propriétaires une facture de 55 € griffonnée sur une serviette en papier.

LES TRIBULATIONS D'EVA▶ En 1955, trois ans après la mort d'Eva Peron, première dame d'Argentine, son corps embaumé a été volé… et a parcouru le monde pendant deux décennies. Après avoir été secrètement transporté en Italie et enterré sous un faux nom, il a été exhumé puis envoyé en Espagne, avant de regagner enfin Buenos Aires, où il repose, 5 mètres sous terre, au cimetière de La Recoleta, dans une crypte fortifiée.

ENVIRON 1,8 MILLION DE CADDIES DE SUPERMARCHÉ SONT VOLÉS OU DISPARAISSENT TOUS LES ANS AUX U.S.A.

GAZ DE FROMAGE▶ Dans le nord de la Norvège, un tunnel routier est resté fermé pendant trois semaines après l'incendie d'un camion transportant 27 tonnes de brunost, un fromage de chèvre scandinave. Coincé dans le tunnel, le fromage a brûlé pendant des jours en dégageant des gaz potentiellement mortels.

LE RETOUR DE LA MOMIE▶ Après sa mort, en 2011, Alan Billis, du Devon, en Angleterre, a été momifié dans le style de l'Égypte antique. Des scientifiques de l'université d'York ont élaboré les techniques permettant d'embaumer son corps selon les méthodes des Égyptiens de l'Antiquité. À l'état de momie, il pourrait se conserver pendant 3 000 ans !

LABYRINTHOPHOBIE▶ À Danvers, dans le Massachusetts, se promenant dans un labyrinthe aménagé dans un champ de maïs, une famille s'est perdue. Elle était entrée de jour dans l'inquiétant labyrinthe de 2,8 ha, tracé en forme de cavalier sans tête, mais elle a paniqué à la tombée de la nuit.

SUPERNOMS▶ Deux habitants de Nottingham, en Angleterre, ont officiellement adopté des patronymes composés des noms de 15 super héros ou super méchants. Daniel Knox-Hewson est devenu Emperor Spiderman Gandalf Wolverine Skywalker Optimus Prime Goku Sonic Xavier Ryu Cloud Superman Heman Batman Thrash, tandis que Kelvin Borbridge préférait Baron Venom Balrog Sabretooth Vader Megatron Vegeta Robothik Magneto Bison Sephiroth Lex Luthor Skeletor Joker Grind.

SUSPENSION

▶ Deana Brown, une artiste de Baltimore, dans le Maryland, est restée 8 heures suspendue comme un quartier de viande au plafond d'une salle par d'énormes crochets métalliques insérés dans la chair de ses épaules.

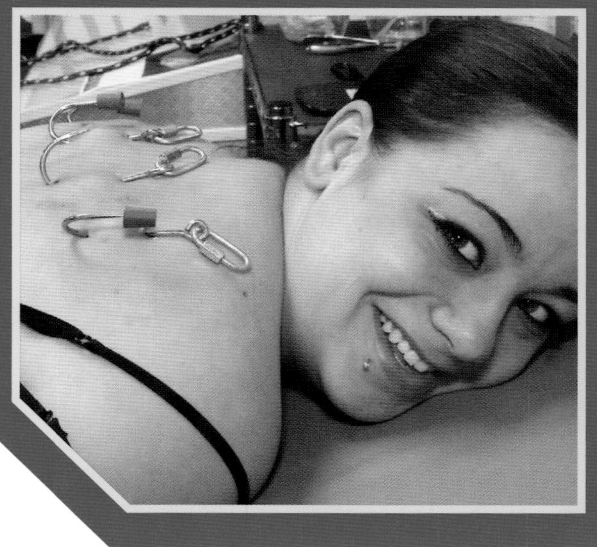

« Quand je suis suspendue, j'ai l'impression de vivre une révélation… quand je le fais, il me semble que je suis libre. C'est aussi excellent pour étirer le dos, et il est extraordinaire de se sentir libre alors qu'on est suspendu comme un quartier de viande. »

COLLISION FRONTALE

▸ ***Fondant sur sa proie, cette chouette malchanceuse a heurté un pick-up de front et est restée coincée dans la calandre. Le chauffeur avait parcouru 13 km quand il s'est aperçu que la tête de la chouette était toujours prisonnière de la calandre. Il a alors appelé le Fish and Wildlife Department du Vermont, qui a secouru l'oiseau. Ce dernier, contre toute attente, a été plus tard relâché, indemne.***

Ouch!

LE CHANT DES SOURIS ▸ Une race de souris vivant dans les montagnes du Costa Rica communique par le chant. Les souris « chantent » leur appel nuptial, le bruit parcourant de longues distances et pouvant compter jusqu'à 20 gazouillements stridents par seconde.

ATTENTE FORCÉE ▸ À Windsor, dans l'Ontario, au Canada, un homme soupçonné d'avoir avalé un diamant volé dans une bijouterie est resté en détention jusqu'au moment où il l'a évacué… soit 9 jours. Richard Matthews a été nourri d'aliments riches en fibres, afin d'accélérer le processus, les rayons X ayant révélé la présence de deux diamants artificiels dans son intestin.

LA COMPAGNE DU CADAVRE ▸ Deux ans après la mort de son mari, sa veuve éplorée, Adriana Villareal, de Buenos Aires, en Argentine, a emménagé dans sa tombe, installant un lit, une chaise, un ordinateur relié à internet, et même un poêle près du cercueil. Elle se rend au cimetière trois fois par an et dort trois ou quatre nuits près du corps embaumé de son mari.

ÉTAU HUMAIN

▸ Pat Povilaitis (dit « l'Étau humain »), homme fort professionnel d'Oak Ridge, dans le New Jersey, a envoyé cette proposition à Ripley's. Il est capable de glisser la main dans un authentique piège à loup ou à puma, et de soulever un bloc-moteur Ford 460 de 125 kg avec la main prise dans le piège.

MULE FÉLINE ▸ Un chat a été intercepté alors qu'il tentait d'introduire un téléphone mobile dans une prison brésilienne. Les gardiens ayant surpris le chat alors qu'il franchissait l'entrée principale de la prison Judge Luiz de Oliveira Souza, se sont aperçus que le téléphone, le chargeur, des batteries, des forêts et des cartes mémoire étaient fixés sur son corps. On suppose que des détenus ont secrètement élevé l'animal, puis l'ont donné à des visiteurs.

POUSSIN SANS ŒUF ▸ Une poule de Welimada, au Sri Lanka, a donné naissance à un poussin sans pondre d'œuf. L'œuf fertilisé n'a pas quitté le corps de la poule pour arriver à maturité à l'extérieur, mais est resté dans l'organe reproducteur et a éclos dans le corps de l'animal. Le poussin a survécu, mais la poule est morte d'hémorragie interne.

CHOUETTE AGORAPHOBE ▸ Comme Gandalf, une chouette lapone du Knowsley Safari Park, près de Liverpool, en Angleterre, avait peur de voler en plein air, ses propriétaires lui ont construit une volière dans un bâtiment en briques.

GIRAFE MONTÉE ▸ Ayant élevé Mara, une girafe de 3 mois haute de 2 mètres, dans la réserve naturelle de Lion Park, près de Johannesbourg, en Afrique du Sud, Shandor Larenty lui a appris à le porter sur son dos. Le grand-oncle de Larenty, Terry, un Anglais, a travaillé pour le célèbre cirque Chipperfield dans les années 1950. À l'époque, il était la seule personne capable de monter une girafe.

CHANCE MIRACULEUSE ▸ Carlos Montalvo, agent de l'ATF de Tampa, en Floride, a pu profiter de sa retraite grâce à un coup de chance se produisant une fois sur 20 millions. En 1987, un trafiquant de drogue lui a tiré dessus, mais la balle, au lieu de pénétrer dans son corps, est entrée dans le canon de son arme. Montalvo était sur le point d'effectuer l'arrestation quand le suspect, qui se trouvait à 4,20 m, a tiré. Heureusement, les deux hommes avaient le même modèle d'arme et le projectile est entré dans le canon du Sig Sauer 9 mm de Montalvo, où il a écrasé la balle mais épargné l'agent.

ROCK TV ▸ Atteint d'une maladie génétique rare, l'ataxie de Friedreich, Jason Antone diffuse JROCK TV depuis sa maison de West Bloomfield, dans le Michigan. En trois ans, il a reçu 246 appels de célébrités soutenant l'émission, notamment les acteurs Chevy Chase et Josh Gad, ainsi que l'animateur de télévision Regis Philbin.

ICHTYOMANIA▸ Le premier concours mondial de beauté pour poissons a eu lieu à Fuzhou, en Chine, en 2012. Plus de 3 000 poissons de 14 pays étaient en compétition dans des aquariums géants posés sur des rangées de tables. Il y avait 12 catégories, notamment celle du poisson rouge le plus long et le plus lourd, et les poissons étaient jugés selon cinq critères : la race, l'aspect du corps, les mouvements pendant la nage, la couleur et l'impression générale.

TIREUR DE TRAIN▸ Un harnais autour de la taille, Adnan Ismail al-Avad, un colosse syrien, a tiré un train de 20 mètres de long transportant des passagers dans une côte… soit un poids total d'environ 100 tonnes. Normalement, il aurait fallu 100 chevaux pour faire bouger le train et les wagons.

LA FOLIE DES COUCOUS▸ Dans leur maison de Lake Placid, en Floride, Jim et Jane Klingensmith ont plus de 300 pendules à coucou. Ils ont commencé leur collection en 1922, leur pendule la plus ancienne datant de la fin du XIXe siècle.

EN 1975, WERNER ERHARD, DE SAN FRANCISCO, A ENVOYÉ 62 824 CARTES DE VŒUX.

L'APPEL DU CANARD▸ Depuis 1974, la ville de Stuttgart, dans l'Arkansas, offre tous les ans une bourse de 2 000 $ à l'élève de dernière année réalisant la meilleure imitation de l'appel du canard. La bourse célèbre la mémoire de Chick et Sophie Major, champions de Stuttgart de l'imitation de l'appel du canard et de la fabrication d'appeaux.

GAFFE▸ Deux cambrioleurs ont gaffé quand ils ont volé le juke-box d'un restaurant de San Diego, en Californie, qu'ils avaient confondu avec le distributeur de billets. Le duo de Pieds Nickelés a tenté de faire entrer son pick-up en marche arrière par la porte en verre du restaurant, mais s'est aperçu que l'ouverture était trop étroite… puis il a aggravé son cas en emportant le juke-box à la place du distributeur de billets.

SUPER BAGNOLE▸ Wang Jian, un agriculteur et mécanicien de la province du Jiangsu, en Chine, a construit pour 6 500 € une réplique de la Lamborghini Reventon, qui vaut 1,1 million d'euros. Utilisant du métal de récupération, il a mis presque 15 mois à réaliser sa voiture de rêve.

ZIP

▸ Ces magnifiques lèvres ayant l'aspect d'une fermeture Éclair ont été réalisées par les élèves maquilleur de New College, dans le Worcestershire, en Angleterre, à l'occasion d'un défi lancé par Alistair Cowin, photographe de mode de réputation internationale, pour la création de designs étranges et merveilleux destinés aux lèvres. Les élèves ont aussi maquillé des lèvres avec des motifs de crabe, de chat, de sucre d'orge, de crâne humain et de drapeau américain, utilisant des accessoires tels que des perles, du caviar noir et des haricots à la sauce tomate.

▲ **IDÉE LUMINEUSE** ▶ Incapable de concurrencer les spectaculaires illuminations de Noël de son voisin, qui comportaient 16 000 ampoules, Kristina Green, de Maricopa, dans l'Arizona, n'a eu besoin que de 900 ampoules vertes et rouges pour écrire « DITTO » (de même) et dessiner une flèche montrant la maison voisine.

MORT VIVANT ▶ À Alagoinhas, au Brésil, une famille a fui des funérailles, terrifiée à l'arrivée du défunt... en vie. Un cadavre de la morgue avait été identifié comme étant celui de Gilberto Araujo par le frère de ce dernier. Mais Gilberto ne l'a appris qu'en rencontrant un ami qui lui a alors annoncé qu'il était mort et serait bientôt enterré.

CHASSE AU VAMPIRE ▶ Début 2012, quand les habitants d'un village proche de Dharmapuri, dans le Tamil Nadu, en Inde, ont cru que des vampires tuaient leur bétail, les autorités ont proposé une récompense de 1 500 euros à quiconque pourrait prouver l'existence des vampires de façon concluante.

VEILLE FUNÈBRE ▶ Un chien fidèle refuse de quitter la tombe de son maître décédé depuis plus de 6 ans… alors qu'on ne lui a jamais montré où se trouvaient le cimetière et le caveau. Capitan, un berger allemand, s'est enfui après la mort de Miguel Guzman, en 2006. Mais, une semaine plus tard, se rendant au cimetière de Villa Carlos Paz, en Argentine, pour se recueillir, la famille ébahie trouva le chien hurlant à la mort près de la tombe. Capitan fait parfois une promenade pendant la journée, mais revient à 18 heures pile, s'allonge sur la tombe et y passe la nuit.

SOUS-MARIN JAUNE ▶ Molly, un West Highland terrier, voyage le long de la côte de Cornouaille, en Angleterre, dans le sous-marin jaune à deux places (le *MSV Explorer*) de son propriétaire, Chris Garner, qui étudie la faune marine. La chienne aventureuse l'accompagne aussi dans ses déplacements à moto et en quad.

EN ARRIÈRE TOUTE ▶ Hu Xianwei, de Handan, en Chine, a appris à son pékinois, Zhu Zhu, à marcher à reculons sur les pattes de derrière sur plus d'1,6 km. L'animal regarde même par-dessus son épaule pour repérer les obstacles.

LA SURVIVANTE DU DÉBARRAS ▶ Manuela la tortue a été retrouvée en vie dans une maison de Rio de Janeiro, au Brésil, après avoir passé plus de 30 ans dans un débarras. Elle avait disparu en 1982, mais lorsque Leonel Almeida mourut, en 2013, ses enfants vidèrent une pièce fermée à clé, à l'étage, et retrouvèrent l'animal de compagnie… dans une pile d'appareils électriques hors d'usage. Selon les zoologues, pour survivre durant toutes ces années, la tortue a mangé les termites du parquet et, afin d'éviter la déshydratation, léché la condensation sur les surfaces lisses.

PLAFOND ÉBLOUISSANT ▶ Pour les fêtes de fin d'année, Sylvia Pope, de Swansea, au pays de Galles, décore le plafond de son séjour avec 1 750 bibelots de Noël venus du monde entier.

FAUSSES VOITURES ▶ La police de Wuxi City, en Chine, a placé des voitures de patrouille en carton au bord des routes, dans l'espoir d'inciter les automobilistes à ralentir. Des panneaux solaires alimentant des gyrophares équipent ces véhicules factices, qui paraissent ainsi plus réalistes de nuit.

CHIEN LION

▶ Un vent de panique a soufflé sur Norfolk, en Virginie, en janvier 2013, quand Daniel Painter a rasé son labradoodle, Charles le Monarque, de telle façon qu'il ressemble à un lion. Inquiets, les habitants ont appelé police-secours pour avertir qu'un gros félin rôdait dans les rues. Les agents ont pris contact avec le zoo de Virginie pour s'assurer qu'aucun lion ne s'était échappé. Painter, qui voulait que son chien ressemble à la mascotte de l'Old Dominion University voisine, affirme : « Je dis aux gens que c'est un lion de laboratoire, et la moitié d'entre eux le croient ! »

AU BONHEUR DES CABOTS▶ Un « love hotel » pour chiens, comportant un centre de remise en forme, a ouvert à Belo Horizonte, au Brésil, en 2012. Pour 35 €, payés par leurs propriétaires, les chiens peuvent profiter d'une chambre avec miroir en forme de cœur au plafond, coussins rouges sur le sol et lumière tamisée.

FUNÉRAILLES MOTORISÉES▶ Le funérarium Robert L. Adams de Los Angeles, en Californie, propose de rendre une dernière visite aux défunts sans quitter sa voiture, permettant ainsi aux familles de se recueillir sans renoncer au confort de leur véhicule. Le défunt est placé derrière une longue fenêtre de verre à l'épreuve des balles. Cette idée est destinée à faciliter la tâche des gens qui ont du mal à marcher ou sont très occupés.

LUMIÈRE CACHÉE▶ En 2012, lors de la rénovation de la Clifton's Cafeteria, établissement historique de Los Angeles, en Californie, on a trouvé, derrière un mur des toilettes pour femmes, un néon accidentellement laissé allumé voici plus de 75 ans. Aucun néon au monde n'est resté plus longtemps allumé. On estime que, depuis les années 1930, il a consommé pour 12 500 € d'électricité.

OURS IMPORTUN▶ Le bulletin météorologique de 22 heures de Kurt Aaron sur WNEP-TV, à Scranton, en Pennsylvanie, est généralement filmé en extérieur, dans un espace paysager, mais il a été précipitamment déplacé, le 23 avril 2012, quand une ourse et trois de ses petits ont soudain surgi sur le plateau. Face à une ourse noire adulte se tenant à 3 mètres de lui, Aaron s'est empressé de rentrer et a diffusé son bulletin météo depuis le studio.

DOIGT PROVIDENTIEL▶ Lorsqu'un suspect a braqué un revolver de calibre .38 sur le sergent Michael Miller, de la police de New York, ce dernier est parvenu à enrayer l'arme en glissant le doigt entre le percuteur et le barillet. L'homme a appuyé plusieurs fois sur la détente sans parvenir à tirer et a été maîtrisé, le sergent Miller ne souffrant que d'une fracture de phalange.

MARIAGE CANIN▶ Le 12 juillet 2012, Baby Hope Diamond, un Coton de Tuléar, a épousé, à New York, Chilly Pasternak, une caniche, lors d'un mariage ayant coûté 116 300 €... soit presque six fois le coût d'un mariage humain moyen. La robe de la mariée canine valait 4 400 € et l'accès à la cérémonie était payant, afin de récolter de l'argent destiné à une organisation de défense des animaux.

GÉNIE DES MATHS▶ À Annapolis, dans le Maryland, le 15 mars 2012, sans papier ni crayon, Amit Garg, un Indien, a résolu dix problèmes mathématiques nécessitant de diviser des nombres à dix chiffres par des nombres à cinq chiffres... en 5 minutes et 45 secondes.

PÉDICURE POUR CHÈVRES▶ Deux personnes ont volé une chèvre apprivoisée du zoo de San Diego, en Californie, et l'ont restituée le lendemain après lui avoir fait les sabots et les avoir passés au vernis à ongle rose.

TATOUAGE EXTRÊME

▶ S'efforçant de garder la main ferme, Burnaby Q. Orbax a tatoué son frère, Sweet Pepper Klopek, sur le grand-huit en bois le plus vieux et le plus accidenté du Canada... celui du PNE Playland de Vancouver. Orbax, qui n'avait jamais tatoué personne, tenait la machine, et le réservoir d'encre était collé avec de l'adhésif sur les mains de Klopek. Le résultat, au-dessus du genou droit de Klopek, a été un tatouage représentant un Smiley avec une très longue langue.

Il se fait tatouer la jambe.

◀ Les frères animent aussi le freak show Monsters of Schlock... Orbax a tiré un camion de 4,5 tonnes avec des cordes attachées à deux crochets fichés dans son dos, et Klopek a déclenché 40 tapettes à souris avec sa langue en une minute !

C'EST À LONDRES que se trouve le plus grand musée Ripley du monde. Situé à Picadilly Circus, en plein cœur de la capitale anglaise, il abrite plus de 700 pièces uniques – dont bon nombre sont *so British.* C'est à moins de trois heures de Paris en train, et il est ouvert tous les jours jusqu'à minuit. Avant de repartir, allez défier le LaseRace (image de fond). Attention aux rayons !

Un portrait de Lady Di uniquement composé de bouloches et de peluches récupérées dans son sèche-linge par l'artiste californienne Slater Barron.

Sa belle-fille Kate, dont le portrait a été peint à la bouche par l'artiste Natalie Irish.

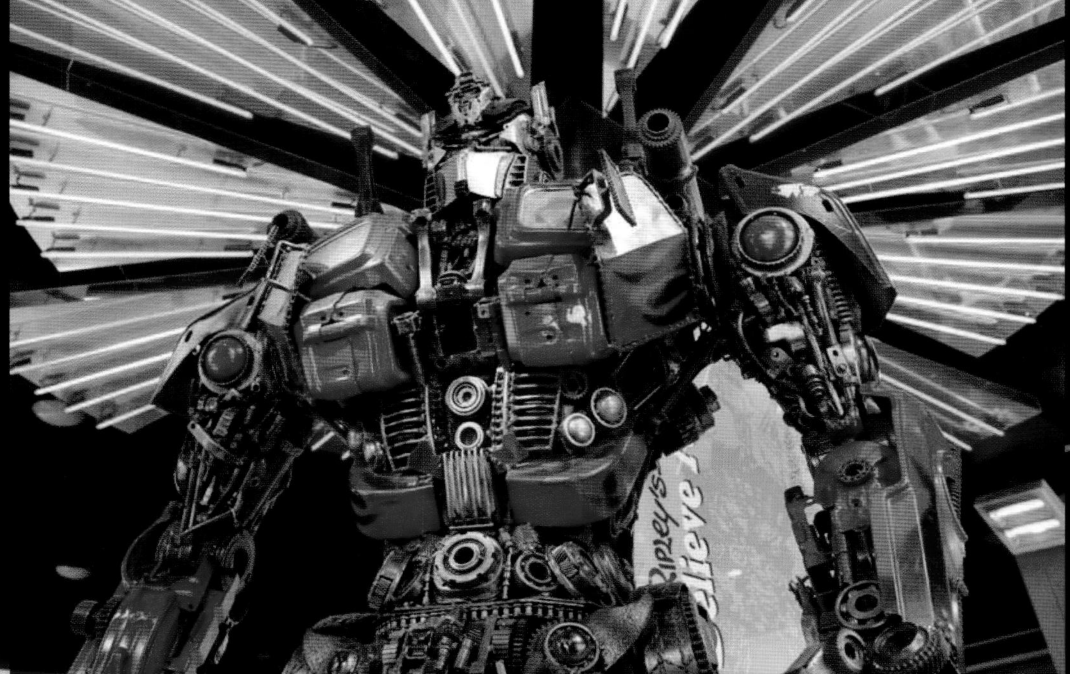

Ce robot Transformer mesure près de 2,5 mètres de haut. Il est entièrement composé de pièces de voitures.

On savait que les Anglais roulaient à gauche. Voilà qu'ils prennent le thé la tête en bas. Renversant, isn't it ?

John Lennon et Ringo Starr sont complètement timbrés ! L'artiste anglais Peter Mason a utilisé près de 10 000 timbres d'usage courant à l'effigie de la reine pour réaliser ce tableau géant.

À ne pas manquer !

- Le plus petit véhicule au monde autorisé à rouler sur route.
- La Ferrari tricotée main.
- La pagode chinoise en jade.
- La réplique de Tower Bridge faite d'allumettes.
- Les gants que Charles Ier portait sur l'échafaud.
- Une main égyptienne momifiée vieille de 4 000 ans.

OUVERT EN 1970, le musée Ripley de Gatlinburg a été détruit par un incendie en 1992. Rouvert l'année suivante, le nouvel établissement donne l'impression d'avoir été secoué par un séisme. Parmi les objets exposés, on trouve un squelette de mastodonte, des poils de yéti et une girafe composée de cintres.

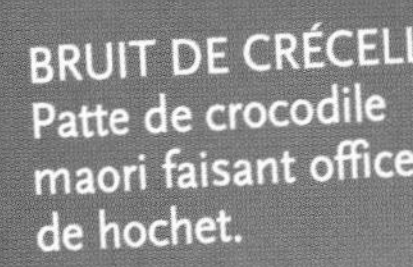

BRUIT DE CRÉCELLE
Patte de crocodile maori faisant office de hochet.

FLÈCHE EN BOUTEILLE
Ces flèches en bois ont été insérées dans la bouteille sans foret ni glu.

ROBOT FUTURISTE
Créé par Simon Blades, ce robot est entièrement constitué de pièces d'autos usagées.

À NE PAS MANQUER !

- L'œuf d'oiseau-éléphant préhistorique.
- La plus longue chaîne de papiers de chewing-gum au monde.
- La mâchoire d'éléphant.
- La sirène des îles Fidji.
- Le mur de Berlin.
- La Vespa en bois.
- La momie égyptienne.
- La canardière géante.
- Le robot soldat en pièces de voitures.

GRAND HOMME
À sa mort en 1940, à l'âge de 22 ans, Robert Wadlow faisait 2,70 mètres, pesait 200 kg et chaussait du 71. Ses mains mesuraient 32,5 cm.

SQUELETTE DE MASTODONTE
Robert Ripley contemple ce mastodonte découvert sous un terrain de golf de l'Ohio. Une sorte de parent préhistorique de nos éléphants.

BOULE D'EAU
Une simple chiquenaude et cette sphère de 4 770 kg se met à rouler !

PETITE TÊTE
Les Jivaros d'Équateur gardaient jadis la tête de leurs ennemis comme trophée.

CHÈVRE À DEUX TÊTES
Chaque tête possède une trachée et un œsophage, mais toutes deux sont reliées au même poumon.

MUSÉE Blackpool

Ce musée britannique, inauguré en 1991, lié au célèbre parc d'attractions Pleasure Beach, à Blackpool, possède divers objets provenant des deux musées Ripley de New York. En tant que première implantation en Europe, il a remplacé l'ancien musée Ripley de cette ville.

FIGURE AFRICAINE DE FERTILITÉ
Des figures comme celle-ci, sculptées au Nigeria, étaient placées chez les couples espérant avoir un enfant, généralement sous le lit de la femme.

MASQUE DE DANSE INDONÉSIEN
Ripley a rapporté de nombreux masques très raffinés d'un voyage en Extrême-Orient dans les années 1930.

CRÂNE MOCHICA
Cet Indien Mochica, vivant au Pérou vers l'an 700, a été sacrifié à son dieu cruel.

À NE PAS MANQUER !

- Une vache à 6 pattes grandeur nature.
- Des sculptures chinoises en os de chameau.
- Des castors albinos.
- Des écritures sur grains de riz.
- Un cerf à 2 têtes.
- De la monnaie en pierre de l'archipel de Yap (la plus volumineuse et étonnante des devises).
- Un habit de chaman décoré de becs

SCULPTURE EN OS
18 artisans ont dû travailler 3 mois pour réaliser cette sculpture en os de chameau.

GUITARE EN PAILLE
Cette guitare acoustique fabriquée dans les Caraïbes fonctionne parfaitement.

WALTER HUDSON
Cet homme, qui pesait 635 kg en 1987, est devenu célèbre pour avoir passé 27 ans dans sa chambre.

BALLE EN FICELLE
Il a fallu 9 ans pour confectionner cette balle de 1,20 mètre de diamètre. Elle pèse plus de 272 kg.

CROCODILE PUK PUK
Le crocodile, qui effraie les Papous de Nouvelle-Guinée, y est toutefois vénéré comme le père de l'humanité.

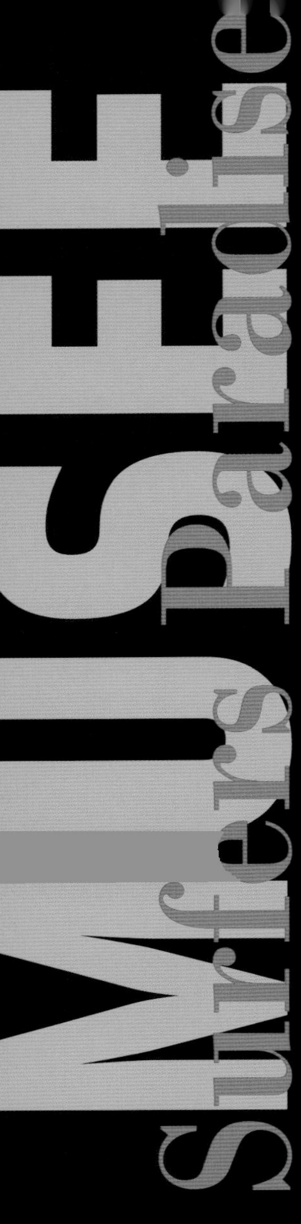

LE PREMIER MUSÉE D'OCÉANIE a ouvert à Surfers Paradise sur la Gold Coast australienne, en 1988. Après d'importants travaux de rénovation en 2000, le musée peut se targuer de posséder une voiture volante, un costume de chaman tibétain constitué d'os humains et une collection de têtes réduites.

DIEU AFRICAIN
Chaque clou planté dans ce fétiche maléfique en bois représente une prière pour que le mauvais sort s'acharne sur un rival.

ŒUFS DE DINOSAURES
Ces œufs de plus de 100 millions d'années sont extrêmement rares.

STÉGOSAURE
Ce squelette est composé d'os de 11 animaux différents, dont des souris et des poules.

SIRÈNE
En 1842, quand cette fusion d'un singe et d'un poisson a été montrée pour la 1re fois en public, beaucoup ont cru voir une vraie sirène.

WOLPERTINGER ALLEMAND
La salive de cette créature mythologique, mi-oiseau, mi-mammifère, serait un puissant aphrodisiaque.

LE BOUT DU TUNNEL
Les murs rotatifs de ce tunnel donnent au visiteur l'impression que le sol bouge, alors qu'il demeure immobile.

CANARD BAZAR
Créé par l'artiste américain Leo Sewell, ce canard est fait de bric et de broc.

À NE PAS MANQUER !

- Un crâne de tricératops.
- Une tortue géante fixée à un hydravion et promenée dans les airs.
- Une corne de narval.
- Le bateau à aubes en allumettes de Robert E. Lee.
- Des dentiers humains faits de dents de dauphins et de crocodiles.
- Une voiture volante.
- Un portrait peint sur une mouche.

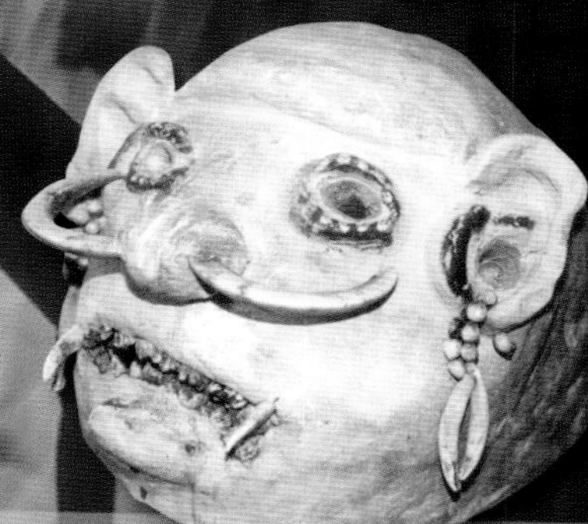

MASQUE DE DANSE ASARO
Portés en Nouvelle-Guinée, les masques des « hommes de boue » étaient censés vous transformer en esprit invincible.

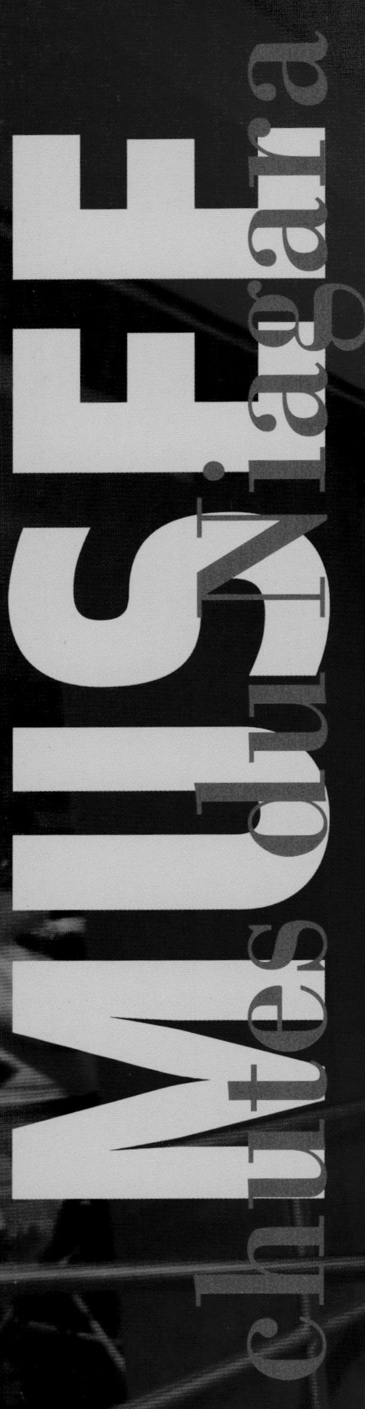

LE DEUXIÈME MUSÉE RIPLEY à avoir été créé se trouve en dehors des États-Unis, aux chutes du Niagara, en Ontario. Il a ouvert ses portes en 1963 et a été complètement refait à neuf en 2003-2004. On y trouve une exposition sur les casse-cou des chutes du Niagara ainsi qu'un portrait peint sur le corps d'une mouche.

OISEAU TRIPODE
Trouvé en 1990 en Angleterre, cet oiseau possède deux têtes et trois pattes.

STÉGOSAURE
Ce squelette de stégosaure, trouvé en Chine, est vieux de plus de 145 millions d'années.

LES GROSSES DENTS DE LA MER
Une mâchoire de requin mégalodon possède des dents de 15 cm de long. Elle est assez large pour mordre une petite voiture.

VIEUX FOSSILE !
Ressemblant plus à un scorpion qu'à un crabe, cette créature a existé il y a environ 200 millions d'années.

ART DE LA RÉCUPÉRATION
Ces sculptures sont faites à partir d'ustensiles de cuisine, de tuyaux de plomberie, de morceaux de voitures, de jouets et... d'ordures en tout genre.

ATTENTION AU JIVARO
Grosse comme un poing, cette tête est décorée d'un serre-tête en ocelot et de plumes de perroquet.

UNICORNE
Ce mignon petit agneau est né en Angleterre avec une seule corne de 10 cm de long sur la tête !

À NE PAS MANQUER !

- La robe d'un chaman tibétain.
- La statue de la Liberté en allumettes.
- La tortue à deux têtes.
- La chope de bière géante de Ripley.
- La collection de moustaches.
- Le crâne géant d'un castor préhistorique.
- De l'art mural rien qu'avec des pansements.
- La météorite de Peerskill, célèbre pour avoir percuté une voiture.

BISON
Découvert dans un troupeau du Dakota du Sud, ce bison a 8 pattes !

CRÉDITS PHOTOS

COUVERTURE © darren whittingham - Fotolia.com, © Don Bayley - istockphoto.com; PAGE 4 (h/g) Annabel de Vetten, (h/d) Dale Porter/KillerImage.com, (b/g) Desre Pickers, (b/d) Vat19.com; 5 (h/g) M & Y Agency Ltd/Rex Features, (h/d) Shareef Sarhan, (c/d) Nirit Levav, (b/g) Gillian Bell, Deadbright.com/Miss Cakehead, (b/d) Steven Larimer & Cindy Rio; 6 (h/g) © kromkrathog - Fotolia.com; 9 (h) Cassandra Mardi; 12–13 (f) © Juri Samsonov - Fotolia.com; 13 (h/g) © Tommy Schultz - Fotolia.com, (h/d) © ftlaudgirl - Fotolia.com, (c/g) © Ludovic LAN - Fotolia.com, (c/d) Imagebroker/Andrey Nekrasov/Flpa, (b/g) © Martin Wilkinson - Fotolia.com, (b/d) © Gino Santa Maria - Fotolia.com; 15 Dominic Deville; 16–17 Caters News; 18 (h/g) David Begiashvili, (b) Getty Images; 19 Startraks Photo/Rex Features; 20 Circus World Museum, Baraboo, Wisconsin; 21 (h) Hernandez Silva arquitectura/Rex Features, (b) Steve Rosenow/Loowit Imaging; 22 (h) Lisa Lin/Rex Features, (b) Reuters/China Daily; 23 Maskull Lasserre; 24 (h) © PA/Police Grossburgwedel, (b) Nikkie Curtis/Max Galuppo; 25 www.corsozundert.nl/Rex Features; 26 Caters News; 27 (h) Bournemouth News/Rex Features, (b) Dominic Deville; 28 Cover Asia Press; 29 (h) Caters News, (b) Yoshikazu Tsuno/AFP/Getty Images; 30 Reuters/Daniel Munoz; 31 (h) © Guido Vrola - Fotolia.com, (c) Erik Astrom/Scanpix/Press Association Images, (c/d) Rolf Hojer/Scanpix/Press Association Images; 32 (h) Annabel de Vetten; 33 (h) Sell Your Photo, (b) Dr Morley Read/Science Photo Library; 35 Paul Koudounaris; 36 (g, h/d, c) Reuters/Yusuf Ahmad, (b) Elang Herdian/AP/Press Association Images; 37 Reuters/Yusuf Ahmad; 38 Time & Life Pictures/Getty Images; 39 (h) Stephen Alvarez/National Geographic Stock, (b) Imagine China; 40–41 (h) Reuters/Vincent West/Files, (b) Sandra Church/Rimrock Humane Society; 41 Arturo M. Nikolai; 42 Imaginechina/Rex Features; 43 Redux/Eyevine; 44 (h/g) Roya Naini, (h/d) Jim Simandl, (b) Dick Larson; 45 Paul Koudounaris; 46–47 Chris Tangey - Alice Springs Film and Television; 48 Angel Vega; 49 (h, c) Caters News, (b) Dave Lee King; 50 Caters News; 51 (h) Caters News, (b) Ivan Dementievskiy; 52 Reuters/China Daily; 53 (h) Newsline Scotland, (b) Quirky China News/Rex Features; 54–55 Caters News; 56 (h) Caters News, (b) Courtesy Humboldt State University Library; 57 Caters News; 59 Liberty Mountain Resort; 60 (h) Reuters/Cris Toala Olivares, (b) Matt Roper; 61 (h) Matt Roper, (b) Reuters/Fred Thornhill; 62 (h) © Pete Oxford/NaturePL.com, (b) Charles Lam/Rex Features; 63 (h) Caters News, (b) Reuters/Chaiwat Subprasom; 64 (b/g) ZSSD/Minden Pictures/FLPA, (b/d) Michael Patricia Fogden/Minden Pictures/National Geographic Stock; 65 University of California at Davis Veterinary School; 66 (h) Europics, (b) Caters News; 67 Caters News; 68 (h) Imagine China, (b) Martin Amm; 69 Kyndra Batla; 70 Caters News; 71 (h) Caters News, (b) Photo by Bill Bouton; 72 NBCU Photo Bank via Getty Images; 73 (h) Caters News, (b) Albanpix Ltd/Rex Features; 74 Caters News; 75 (h) Draft FCB New Zealand/SPCA, (b) © Bruce Coleman/Photoshot; 76 (b) Dale Porter/KillerImage.com; 77 (h) Imagine China, (b) Europics; 78 (h) © NHPA/Photoshot, (b) © Eric Gevaert - Fotolia.com; 79 © David Shale/NaturePL.com; 80 (d) Leah Garcia, (g) Sipa USA/Rex Features; 81 Caters News; 82 (g) Becky Stanford, (d) Robert Brooks; 83 Liberty Mountain Resort; 85 London News Pictures/Rex Features; 86 (g) Caters News, (d) Scott Markewitz; 87 (b/g) Grant Gunderson, (g) Caters News, (h/d) Alaska Stock Images/National Geographic Stock; 88 (h/g, h/d) Wenn.com, (b) Getty Images; 89 Caters News; 90 Caters News; 91 (h) AP/Press Association Images, (b) London News Pictures/Rex Features; 92 Desre Pickers; 93 (h, d) NTI Media Ltd/Rex Features, (b) © Ian Marlow/Demotix/Corbis; 94 KeystoneUSA-Zuma/Rex Features; 95 (h/g) Gregg Valentino, (b/d) Getty Images; 96 (h/g, d) Getty Images, (b) L.L.Bean/Rex Features; 97 Getty Images; 100–101 (dp) © Robert van der Hilst/Corbis; 101 (h/d) © Robert van der Hilst/Corbis; 102 (h) Reuters/Umit Bektas, (b) ChinaFotoPress via Getty Images; 104 © Bettmann/Corbis; 105 (d) Isaac Burrier, (g) Steve Duggan; 106–107 Cover Asia Press; 108 Imagine China; 109 (h/g, h/d) Phoenix Day Photography, (b) Chayne Hultgren (AKA: The Space Cowboy); 110 Helma van der Weide/Rex Features; 111 (h/d) Reuters/Ricardo Moraes, (g, b/d) SWNS; 112 (b/g) Body Art The Extreme Ink-ite 114 (h) Europics, (b) © Winston Link - Fotolia.com; 116 (b, b/d) Imagine China, (h/d) Wenn.com; 117 (h) Wenn.com, (b) Fantich & Young; 120 (f) © marianna38 - Fotolia.com, (b) Getty Images; 122 (h) Ashley Savage, (b) Imagine China; 123 (sp, b/d) Imagine China, (h) Kathy Vick; 125 Kobi Levi; 126–127 Jeremy Telford; 128 Barcroft Media via Getty Images; 129–136 (f) © Alexandr Zinchevici - Fotolia.com, © marinamik - Fotolia.com, © marianna38 - Fotolia.com, © poplasen - Fotolia.com; 129 (sp) Jennifer Dawson (curator) and Vent Haven Museum KY, (b) Tom Ladshaw courtesy of Vent Haven Museum KY; 130 Jennifer Dawson (curator) and Vent Haven Museum KY; 131 (h) Getty Images, (c/g, b) Jennifer Dawson (curator) and Vent Haven Museum KY; 132–133 (dp) Jennifer Dawson (curator) and Vent Haven Museum KY; 132 Jennifer Dawson (curator) and Vent Haven Museum KY; 133 Jennifer Dawson (curator) and Vent Haven Museum KY; 134 (h/g) Bryan Simon/Jennifer Dawson (curator) Vent Haven Museum KY, (h/d, c, b) Jennifer Dawson (curator) and Vent Haven Museum KY; 135 (h/g, h/d, b/g) Jennifer Dawson (curator) and Vent Haven Museum KY, (b/d) James Kriegsmann/Michael Ochs Archives/Getty Images; 136 (sp) Jennifer Dawson (curator) and Vent Haven Museum KY, (b) Tom Ladshaw courtesy of Vent Haven Museum KY; 137 (h) Wenn.com, (b) TheSkillsShow.com/Wenn; 138 Kobi Levi; 139 (h/d) Faye Halliday, (c) Bewley Shaylor, (b/d) Ray Scott; 140–141 © Bettmann/Corbis; 142 M&Y Agency Ltd/Rex Features; 143 (h) Vat19.com, (b/g, b/c, b/d) Reuters/Sheng Li; 145 M&Y Agency Ltd/Rex Features; 148 (h) Caters News, (b) Western Times; 149 (h) AA/ABACA/Press Association Images; 150 M&Y Agency Ltd/Rex Features; 151 (h) Rex Features, (b) Europics; 152 Quirky China News/Rex Features; 153 (h) AAP/Press Association Images; 154 Quirky China News/Rex Features; 155 (h) Tim Hahn/AP/Press Association Images, (c) Ross Parry Agency, (b) Network Rail/Rex Features; 158–159 Caters News; 160 (h) Caters News, (b) Shareef Sarhan; 161 Quirky China News/Rex Features; 162 Jay Nemeth/Red Bull Content Pool; 163 (b/d) balazsgardi.com/Red Bull Content Pool, (h/d) Joerg Mitter/Red Bull Content Pool, (b/g) Red Bull Stratos/Red Bull Content Pool; 164 Imaginechina/Rex Features; 165 Reuters/Vincent Kessler; 166 (h) Top Photo Corporation/Rex Features, (h/d) Canadian Press/Rex Features, (b) Reuters/Vladimir Nikolsky; 167 Canadian Press/Rex Features; 168–169 Alexander Remnev/Solent News/Rex Features; 170 (h/g, h/c) Joe Salter, Flora Bama-Lounge Triathlon, (h/d) Jeff Nelson Studios, (b) Gennaro Serra; 171 (h/g, c) Jeff Nelson Studios, (h/d) Joe Salter, Flora Bama-Lounge Triathlon, (b) Reuters/Yves Herman; 174 (h) Vincent Thian/AP/Press Association Images, (b) Getty Images; 175 Reuters/Laszlo Balogh; 176 (h) HAP/Quirky China News/Rex Features, (b) Quirky China News/Rex Features; 177 AFP/Getty Images; 179 SWNS; 180–181 www.idrinkleadpaint.com/twitter @idrinkleadpaint; 182 (g) Pintofeed, (h) Gianluca Regnicoli; 183 (h) SWNS, (b) Caters News; 184 (h) Charlotte Howell, (b) Benoit Aquin/Polaris/eyevine; 185 (h) KPA/Zuma/Rex Features, (b) Caters News; 186–187 Cecelia Webber, www.ceceliawebber.com; 188 (h, c) Caters News, (b) SWNS.com; 189 Rayfish.com; 191 Freya Jobbins/Rex Features; 192–193 Chooo-San/Rex Features; 194 (h, b) Nikita Nomerz/Rex Features, (h/d) Reuters/Paul Hanna; 195 Getty Images; 196 Splash News; 197 (h/g, h/d) Cassander Eeftinck Schattenkerk, (b) Christopher Boffoli; 198 Photographer Hal; 199 (h/g) joce-barbiemamuse.com, (h/d) KeystoneUSA-Zuma/Rex Features (b/g) joce-barbiemamuse.com, (b/d) © Corbis, (bkg) © JackF - Fotolia.com; 200 Solent News; 201 Reuters/Andrew Burton; 202 (h/g, h/d) Ramon Bruin, (b) Freya Jobbins/Rex Features; 203 Getty Images; 204 (h/g, h/d) ©Kurt Perschke/www.redballproject.com, (b/d) © Bert Folsom - Fotolia.com; 205 (c, h/g, h/d) ©Kurt Perschke/www.redballproject.com, (b) Felipe Dana/AP/Press Association Images, (b/d) Marcos de Paula/DPA/Press Association Images; 206 (h, b) Sell Your Photo; 207 (h, c) Nirit Levav, (b/g, b/d) Marcus Levine; 209 Melinda Chan; 210 (h/g, h/d, c, b/d) Gillian Bell, Deadbright.com/Miss Cakehead, (b/g) Sarah Hardy Cakes sarahhardycakes.co.uk/Miss Cakehead; 211 Gillian Bell, Deadbright.com/Miss Cakehead; 212 (h/g, h/c, h/d) HotSpot Media, (b) © Michele Westmorland/Corbis; 213 Reuters/Keith Bedford; 214 (h) © Rungroj Yongrit/epa/Corbis, (b) Caters News: 215 (h) Jaffa Cakes/Rex Features, (b) Melinda Chan; 216 Seth Wenig/AP/Press Association Images; 217 Ben Milne, (h) © Rolex de la Pena/epa/Corbis; 218 (h) Caters News, (b) Richard Jones/Sinopix/Rex Features; 219 (h/g, h/d) Caters News, (b) Reuters/Vincent Kessler, (b/g) © Liaurinko - Fotolia.com; 220 (h) Jack Dempsey/Invision for Cheetos/AP Images, (b) KNS News; 221 (h) Joshua Scott, (b) Caters News; 222 (h) Vat19.com/Rex Features, (b) Logan Cooper; 223 Wenn.com; 225 Rob Leeson/Newspix/Rex Features; 226–227 Worldwide Features; 228 (h,g, h/c, h/d) Steven Larimer & Cindy Rio, (b) Alan Sailer/Rex Features; 229 (h) Steven Larimer & Cindy Rio, (b/g, b/d) Donald L. Sammons; 230 (h) BNPS, (b) © Mariam A. Montesinos/epa/Corbis; 231 Wes Naman/Rex Features; 232 (h/d) Circus World Museum, Baraboo, Wisconsin, (b) Saskatchewan Archives Board R-A3465; 233 (h/g, b/d) Circus World Museum, Baraboo, Wisconsin; 234 (h) Hotspot Media, (b) Rob Leeson/Newspix/Rex Features; 235 Earth to Sky Calculus/NASA; 236 Jan Wiriden/GT/Scanpix/Press Association Images; 237 (h) © Cherie Diez/Tampa Bay Times/Zumapress.com/eyevine, (b) Quirky China News/Rex Features; 238 Caters News; 239 Circus World Museum, Baraboo, Wisconsin; 240 (d) Getty Images, (g) www.50fifty-gifts.com; 242 (h/g, h/d) Vermont Fish & Wildlife Department, (c/g) Luke Kelly, (c/d, b) Ryan Ganley; 243 Alistair Cowin/Rex Features; 244 (h) Ross D. Franklin/AP/Press Association Images, (b) Stephen M. Katz/AP/Press Association Images; 245 Syx Langemann

Légendes : h = haut, b = bas, c = centre, g = gauche, d = droite, sp = simple page, dp = double page, f = fond
Toutes les autres photos appartiennent à Ripley Entertainment Inc.

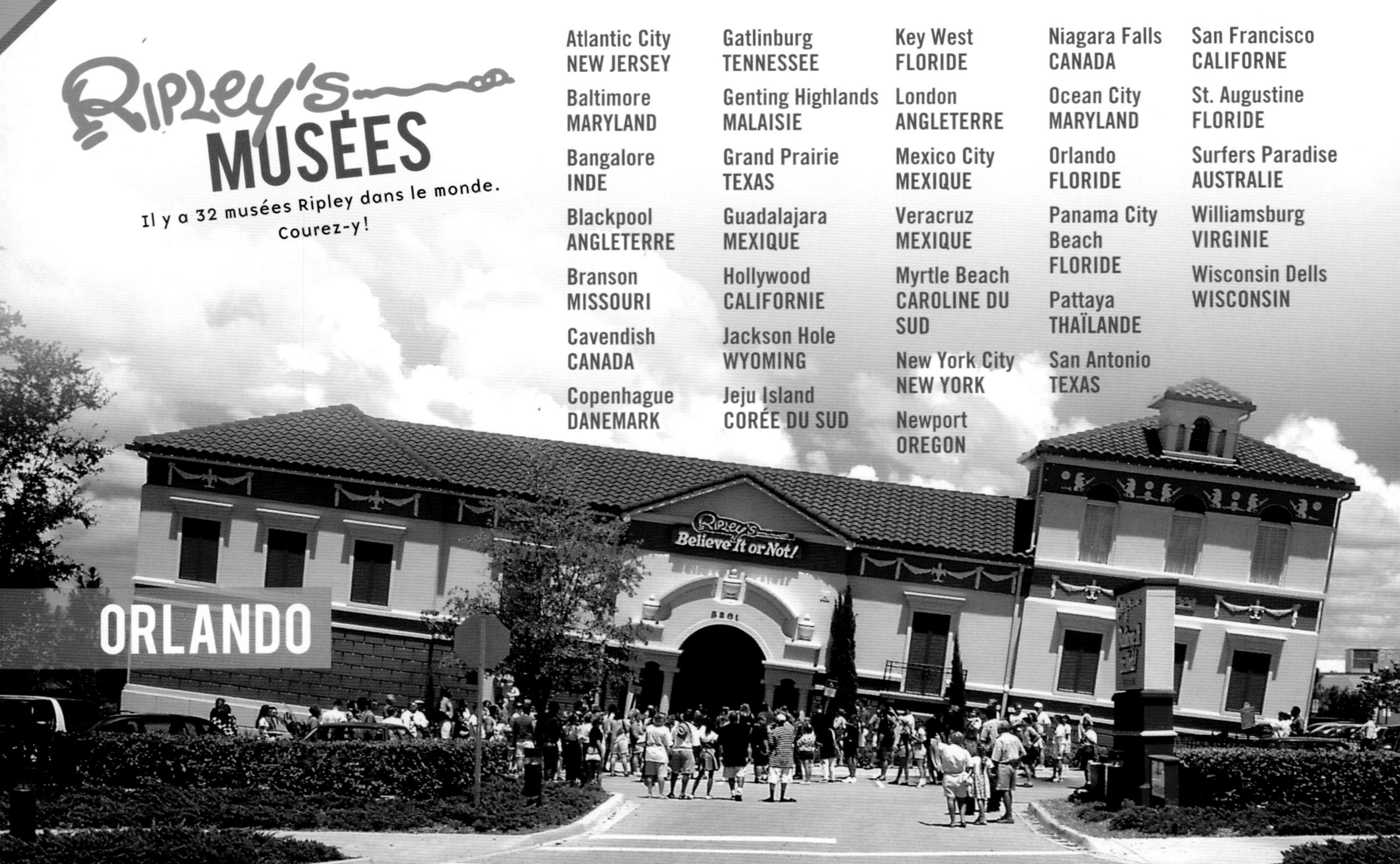